L'ESP[...]

L'AVE[...]

Janine Boissard, écri[...]
télévision et pour le cin[...]
elle a fait des adaptati[...]
séries télévisées.
Janine Boissard a publié chez Fayara la celebre serie [...]
famille, *comportant cinq romans :* L'Esprit de famille, L'Avenir
de Bernadette, Claire et le bonheur, Moi, Pauline, Cécile la
poison *et deux autres romans :* Une Femme neuve, Rendez-vous
avec mon fils.

Dans le Midi de la France, sous les rochers, vit un poisson
nommé « le cœur »; il ne craint pas le pêcheur, se laisse, sans se
défendre, harponner. La race est en voie de disparition.
Les jeunes filles que présente Janine Boissard — Bernadette et
Pauline —, aimées, protégées, sont comme « le cœur ». N'ayant
connu de la vie que sa douceur, elles se retrouvent sans défense
devant le danger. Pauline comme Bernadette vont apprendre,
durant les grandes vacances, qu'avoir des parents très tendres,
une maison où l'on se sent bien, entourées, écoutées, un jardin
qui vous parle et aussi des sœurs, des complices, cela ne veut
pas dire pour autant être à l'abri des coups de la vie.
Pendant que Pauline découvre la Californie et la jeunesse américaine, Bernadette fait une mauvaise chute de cheval. Chacune
fait ainsi, à sa façon, l'apprentissage de la souffrance et du
bonheur.

Paru dans Le Livre de Poche :

JANINE BOISSARD

L'ESPRIT DE FAMILLE
II

L'avenir de Bernadette

ROMAN

FAYARD

A mes sœurs,
Nicole, Aliette, Claudie, Evelyne.
Et... à mon frère Yves.

CHAPITRE PREMIER

UNE COURONNE DE DIX-NEUF BOUGIES

HIER, j'ai eu dix-huit ans! J'ai soufflé les dix-neuf bougies — une de plus pour assurer ses avants — du gâteau meringué à la fraise commandé exprès à Pontoise. J'ai pris soin d'en laisser quelques-unes allumées et maman a ri : « Décidément, voici une fille peu pressée de quitter la maison! » Exact!

Pour les quatre dernières bougies; quatre comme nous : Claire, Bernadette, Cécile et moi. Moi, Pauline, l'héroïne de la fête, j'ai attendu jusqu'à ce que la flamme lèche le dessus du gâteau et Claire a déploré plus tard que la meringue ait un goût de cire.

La table avait été dressée dans le jardin, à côté du bassin. A l'occasion des anniversaires, nous utilisons une nappe brodée main par grand-mère, lorsqu'elle était jeune fille à marier, et qui demande un blanchissage spécial. Cette fois, je n'avais pas eu le droit de me mêler du couvert; seulement celui de regarder les autres travailler en profitant de cette soirée d'été.

J'avais donc dix-huit ans! J'étais majeure! Je pouvais si je le désirais me lever et dire au revoir et merci. Vous m'avez élevée, nourrie, instruite, c'est terminé, je m'en vais! Et si au-dehors je m'égarais ou me trompais, ce ne serait pas mes parents mais moi qui paierais.

C'est mon père qui s'est levé. Il a déclaré qu'au seuil de cette année qui s'ouvrait pour l'une d'entre nous, il désirait faire une sorte de check-up familial. Mon père est médecin-généraliste à Pontoise.

Il a regardé le jardin, nos arbres, le verger là-bas, et

annoncé pour commencer qu'il était heureux, lui, d'avoir choisi d'habiter la campagne plutôt que la ville; de pouvoir, au réveil, admirer du feuillage au lieu de murs gris. Qu'en pensions-nous?

Cela a été « oui mais » pour Claire, vingt et un ans, l'aînée de la famille, notre « princesse »! Oui pour le feuillage, l'air et le calme. Mais elle ne savait pas pourquoi, il arrivait que tout cela lui fasse éprouver un vertige.

Il n'y a pas eu de commentaire mais ce n'était pas difficile de lire dans l'esprit des parents. Le vertige de Claire, c'est son inaction. Le bachot passé, elle a décidé de vivre sa vie, c'est-à-dire de rester libre : de toute contrainte; de tout horaire. Les journées s'étendent devant elle, vides peut-être. Reste à savoir si l'inaction pèse moins à la ville qu'à la campagne. Pas sûr.

Et « oui tonitruant » pour Bernadette, notre cavalière, vingt ans depuis une quinzaine. Car le feuillage, les chemins et l'espace sont de même famille que l'équitation; son grand amour. La famille du vent sur le visage et de la liberté.

Cécile, « la poison », treize ans, a déclaré sèchement ne pas pouvoir se prononcer, passant l'essentiel de son temps au collège, c'est-à-dire en prison; derrière des murs gris justement!

Et mille fois oui pour moi! Je loge au grenier, en quelque sorte au sommet des arbres, et les bruits du jardin font partie des battements de mon cœur.

Je me suis rendu compte plus tard que nous avions oublié d'interroger maman. Cela arrive souvent. On la met automatiquement dans le même sac que papa.

Charles[1] a demandé ensuite si cette année nous avait semblé positive. C'est-à-dire si elle avait marqué un progrès par rapport à la précédente. Pour lui? Certainement! En ce qui concernait ses filles par exemple, il avait appris à mieux les connaître. Au moment où il a déclaré ça, j'ai bien vu qu'il me regardait et je me suis sentie à la fois heureuse et gênée.

Claire s'est tournée d'un autre côté. Papa a l'art de

1. Papa.

8

poser des questions très personnelles, au cas où, mais nul n'est obligé d'y répondre. Lorsque Bernadette a dit oui, oui pour le progrès, d'une voix qui venait d'ailleurs, j'ai senti qu'elle pensait à Stéphane, un garçon à qui elle apprend à tenir sur un cheval et qui est devenu si l'on peut dire son grand ami.

Cécile a remis sa réponse au jour de son anniversaire. Je ne me suis pas prononcée.

La nuit a commencé à tomber, en douceur. Le jardin est devenu plus profond. Maman est allée allumer la lumière fixée au mur de la maison, les papillons ont dessiné de grandes ombres sur le gravier et ils faisaient des bruits secs en se cognant contre l'ampoule.

Je suis née à peu près à cette heure, avec un mois d'avance. Mon berceau n'était pas prêt. On m'a couchée dans un tiroir. Cécile dit volontiers que c'est pour cela que j'ai l'esprit tordu.

Le jour semblait ne pas vouloir tout à fait disparaître comme pour me souhaiter plus longtemps ces dix-huit années. Tout était bleuté et profond et s'en allait vers le sommeil. On sentait l'odeur de l'Oise : mélange de vase et de fraîcheur. Les bateaux n'y passent pas le soir. Par contre, tôt le matin, c'est souvent le grondement de leur moteur qui nous réveille.

« Avoir dix-huit ans, qu'est-ce que ça fait ? a interrogé Cécile.

— C'est comme lorsque tu passes une frontière, a soupiré Claire. Tu te dis : « Tout va changer. » Tu te réjouis. Tu ouvres grands tes yeux et de l'autre côté, c'est exactement les mêmes paysages, les mêmes têtes !

— Pas le même langage », a fait remarquer Bernadette.

Claire a déclaré d'un ton pénétré que le langage ne changeait rien, que seul le regard comptait.

Il était plus de dix heures lorsque nous sommes sorties de table. Je n'ai pas eu le droit de desservir. Anniversaire oblige ! Mon père m'a remplacée. Il jouait au garçon de café et jonglait avec les verres pour faire hurler maman.

J'ai marché jusqu'au bout du jardin, jusqu'au grillage qui nous sépare de l'Oise. C'était l'été. Oui ! L'été ! Mais entre nous, cette année, il y avait comme une brume qui attendait de se dissiper. Pierre, peut-être! Un homme que j'ai aimé et qui n'était pas libre. Cet été aurait dû être « nous » et je pense qu'alors il aurait triomphé partout!

Plus tard, après avoir enfin pu disposer de la salle de bain que je partage avec mes sœurs et où elles s'arrangent pour me faire toujours passer en dernier, j'ai croisé maman dans l'escalier. Je suppose qu'elle me guettait. La porte de sa chambre était entrouverte et, dans le lit, à la place de papa, on ne voyait qu'un journal déployé.

Maman était en chemise de nuit, ses cheveux défaits et cela m'a intimidée. Elle m'a dit : « C'est maintenant, Pauline, que je voudrais te souhaiter une bonne année. »

Il m'a semblé que dans son regard passait tout ce que j'avais vécu de bon et de mauvais, de bonheur et de souffrance durant les derniers mois; et lorsqu'elle m'a embrassée, alors, j'ai vraiment senti s'en aller mes dix-sept ans!

En éteignant ma lumière, je pensais à l'année qui venait et je ressentais une impatience. J'aurais voulu pouvoir demander à quelqu'un quel nom elle aurait : Pauline et qui? Pauline comment?

J'ai oublié de dire que lorsque Cécile a vu arriver mon gâteau entouré de bougies, elle a déclaré qu'on n'y pouvait rien mais qu'à partir de cette quantité ça faisait vraiment couronne mortuaire!

CHAPITRE II

LE CLUB DES « F »

Il y a certains endroits, dans un jardin, qui vous parlent davantage; pour moi, c'est ce coin pastillé de soleil, sous le vieux poirier, tout près de l'endroit où l'on avait, l'année de notre arrivée, installé le portique pour Cécile. Le portique est maintenant en pièces détachées dans la cave, mais là où l'on freinait pour s'arrêter, l'herbe n'a jamais voulu repousser.

De mon vieux poirier qui n'est beau qu'en mai quand le printemps le déguise en jeune mariée, on a vue sur le bassin et sur la maison. On sent, derrière soi, cheminer l'Oise; mais pour que tout y soit vraiment, il faut les longs pans de soleil comme draps à sécher jusqu'à la maison, un égrènement de gravier quelque part et dans le feuillage une caresse de vent.

L'année est finie! Pareille à une petite balle de couleur, cette phrase rebondit en moi à tout instant. Finie, pour deux mois et demi, l'obligation de s'arracher du lit à sept heures. Finie la selle glacée de la mobylette, et le R.E.R., et le métro, et les trente-six dos courbés sur des odeurs d'encre et de papier. Terminés les horaires stricts, les ordres sans discussion, le bac de français qui m'a valu deux points d'avance pour le grand de l'année prochaine et cette remarque dans la marge : « Sensibilité, profondeur, mais quel fouillis! » Vive le fouillis! Que jusqu'au 15 septembre prochain, il soit roi!

« Enfin les vacances », a déclaré Claire, ce matin au petit déjeuner, avec un soupir de satisfaction.

Et pour fêter ça, elle a couronné sa tartine d'un abricot entier.

J'ai pu sentir le sursaut de papa qui, stoïquement, s'est dispensé de commentaire et a seulement cherché le regard de maman pour pousser son soupir intérieur. Claire, « la princesse », qui n'a tellement rien fait de l'hiver que ses ongles sont immenses et sans la plus petite ébréchure, se réjouit donc aussi des vacances! Après le déjeuner, maman m'a expliqué pourquoi : durant quelques semaines, elle va pouvoir être tout à fait à l'unisson avec la famille.

Finalement, la seule à n'être pas en vacances, c'est Bernadette! Juillet est un bon mois pour le manège où elle travaille et ce cher Crève-cœur, le maître de Heurtebise, lui a même accordé une augmentation. Elle s'est ouvert un carnet de Caisse d'Epargne pour le jour où elle s'installera à son propre compte. C'est vraiment sérieux!

Depuis le début du mois, elle a pris l'habitude d'amener Germain, son cheval, en fin d'après-midi, saluer la famille. On entend de loin résonner son pas sur le chemin et alors on voit passer par-dessus le muret le buste bien droit de notre cavalière. Elle voudrait lui apprendre à tirer de sa mâchoire la sonnette de la grille comme une jument célèbre appelée Milady, mais Germain ne veut rien entendre et profite de l'arrêt pour savourer quelques branchages de cornouiller au désespoir de papa qui connaît personnellement chaque feuille, fleur ou plante de son jardin.

Germain a grossi et son pas devient poussif mais on ne le dit pas à sa propriétaire qui le traite en cheval de concours. Il reste dans le jardin le temps de saluer tout le monde et de déposer au hasard de sa promenade un peu d'engrais pour les plates-bandes.

Parfois, Cécile le monte bien que, dit-elle, l'odeur la gêne un peu. Non qu'elle n'aime pas celle-ci mais Germain sent si fort le vivant qu'elle trouve indiscret de monter sur son dos.

Décidément, cette pauvre Cécile est incapable de rien faire simplement!

Cela s'est passé hier matin, samedi, à onze heures.

Tavernier, notre voisin, surnommé « Grosso-modo », parce qu'il le dit tout le temps, était venu apporter à papa deux bulbes de gloxinia écarlate qui faisaient merveille dans son mixed-border et lui montrer une petite plaie qu'il s'était faite à l'aine et qui prenait vilaine allure.

Nous étions tous devant la maison, près du bassin, là où on déjeune quand il fait beau. Papa avait décidé de remettre à neuf le barbecue et il grattait la rouille de la grille tandis que Cécile le repeignait en vert pomme. Comme Grosso-Modo n'osait pas demander une vraie consultation, il s'était mis en short; il a fait signe à papa, s'est tourné de l'autre côté et a juste montré son aine en passant comme s'il n'y avait pas pensé avant.

« Vous vous seriez fait ça, docteur, grosso modo, qu'est-ce que vous mettriez dessus ? »

Papa a demandé s'il avait beaucoup saigné. C'est alors que Cécile est devenue violette. Elle nous a tous regardés d'un air de défi et elle a annoncé d'une voix rauque : « A propos de sang, moi ça y est depuis avant-hier matin ! »

Et c'est ainsi que nous avons appris qu'elle avait eu ses règles.

Cela faisait un an qu'elle les attendait. Elle ne quittait pas la maison trois heures sans emporter le nécessaire. Il faut dire que par rapport à ses amies, elle était plutôt en retard. Celles qui les avaient avaient formé le « Club des F » — femmes — dont étaient exclues les « petites ». Les « F » marchaient avec grâce, refusaient de jouer au ballon prisonnier et, pour se reconnaître du premier coup d'œil, portaient au cou une chaînette avec un cœur.

Cécile les méprisait, aussi attendait-elle avec impatience le moment de pouvoir refuser d'entrer dans leur Club.

La phrase a fait tomber un froid. La poison rajoutait à présent avec fureur une couche supplémentaire de peinture sur son tee-shirt pour échapper au regard tendre et étonné de maman. Sensible à l'atmosphère et ne sachant que dire, Grosso-modo fixait son aine avec concentration.

Quant à Claire, elle en avait laissé tomber le faux nez en plastique qu'elle met au soleil à cause de la couperose et nous assassinait du regard. Il faut avouer que Cécile à l'art de choisir ses moments! Petite, quand elle voulait interroger maman sur le sujet le plus secret, elle choisissait toujours l'instant où elles faisaient la queue, à l'épicerie, et posait sa question bien haut afin que tout le monde en profite : « A propos, maman, Charlotte a eu un bébé sans être mariée, comment ça se fait? »

« On est tous bien contents », a dit Bernadette! Et pour faire diversion elle a conseillé un remède à Grosso-modo. Sur la plaie, quatre jours sans interruption, des cataplasmes d'oignons cuits. Il échapperait ainsi à une vilaine cicatrice.

Notre voisin n'avait pas l'air tellement chaud pour les oignons mais il a quand même remercié Bernadette, puis il s'est tourné avec attente vers papa.

Papa a prononcé le mot « gloxinia » et ils sont partis faire un tour de jardin. Au retour, il lui a fait une ordonnance avec consultation gratuite pour une pommade à la pénicilline qui réglerait en trois jours son problème.

Grosso-modo semblait tout rajeuni. « Ce qui était ennuyeux, à cet endroit, expliquait-il à maman, c'était le frottement, à moins de faire comme sur les plages de Saint-Tropez, n'est-ce pas? »

Nous avons tous ri poliment et c'est là que Cécile a demandé comment ce malheur était arrivé.

L'air gêné de Grosso-modo a beaucoup intrigué tout le monde. Il a fait mine de n'avoir pas compris la question, lui qui a l'oreille la plus fine de Mareuil en ce qui concerne les petits potins et fausses notes à l'église. Il a filé comme le vent en emportant son ordonnance. Papa s'est retranché derrière le secret professionnel et c'est ainsi que l'aîne de notre voisin est devenue le grand sujet de plaisanterie.

Cela peut venir à n'importe quel moment! l'une ou l'autre dit : « J'ai trouvé pour l'aîne de Grosso-modo! » C'est tantôt un fil de fer barbelé qu'il a enfourché pour dérober des bulbes dans le jardin du maire; tantôt la rampe de son escalier sur laquelle il descendait ce jour-là à califourchon pour échapper plus vite à sa femme, tantôt une représaille de celle-ci... ça n'a pas de fin : s'il savait !

Plus tard, comme Cécile avait, d'un pas digne et un peu las, regagné sa chambre, Claire a reproché à maman de n'être pas assez sévère avec elle. Il faudrait quand même que la poison comprenne un jour qu'il existe des problèmes intimes réservés à soi et, à la rigueur, à la famille.

Maman a souri d'un air pensif.

« C'est un peu étonnant ! a-t-elle reconnu, mais je préfère cela à ce qui m'est arrivé à moi. »

Elle n'avait été avertie par personne. C'était venu la nuit ; elle souffrait ; elle n'osait pas bouger ; elle se voyait déjà dans son tombeau...

Papa était mort de rire et de tendresse.

Claire a eu un soupir de compréhension : « C'est bien une mort, celle de l'enfance... »

Moi, je crois qu'on garde toute sa vie, en soi, l'enfant qu'on a été. On a beau l'habiller de sérieux, de principes, de responsabilité ou d'insouciance, il est là et vous regarde de son regard d'avant. Vous ouvrez la fenêtre, il passe ; il sommeille dans cette odeur, danse derrière les yeux fermés, rit entre les larmes et quand on l'attend le moins, un vent le porte jusqu'au cœur. C'est lui qui, plus tard, repose sa tête sur la première épaule de bonne volonté et veut qu'on lui dise qu'on l'aime même si ce n'est pas vrai ; et toujours vous lirez dans ses yeux qu'il rêve de retourner au bas de la marelle, à l'arbre des quatre coins, au début du grand jeu de cow-boy ; pour tout recommencer.

CHAPITRE III

UNE HISTOIRE DE PARTICULE

FINALEMENT, on ne savait presque rien de Stéphane! Qu'il était blond, fin, doux et très poli; que ses études se déroulaient sans heurt, que Bernadette se plaisait avec lui. On le voyait de plus en plus souvent à la maison où il semblait se sentir de mieux en mieux. Il avait même demandé une fois, en humant ce qui venait de la cuisine : « Qu'est-ce qu'on a de bon pour dîner? » Et aussitôt après, il avait rougi comme d'une inacceptable audace.

Il continuait inlassablement à baiser la main de maman qui le suppliait de cesser d'apporter des bonbons, des foulards ou autres présents comme, disait-elle, pour s'excuser de se trouver bien avec nous.

S'aimaient-ils avec Bernadette? On n'imaginait pas entre eux de grandes déclarations, de soupirs et d'yeux révulsés. S'ils s'aimaient, cela devait être venu « dans la foulée » : des promenades, des discussions, des moments passés ensemble au manège ou dans les bistrots où elle tenait toujours à payer sa part.

Moi, je voyais l'amour dans la façon qu'avait Stéphane de la regarder quand elle éparpillait du tabac partout en bourrant sa pipe, engueulait le speaker de la télévision lorsque, selon elle, il racontait des fadaises, ou même lorsqu'elle jurait comme un charretier; à ces moments où elle aurait plutôt mérité de s'appeler Bernard, ce qui ne veut pas dire du tout que Stéphane aurait dû s'appeler Stéphanie. C'était Stéphane et Bernard, main dans la main.

Faisaient-ils l'amour? Même Cécile semblait avoir renoncer à se poser la question mais elle avait abandonné toute tentative de séduction sur Stéphane, signe que pour elle il faisait partie de la famille, des meubles.

Il avait quand même, quoique Bernadette en ait prédit, fait quelques progrès en équitation et, chose précieuse pour notre sœur, il aimait regarder les chevaux au fond de leurs yeux immenses et sentir vibrer leur robe sous sa main quand il les caressait.

Un soir, j'avais entendu papa demander à maman d'une voix inquiète où cette histoire allait les mener. « Ils n'y pensent pas, avait répondu maman, laisse-les donc vivre. » J'avais adoré cette réponse. Si à dix-neuf ans on n'a pas le droit de vivre sans savoir où on va, c'est vraiment fichu! Et alors à quoi bon les beaux couchers de soleil, les paysages à découvrir, les possibilités de coups au cœur?

Et voici qu'en une seule soirée, toutes les questions sur Stéphane et un bon nombre de réponses nous sont tombées à la fois sur le dos.

C'est avant le dîner. Huit heures moins le quart. La fenêtre est grande ouverte côté grille et début jardin. Dehors, l'heure pathétique. Partout de petits foyers de jour tombent en cendres sous l'avancée de la nuit. Chaque bruit résonne pareil à un appel. On dirait que le jardin se met à genoux comme nos ancêtres pour supplier le soleil de revenir demain.

Cécile est en train de nous préparer une « boisson de paradis » : jus de carotte, jus de citron, jet de ketchup et je ne sais quoi qui fait mousser. Dès les beaux jours, elle nous inflige ça et personne n'a encore osé lui dire que c'était la boisson la plus écœurante du monde. Claire nous enfonce à chaque fois en se réclamant un second verre sous prétexte que cela ravive le teint. Quant à papa, il a déclaré un jour que si le paradis c'était ça, il se portait tout de suite candidat pour l'enfer!

Nous entendons s'arrêter la voiture de Stéphane. Quelques secondes et la portière claque. Rien qu'à voir la façon qu'a Bernadette de foncer vers la maison, front en avant, nez sur le gravier, on devine que quelque chose ne va pas.

La troisième marche de l'escalier craque; c'est Bernadette qui y tombe pour retirer ses bottes. Double bruit de celles-ci lancées contre le mur et la voilà, suivie d'un fumet d'écurie.

Papa est le seul qui n'ait rien remarqué. Il est plongé, crayon en main, dans l'étude d'une tulipe au cœur tigré qui écrasera, une fois pour toutes, les trouvailles de Tavernier. Bernadette vient se planter en face de lui.

« Tu ne le croiras jamais, attaque-t-elle, mais ta maison, tes massifs, les neuf années où tu t'es entonné des montagnes de physique et chimie pour pouvoir soigner les maux de ventre des culs-terreux du coin, ton diplôme sur la rate, ta famille, bref, tout ça, pour eux, c'est rien. Néant! Zéro! »

Charles reste interloqué. Il retire ses lunettes, les range soigneusement dans son livre, à la page de la tulipe, puis regarde le visage de Bernadette, dénué pour une fois de la moindre once d'humour.

Cécile a arrêté de moudre ses carottes. Maman s'approche.

« Par "eux", qui veux-tu dire exactement, ma petite fille, interroge papa d'une voix "docteur".

— Les parents de Stéphane : M. et Mme de Saint-Aimond! D'abord, on n'a pas idée de traîner un nom pareil. »

La suite vient en tempête. M. et Mme de Saint-Aimond, possédant titres de noblesse, hôtel particulier à Neuilly, première nouvelle, yacht à Saint-Tropez, chauffeur et maître d'hôtel, premières nouvelles, ont demandé à leur fils s'il allait continuer longtemps à se cantonner à Bernadette, négligeant ainsi les délicieuses jeunes filles de son entourage. Stéphane a répondu qu'il aimait Bernadette, qu'il n'envisageait de vivre avec aucune autre délicieuse jeune fille, première nouvelle, et que cet été il n'irait pas à Saint-Tropez se bronzer avec eux sur le pont du bateau mais resterait avec elle, première nouvelle!

« Bien envoyé, approuve Cécile. Et comment ils ont encaissé les marquis?

— Ce n'est pas une fille pour toi !

— Les cons », laisse tomber papa.

Cécile tique. Un père ne jure pas. Silence de réflexion. Il est rare d'entendre Charles proférer un jugement à ce point sans appel. Pour peser le pour et le contre, trouver des excuses à un comportement, l'influence d'une mauvaise digestion sur le caractère, l'hérédité fatale, c'est le roi. Il n'y a que contre les racistes, qu'on le voit s'emporter. Là, il est capable de vous jeter sur-le-champ un type de cent kilos par la fenêtre.

« Ils ont vraiment un chauffeur ? interroge Cécile.

— Avec une casquette, dit Bernadette. Il m'a même dit qu'il la retirait quand il était seul parce que les jeunes le traitaient d'infâme larbin. Je ne parle pas des trois marins sur leur bateau et de leur super impôt.

— Et tout ça, dit la poison avec espoir, ça les rend heureux ?

— Pour le super impôt, ce n'est pas évident, dit Bernadette, quant au reste, oui ! Heureux comme des rois. »

Cécile est clouée de consternation. Si au moins ils étaient malheureux, dévorés par le doute, criblés de calculs et d'ulcères.

« Moi, plus tard, décide-t-elle, je m'inscris au parti.

— Pas celui des modérés, je parie », lâche Claire.

C'est son premier commentaire mais j'ai vu son regard sur Bernadette : ce regard à la fois de défi et de prière qu'elle a lorsqu'elle est inquiète. Elle interdit à notre sœur de se laisser abattre.

Maman l'a rejointe près de la fenêtre. Elle prend une longue inspiration de jardin.

« Que veulent-ils dire par : "pas pour toi" ? »

Bernadette a un grand geste et le rosier grimpant en prend un coup.

« Qu'ils imaginaient pour Stéphane une fille à leur image : avec des robes de grand couturier, une dot à l'horizon, jouant au golf et au bridge, levant le petit doigt pour manger et ne préférant pas mille fois la compagnie des chevaux à celle des constipés.

— Mais c'est une image complètement démodée, leur image, proteste maman. Plus personne ne raisonne comme ça !

— Si ! dit Bernadette, eux ! Et les quelques centaines de personnes qui vivotent dans leur ghetto doré. »

Elle regarde autour d'elle. Son regard s'arrête sur un tableau : deux colombes de la paix qui s'embrassent. Ça tombe bien !

« Et ici, vois-tu, tout leur semblerait minable. Nous, nous avons les reproductions, eux, c'est les originaux ou rien.

— Que je sache, ça ne déplaît pas à Stéphane, les reproductions, dit Cécile. Il me fit[1] justement remarquer l'autre jour qu'il passait un souffle puissant dans le baiser de ces colombes.

— Stéphane est différent ! »

Je suis comme maman. Je ne comprends pas. Alors ! *La Marette,* notre famille, tout ce qui me paraissait si fort et dont j'étais tellement fière, rien ? Ou ces gens sont complètement cons comme dit fort justement papa, ou c'est nous.

J'interroge : « Il leur a quand même parlé de nous, je suppose. »

Bernadette me regarde avec commisération.

« Evidemment ! Mais la famille, les boutures de rosier, les déboires de Grosso-modo, les cloches de ta chère église, tout ça, ça ne leur dit rien, et ça ne rime pas du tout avec fric, particule et qu'en dira-t-on. »

Du côté de la princesse, c'est la consternation. La voilà, elle que ses goûts porteraient plutôt vers le ghetto doré, rabaissée au rang de roturière.

« Je leur dirai volontiers deux mots, gronde Cécile.

— M'étonnerait que tu en aies l'occasion. »

Dehors, les arbres frissonnent. Ils disent : « Cela n'a pas d'importance. » Et le vent, les murs de la maison, tout ce qui se fait, se crée, de beau, partout, le répète : « Pas d'importance. » L'important, c'est que Stéphane aime Bernadette; qu'il ait compris, lui !

Papa regarde la cheminée, en vacances de feu jusqu'à l'automne mais à l'intérieur de laquelle maman a eu l'idée de mettre un bouquet de fleurs orange dans un gros pot de cuivre.

---

1. Cécile affectionne certains temps compliqués.

« Puisque vous semblez envisager, Stéphane et toi, un avenir commun, dit-il en s'éclaircissant la voix, quelles sont ses intentions vis-à-vis de ses parents ?

— Il va chercher un travail et fera son droit en même temps pour leur dire "merde".

— Ça, ça m'étonnerait », fait la princesse.

Cela réveille un peu l'humour mais le visage de Bernadette reste sombre.

« Il n'a qu'à les laisser tomber, ça leur apprendra », décide Cécile.

Bernadette regarde les parents, le livre de Charles, les lunettes que maman met pour lire depuis l'hiver dernier, ça commence ! Puis elle fixe le bout de ses chaussettes terminées par un long fil de laine, elle y tient.

« Pas question de le brouiller avec ses vieux ! La famille, c'est con mais c'est sacré. Mais pas question non plus d'entrer chez eux par la petite porte en s'excusant.

— Par la grande et sur Germain ! tonne Cécile.

— Moi j'attendrais qu'ils viennent se traîner à mes pieds », déclare la princesse en répartissant autour de ses jambes merveilleusement bronzées les plis de sa jupe.

Maman ne rit pas. Elle a l'air triste. Son regard un peu étonné passe de ses mains au salon où nous sommes si bien mais qui a rudement besoin d'un coup de peinture, c'est pour septembre ; puis à nous et à son mari. Quand on a fait tout ce qu'on a pu avec son cœur et les moyens du bord et que quelqu'un qui n'y connaît rien se ramène et vous dit : « Ma pauvre petite dame, ce n'est pas ça ! Mais alors, pas ça du tout... » on doit avoir cette expression. Elle pourrait cracher sur les Saint-Aimond, elle ne le fera pas. Elle va réfléchir, s'interroger sur eux, sur elle, nous, la vie, le monde et se dire pendant deux jours que c'est trop bête, avant de se remettre à chanter.

« Dans Molière, constate Cécile, c'est plutôt compliqué aussi ; il y a des tas d'obstacles mais ça finit toujours par des mariages. »

Papa s'est levé. Evidemment, il a plus l'air d'un jardinier que d'un propriétaire de yacht ou d'un grand spécialiste du sang. Il va jusqu'au bout du salon, revient. Je prie pour que personne ne téléphone, personne de malade ou d'inquiet, personne en face de problèmes de famille. Il y a nous !

« Voilà, dit-il d'une grosse voix sourde. Je suis peut-être complètement gâteux, à mettre au rebut, incapable de juger, aveugle et tout ce que vous voudrez... »

Il regarde Bernadette, perchée sur la balustrade, son beau visage nature auréolé de cheveux châtains tourné vers le jardin qu'elle laboure du regard. Il la regarde et si ce n'était pas sa fille, je serais fixée : c'est de l'amour.

« Mais celui qui t'aura, dit-il, Stéphane ou un autre, je n'ai qu'une chose à dire, il fera une sacrée bonne affaire ! »

Dans la vie, parfois, il passe comme ça trois phrases, ou une chanson, trois mesures de musique, qui vous bouleversent. La voix de papa, son regard sur Bernadette, sa lèvre surtout, sa lèvre qui tremblait comme s'il se souvenait d'une ancienne déclaration d'amour, non, je n'oublierai jamais !

CHAPITRE IV

LA DÉCHIRURE

Et tout a eu l'air de recommencer comme avant. Tout, a fait semblant. C'était tellement bien imité que sur le moment personne n'a réalisé que des paroles irrémédiables avaient été prononcées.

C'est le matin que, pour moi, c'est venu. Je me suis réveillée tôt, d'un coup, comme « appelée »; mes yeux tout de suite grands ouverts, toute mon attention aiguisée.

Dans ma chambre, plus rien n'était pareil. J'ai couru à la fenêtre. Souvent, l'été, je dors sans rien qui nous sépare, mon jardin et moi. Je connais ses silences, les soupirs rapides qui le traversent parfois, son réveil bleuté. Mon jardin non plus n'était plus le même!

C'était pourtant toujours l'été, et les vacances, et une saveur de temps ouvert; mais cela s'était écarté d'un cran, un peu détaché de moi; ou plutôt quelque chose m'en avait éloignée, malgré moi, comme on vous saisit aux épaules à un moment où on ne s'y attend pas. Bernadette allait nous quitter!

Nous n'avions vu, hier, que des histoires de famille, des histoires un peu ridicules et blessantes. L'essentiel nous avait échappé : Bernadette et Stéphane envisageaient l'avenir ensemble. Pour elle, les années à venir ne s'appelaient plus nous, mais lui, c'était des lieux inconnus, une vie où nous n'aurions plus part, des rires que nous ne partagerions plus et je ne voulais pas!

J'ai essayé de me raisonner. D'abord, ce n'était pas

pour tout de suite. Stéphane n'avait pas encore terminé son droit et ensuite il y aurait le service militaire, Dieu merci! Mais pour la première fois je réalisais que *La Marette* ne resterait pas toujours *La Marette*. Et en moi, déjà, quelque chose se défaisait, se dénouait. Ce premier départ annonçait les nôtres plus tard, et la vieillesse de mes parents, et leur mort, la décrépitude de la maison. Non!

L'horloge de la mairie a sonné trois fois. Moins le quart de sept heures. Un gros camion, l'un de ceux qui partent à l'étranger, parfois très loin et tout le monde s'en fout, on ne les suit même pas des yeux, est passé sur la route; un simple bruissement de feuilles l'a effacé. J'avais cru avoir mûri cet hiver, avoir durci; j'étais restée aussi fragile. Il me fallait des choses qui durent toujours, n'importe quoi mais du vraiment solide pour m'y accrocher.

Et je regardais le clocher de l'église, les toits de Mareuil, là-bas la colline avec sa rangée de pins dont l'un a roussi à cause de la sécheresse. Une maison, un pin, même un rocher sont sensibles au temps. Rien dans le monde ne reste immobile, tout va vers des mûrissements, des pourrissements, des trahisons, des abandons forcés. J'ai compris le besoin de Dieu.

Je me suis habillée n'importe comment. Et pas lavée, et pas coiffée. J'avais envie de me venger. Je me doutais que c'était de la vie. J'allais taper, moi aussi, dans la famille puisque c'était comme ça. Je ne serais pas là pour leur sacro-saint petit déjeuner à sourires béats, à cœurs légers, comme si c'était fait pour durer les quelque vingt-cinq ou trente mille petits déjeuners qu'il me restait à vivre. Ils allaient être inquiets. Je ne serais plus la seule.

La maison dormait. Evidemment, vu l'heure! Un soleil blanc arrachait la brume qui couvrait le jardin. Je suis passée par les pelouses pour ne pas que le bruit du gravier me trahisse. Une petite porte rouillée que l'on a du mal à ouvrir mène à l'Oise. J'ai pris la clef sous la pierre et je me suis glissée dehors.

Au bord du fleuve, il y a un chemin de halage, boueux l'hiver, ronceux l'été. Tout le long du chemin, vous trou-

vez des barques de pêcheurs dont certaines sont à moitié enfoncées dans l'eau, juste retenues par leur chaîne.
C'était du temps où l'on pouvait pêcher, se baigner
aussi. Il paraît qu'on attrapait des écrevisses, par là, le
soir, à la lampe de poche, avec de la viande crue au
bout d'un bâton. C'est bien fini, ça aussi ! Je marchais le
long de la berge, ramassée autour de cette impression
de maille lâchée, d'accroc irréparable, de déchirure. Je
me battais contre elle à coup de révolte : la famille ?
Une machine à vous retourner la peau du côté le plus
sensible; à vous fabriquer des regrets. Alors à quoi
bon ?

Je me suis arrêtée près d'un arbre déraciné dont la
tête trempait dans l'eau. Ses branches ne servaient plus
qu'à arrêter les vieux plastiques, les bidons crevés. De
l'autre côté de l'eau, il y avait des champs et des maisons derrière des murs. Les Saint-Aimond avaient bien
raison finalement de s'appuyer sur d'autres valeurs que
les nôtres, des trucs de fric, de sport, de distractions qui
vous entraînaient, vous étourdissaient, formaient
autour de vous des barrières peut-être fragiles mais certainement moins que la tendresse ou le souvenir.
C'était nous qui avions mal misé.

Là-bas, enveloppé dans un vieil imperméable, une
sorte de clochard avançait dans ma direction. J'ai
regardé mes pieds pour qu'il me fiche la paix et aussi à
cause des larmes. Il s'est arrêté. Une voix a dit mon
nom. C'était mon père.

« Je suppose que si nous sommes là tous les deux
c'est pour un même motif ! »

J'ai envoyé une pierre dans l'eau, très loin, le plus
fort possible. Trois petits ronds et puis voilà ! Bernadette ! Cette salope de Bernadette qui devait dormir
comme un loir sans se douter de rien, jambes et bras
écartés, et elle ronfle en plus; tant pis pour Stéphane !

Il a mis sa main sur mon épaule et nous avons repris
la route.

« Tu sais, a-t-il dit, et son regard avait la douceur
grise et mouillée de l'Oise, pour un père non plus ce
n'est pas simple de voir partir sa fille ! »

J'ai aboyé.

« Elle va partir?

— Pas tout de suite. Elle nous laissera quand même le temps de nous habituer. »

J'ai déclaré : « Finalement, je n'aime pas la vie! »

Trop de séparations. Trop de choix.

Il s'est mis à rire : « Et pourtant, je connais peu de personnes qui soient aussi douées que toi pour elle. Tu la respires par tous tes pores. »

Alors j'ai tout déballé. Douée ou pas douée, cet homme que j'avais aimé l'hiver dernier! Pierre qui m'avait appris le plaisir et tout de suite la souffrance; et l'arrachement en même temps que la plus merveilleuse fusion. Et maintenant plus personne. Moi avec mes faims éveillées, mes vides à l'âme, mes froids soudains, mes impressions tantôt de pouvoir tout faire, d'être immense, tantôt d'être bonne à écraser sous le pied. Si c'est ça, la vie! Et à quoi bon avoir choisi la famille si la famille s'effilochait?

Charles m'a laissé parler et c'est bien vrai que l'homme est égoïste! C'était Bernadette le sujet important et je n'ai parlé que de moi : MA peine, MA solitude, MON corps! Ce qu'on doit prononcer le plus souvent dans sa vie, c'est bien ce pronom possessif; ajoutez-y la première personne du singulier alors qu'on est des milliards et vous comprendrez pourquoi tout le monde se tire dessus.

Je me suis retrouvée assise sur le talus qui était glacé, à côté de mon père dans son vieil imperméable qu'il avait dû repêcher au fond de la poubelle. Dire que je l'avais pris pour un clochard! Et le pauvre, avec ses quatre filles, il n'avait pas fini! Son air piteux, qu'il accentuait évidemment pour me faire rire, a eu le résultat escompté et je sentais la trace des larmes me tirer les joues comme lorsque Charlie Chaplin fait danser ses petits pains et qu'on ne sait plus où on en est. Il m'a embrassée puis il a parlé à son tour.

Il a d'abord dit qu'il avait fabriqué en ma personne une fille poussée aux extrêmes. Il n'y avait qu'à me regarder. Une minute auparavant j'étais prête à me jeter dans l'Oise et Dieu sait qu'elle n'était pas tentante avec tout ce qui y circulait! Et maintenant j'avais l'air de vouloir danser sur les eaux. Le mariage, ce n'était pas forcément la séparation. En ce qui concernait Bernadette et si elle allait jusque-là, ce serait tout simplement un développement de la famille qui profiterait à tout le monde à commencer par moi qui me retrouverait tante, non merci, avant même d'avoir eu le temps d'y penser!

« Bernadette est une femme. Plus femme que toi malgré ton Pierre. Plus femme que Claire bien que Claire soit l'aînée. Elle déborde de forces neuves, tu le vois bien. Elle a besoin de se battre avec la vie. Un jour, ce sera pareil pour toi! »

Pas sûr! Mais pour Bernadette il avait raison. Ce quelque chose dans son regard pareil à un feu sans cesse allumé. Cette hâte qu'elle mettait pour tout. Une impatience... De nous quitter, alors?

Il a parlé assez longtemps et il me semblait qu'il parlait aussi pour lui. Je m'étais laissée aller contre sa poitrine. C'était un geste d'avec Pierre. Je ne l'avais plus fait depuis : se serrer pour partager, un instant, un paysage et le silence qui va venir. Et, regardant l'Oise belle et vivante malgré tout, quelque chose me gagnait. Quoi qu'il arrive, il continuerait d'exister quelque part un fleuve qui me parlerait d'aujourd'hui; et si ce n'est pas un fleuve, ce seront quelques phrases d'un livre; et si ce n'est pas un livre peut-être simplement une musique en moi : on doit pouvoir se débrouiller.

Charles s'est levé; il m'a tendu la main et m'a dit d'une voix un peu rauque.

« Si nous leur rapportions des croissants? »

Nous avons fait le grand tour et quand nous sommes arrivés à Mareuil la boulangerie venait d'ouvrir et toute la rue avec son odeur de pain chaud était un défi à l'oubli. Du coup, nous avons pris un bâtard en plus des croissants, et ajoutez-y six brioches avec une croûte de sucre. Quand papa s'est aperçu qu'il n'avait pas un sou sur lui, il est passé derrière la caisse et il a tourné de l'autre côté la pancarte « Pas de crédit ». Mme Cadillac, qui aime prêter à ceux dont elle est sûre qu'ils la rembourseront, était malade de rire.

« Je parie qu'elle a déjà remis sa pancarte à

l'endroit », m'a dit Charles tout bas en sortant du magasin.

Avant même d'arriver à la grille on entendait le moulin à café électrique. Ça fleurait la maison qui s'éveille. La brume achevait de se dissoudre et le jardin n'était qu'un crépitement heureux. De la fenêtre du salon, la poison nous adressait mille signes de reproche. Nous aurions pu l'avertir que nous allions nous promener !

Maman avait les yeux cernés. J'ai planté tout le paquet dans les bras de Bernadette. Elle y a enfoncé le nez.

« Ça alors, a-t-elle dit, qu'est-ce qu'on fête ? »

CHAPITRE V

LE PAYS DE L'AUTRE CÔTÉ DE LA MER

La première partie des vacances se passe toujours chez grand-mère, en Bourgogne.

Du 13 au 20 juillet, dans la grande propriété entourée de son hectare d'arbres fruitiers, au milieu des cousins et cousines aux « r » roulés, dix-sept jours de calme souriant où tout compte : un bourdonnement de mouche, les deux coups brefs du klaxon annonçant le facteur, le dénoyautage des abricots pour la confiture, l'odeur d'un vieux chapeau de paille retrouvé au grenier et appliqué sur le nez; et soudain de très anciennes journées sont là, des cris d'enfants dans la lumière, un drôle de vertige qui fait comprendre, une seconde, l'éternité, et puis ça passe, laissant un regret ensoleillé.

Pour maman, dix-sept jours de rires sans raison au milieu de ses trois frères qui l'adorent, sous l'œil réprobateur de Cécile; le chapelet des souvenirs égrenés à longueur de journée; on les a tous déjà entendus dix fois, celui du grand sapin par exemple, en haut duquel maman, petite fille, espionnait les adultes et avait un jour surpris le jardinier que tout le monde considérait comme un saint, observant à la jumelle l'oncle Jean qui faisait dans la vigne un sort à la future tante Mathilde; et aussi les souvenirs de guerre, comme si, en un sens, c'était une fête : le craquement des doryphores jetés à pleins seaux dans le feu de la cuisinière; les doryphores disputaient les pommes de terre aux citadins affamés; il y en avait des gros rayés et des petits roses; pour un seau rempli, maman touchait cinquante centimes.

Et puis grand-mère! On dit qu'une vieille dame cela

n'existe plus; que grâce à la gymnastique, à l'habit et au fard, on peut maintenant donner le change jusqu'à sa fin. Nous en avons une vraie, avec des cheveux blancs en bandeaux sur les tempes, d'anciennes broches emplies de souvenirs sur des corsages plats, une jupe noire protégée par un tablier avec poche à surprises. Et je me dis parfois que les tableaux de maman, ces collages où elle met de tout, tout ce qui traîne, tout ce qui brille à ses yeux, sont finalement la poche retournée des tabliers de grand-mère. Une grand-mère un peu sévère sans doute mais avec un regard qui comprend tout et qui dit que le monde a peut-être changé mais que chez elle, on continuera à aller dans la direction du sérieux, de la guerre au gaspillage, des soirées de lecture entre-coupées de bavardages, des vêtements qui ne montrent pas ce qu'on doit réserver à l'intimité; la direction de ce quelqu'un, là-haut, qui attend de nous des choses importantes.

À la fin de juillet, papa vient nous chercher et c'est la seconde partie des vacances, la Normandie. Une maison presque à nous puisque c'est seulement à la famille qu'on la loue et que, d'août en août, on retrouve au fond des tiroirs des morceaux de coquillages, une bar-rette, un stylo.

La Normandie, pour moi, c'est d'abord un ciel. Je sais que beaucoup de gens rêvent qu'ils volent. Là-bas, il me suffit de lever un peu longtemps les yeux pour partir dans le temps et sentir s'étendre en moi comme une paix, et me dire qu'au fond, ce qui compte, c'est cette chose immense qui nous dépasse et nous enveloppe.

Le ciel d'Houlgate est, la plupart du temps, un vrai champ de bataille et même en temps de paix, en temps de bleu, on se méfie comme s'il s'y préparait inévitable-ment quelque revanche. Certains jours, en allant vers la mer, qui se retire très loin, on va en même temps vers lui, qui y est posé et il est tellement humide, et salé, et en tempête, qu'on entre dans les deux à la fois.

J'aime aussi la pluie. La recevoir sur moi! Elle me dit que je suis terre, feuille, fleur, plante, et que je vis d'elle autant que du soleil.

À Houlgate, c'est encore le club de tennis où Claire

peut galoper des heures ce qui montre bien que lorsqu'elle veut, l'énergie... Ce sont les groupes d'amis avec lesquels, le soir, on va se promener ou danser. C'est Charles en vacances, un peu étranger, intimidant; il faut s'habituer à un père disponible dont le regard soudain vous cherche, se cherche en vous. C'est tout à coup, à n'importe quel moment, n'importe où, cette impression aiguë de liberté, l'envie de tout aimer, de sourire à tout, ce besoin de remercier quelqu'un.

Comme toutes les grandes nouvelles, elle fond sur nous au moment où on s'y attend le moins.

Tout est prêt pour le départ en Bourgogne. Papa a installé le fixe au toit. Claire se fait tout miel dans l'espoir de grignoter un peu de place dans nos bagages, le maximum par personne ayant été fixé à une valise moyenne par tête, quantité très insuffisante pour une tête couronnée.

Il doit être onze heures quand le téléphone sonne. A la maison, c'est le grand nettoyage d'été. Chaque année, avant de partir, maman est prise de frénésie. Il lui faut tout laisser impeccable. Les placards ont été faits, le lessivage de la cuisine, sous l'escalier. Nous en sommes aux carreaux du salon.

Le salon est entre deux fenêtres : l'une donne sur le bassin, les pommiers et, là-bas, l'Oise; l'autre sur la grille d'entrée et l'allée qui nous en sépare. Côté jardin, nous pouvons admirer Claire qui se rôtit près du bassin sur une grande serviette éponge. Claire est allergique à l'odeur de l'ammoniaque et frotter les carreaux lui donne très vite des crampes aux bras. Côté grille, on voit l'élagueur qui fait, lui, le ménage des branches d'arbres dangereuses pour les fils électriques.

Pour les carreaux, nous avons droit cette année à une invasion de coccinelles et Cécile qui, bien entendu, interdit qu'on les tue ne nous facilite pas la tâche. Il s'agit de les faire tomber délicatement avec la tête de loup. Elle les rassemble dans une pelle au moyen d'un plumeau et les remet à l'endroit sur le balcon.

Quand le téléphone sonne, Bernadette et moi sommes au sommet des escabeaux, Cécile occupée avec ses bêtes à bon Dieu, c'est maman qui va répondre.

Elle reste un moment à l'appareil, disant : « Oui, oui, très bien, parfait, sans problème. » Et quand elle revient, à sa façon détachée de reprendre l'éponge, nous comprenons tout de suite qu'il se passe quelque chose.

D'une voix anodine, elle nous annonce que c'était Charles. Il voulait avertir qu'il rentrerait déjeuner.

Papa ne rentre jamais déjeuner le mardi ! C'est son jour « cabinet ouvert ». Monte qui veut, quand il peut et paie s'il a de quoi. Papa assure que les gens qui viennent le consulter sont de moins en moins malades. Ils sont seuls. Ils regardent la vie sans confiance et cela leur donne des maux d'estomac ou de cœur, de grandes fatigues comme des sommeils. Le mardi, papa ne se permet même plus de descendre manger un sandwich depuis qu'est venu le voir, sur le coup d'une heure, un garçon de vingt ans qui venait d'avaler je ne sais combien de somnifères. Se promenant par là pour dire au revoir à la vie, il avait vu la porte de papa ouverte et, pris d'un regret, il était entré, ce qui avait permis à Charles de lui faire rapido un lavage d'estomac et après de lui passer un savon terrible. Chose étrange, il paraît que cette engueulade a remis son désespéré sur pied et depuis il vient se faire secouer de temps en temps et se porte beaucoup mieux.

J'en profite pour dire que si papa est un apôtre comme le prétend l'infirmière qui travaille avec lui, généralement le mardi soir, il en a tellement vu que pour la famille il ne reste plus que l'homme, dans le sens rude du mot.

« Il a dit pourquoi il rentrait ? » demande Bernadette.

Maman secoue la tête.

« Il m'a simplement demandé où nous en étions au point de vue compte en banque.

— Et vous en êtes où ? risque, mine de rien, Cécile.

— Situation normale, dit maman sans rien dévoiler.

— Il avait une voix comment ?

— Plutôt bonne !

— Si c'était quelque chose de mauvais, je suppose qu'il n'eût pas poussé le sadisme jusqu'à nous mettre au gril avant », fait remarquer la poison avec justesse.

En bas, voyant que nous ne frottons plus les carreaux, Claire s'est assise sur sa serviette et crie pour savoir ce qui se passe.

Maman en profite pour lui demander de rajouter un couvert pour son père sur la table de jardin puis, ayant regardé sa montre, elle monte vite dans sa chambre retirer sa crème antirides de jour et se changer.

Nous décidons d'un commun accord d'interrompre les travaux et rejoignons la princesse dans le jardin. Là, c'est la grande divagation. Que peut bien avoir à nous annoncer papa? Un héritage? La Légion d'honneur? Une nouvelle télévision? Un yacht comme les Saint-Aimond? Une dot dorée pour Bernadette?

L'élagueur a changé d'arbre et regarde plus souvent de notre côté que de celui de son travail.

Pour calmer Cécile qui ne tient pas en place, Bernadette lui propose un poker. La poison accepte tout de suite, à condition de jouer argent.

Cécile est extrêmement intéressée et cependant pas du tout avare. Si elle trouve un billet, tant pis pour celui qui l'a perdu mais en ville, il faut la tenir pour qu'elle ne mette pas sa fortune dans les parcmètres afin d'éviter aux gens des contraventions.

Maman lui octroie chaque mois une somme sur laquelle elle est censée payer sa papeterie, ses transports et ses distractions. Le 5 du mois, généralement, elle n'a plus un sou et commence à emprunter partout, de préférence chez les plus pauvres dont elle nous fait souvent remarquer qu'ils se montrent les plus généreux.

Je vais ouvrir la grille. Je m'applique à marcher lentement et le soleil m'escorte. J'entends mes pas comme ceux d'une autre personne qui irait accueillir un père qu'elle aimerait beaucoup mais à qui elle oserait trop rarement l'exprimer et, un instant, je ne sais plus où je suis et c'est douloureux. Puis maman m'appelle et la vie se rassemble autour de moi, amicale et bruissante, comme si elle m'avait joué un mauvais tour.

Et presque tout de suite, Charles est là!

Cécile qui, un instant avant, ne quittait pas la route des yeux, se plonge dans ses cartes. Claire cache précipitamment son dos écrevisse sous sa chemise. Papa dit que tant pis pour elle si elle assassine ses poumons mais qu'il ne veut pas être complice. Maman, qui a mis une robe fraîche, va accueillir son mari avec un air profond.

Ils viennent à nous. A la façon dont Charles sourit, la main serrée sur l'épaule de sa femme, nous comprenons qu'il nous apporte un cadeau.

« Que penseriez-vous d'aller passer trois semaines en Amérique ? » annonce-t-il.

Il y a un grand silence. Aucune de nous, une seule seconde, n'a pensé à ce genre de nouvelle.

« L'Amérique ? demande maman d'une voix prudente.

— La Californie.

— *California, beautiful country, country of my heart !* déclame Cécile s'attirant un regard ébloui de papa.

— Mais comment ? interroge maman.

— Un congrès d'hématologues. »

L'hématologie est la spécialité du sang. En plus de son métier de généraliste, notre père s'est depuis toujours vivement intéressé à la rate, sorte de transformateur du précieux liquide. Les gens courent plus vite quand on leur enlève ce viscère situé entre l'estomac et les fausses côtes, d'où l'expression : « Courir comme un dératé. » Là s'arrête ma science.

Papa allume sa pipe en nous regardant l'une après l'autre d'un air qui me paraît désarmé par le bonheur de nous offrir ce beau voyage. Puis il daigne nous donner quelques détails.

Le congrès a lieu du 20 au 30 juillet, à San Francisco. Son ami Vilain y était invité mais sa femme venant de faire une dépression nerveuse, il a offert à papa de le remplacer. Maman est comprise gratuitement dans le voyage. Pas nous, bien entendu. Toute la matinée, Charles a fait ses comptes. En prenant un charter, en décidant de ne faire aucune folie l'hiver prochain — comme si c'était notre habitude — on peut tous y aller. D'autant plus que là-bas nous serons hébergés par un spécialiste de la rate américaine.

« Le 20 juillet ? »

Il incline la tête. Départ le 19. Dans deux petites semaines. Pour une question de visa il faut se décider aujourd'hui. Vilain attend la réponse. Si c'est non, il proposera à Bernard. Bernard n'a qu'un fils. Il sera sûrement partant.

« Eh bien, ils peuvent se brosser, les Bernard, déclare Cécile. Un charter, c'est un avion, je suppose ? »

Et c'est ainsi que nous apprenons qu'elle est partante. Maman n'a pas besoin de dire oui. Il n'y a qu'à voir son regard sur Charles ! C'est la première fois que je prendrai l'avion et mon cœur se serre. Le vent a éparpillé toutes les cartes de poker. Je ne sais plus du tout où j'en suis.

Je demande : « Et grand-mère ? »

Papa balaie l'objection :

« Vous irez passer Noël à la place.

— Il y aura un sapin ? » s'inquiète Cécile.

Maman sourit : « Bien sûr.

— Et la maison à Houlgate ? interroge Claire.

— Je pense que les Boisset comprendront. »

Les Boisset sont des gens qui nous louent. Depuis un grand deuil, ils ne veulent plus aller là-bas, tout leur rappelant trop la joie. Mais ils ne veulent pas non plus vendre à cause de cette même joie passée.

Il y a un silence plein. Papa nous regarde d'un air déçu. Il devait s'attendre à un plus grand enthousiasme. Bernadette n'a toujours rien dit. Elle regarde du côté de l'Oise. Entre les branches du cèdre, on voit glisser une péniche et je pense à ces gens dont la vie est un voyage mais qui ne connaîtront sans doute jamais les couleurs de la Californie alors que moi...

« Je propose, dit maman, que nous parlions de tout cela en déjeunant. »

Cécile va retirer la bouteille de cidre du bassin où elle l'a mise à rafraîchir. Nous passons à table à l'ombre de la maison. Rien n'a été changé au menu : celui des vacances et du beau temps : salades, jambon, fromage et fruits. La princesse pousse un cri en trouvant dans son porte-serviette un scarabée doré. Sûrement Cécile en représailles pour les carreaux. Claire déclare que finalement, elle déteste la campagne. C'est bête, vert, sale et grouillant. Le scarabée est tombé sur le dos et pédale tant qu'il peut. Cécile s'empresse d'aller le mettre à l'abri. On dirait que nous évitons de parler de l'Amérique. C'est maman qui s'y décide.

« Comment vois-tu le séjour là-bas ? »

Papa explique que le Congrès durera dix jours. Il sera obligé d'y aller beaucoup mais nous, pendant ce temps, nous pourrons visiter San Francisco et ses environs.

Ensuite, tous ensemble, nous partirons à l'aventure. Il y a des cars très bien organisés qui font le tour de l'Amérique pour un prix minimum et, le soir, se transforment en dortoirs.

A l'idée de dormir sans draps, la princesse fait grise mine.

« Et à San Francisco, il y aura la télé ? demande Cécile.

— Dix-huit chaînes », répond papa d'un air victorieux, lui qui supporte à peine nos trois !

Cela coupe le souffle à la poison pour quelques secondes.

« Je pense qu'on n'a pas le droit de laisser passer une occasion pareille, déclare-t-elle gravement.

— C'est bien vingt kilos de bagages dans l'avion ? » interroge Claire.

Papa acquiesce : « Le poids d'une valise moyenne. Celui qu'emporte une personne raisonnable. »

Cécile a un grand roulement d'yeux.

« *I will go alone, alone with my broken heart !* » déclame-t-elle.

Devant l'air émerveillé de Charles, personne n'ose lui révéler que ce n'est pas sur son livre d'anglais mais à l'écoute de son transistor que Cécile a puisé ce splendide vocabulaire.

Maman se tourne vers Bernadette. Bernadette n'a pas prononcé un seul mot depuis l'arrivée de papa ce qui n'est pas du tout normal. De temps en temps, elle envoie au loin, du bout de son espadrille, de petits jets de gravier comme fait Germain quand l'orage menace.

« Et toi, qu'en penses-tu ? »

Elle redresse la tête.

« Je garderai la maison. »

Malgré son grand sourire, c'est quand même la douche froide. Toute joie quitte le visage de maman. Papa, n'en parlons pas.

« Tu ne viens pas ?

— Stéphane a tout arrangé pour rester avec moi et, à cette saison, Crève-cœur ne trouvera personne pour me remplacer. »

Les parents ne peuvent rien dire. Les voilà pris à leur propre piège. Ce que c'est que de seriner à ses enfants que l'on doit faire face, quoi qu'il advienne, à ses engagements.

Mais moi, à l'idée que Bernadette ne partira pas avec nous, je n'ai plus envie de rien, que de rester là avec elle.

Cécile la regarde avec fureur.

« *You bloody fool*[1], gronde-t-elle.

— Je n'aimerai pas te sentir seule dans la maison, objecte maman.

— Stéphane s'installera avec moi.

— Et ses parents ?

— Ils seront à Saint-Tropez.

— *Those sons of a bitch*[2]... dit Cécile, qu'ils crèvent ! »

Ce coup-là, papa a explosé. Je suppose que c'était davantage le fait que Bernadette allait rester plutôt que le vocabulaire de Cécile. Tout le monde sait que quand Bernadette prend une décision, il est inutile d'essayer de la faire changer d'avis. Elle ne dit rien à la légère et elle est la plus têtue des six.

Papa a dit à Cécile que pour le français il fermait les yeux mais qu'en anglais, son langage dépassait les bornes. A la réflexion, cela ne nous a pas semblé logique du tout ! Espérant se rattraper, Cécile a alors sorti le vers bien connu : *To be or not to be, that is the question*, et papa l'a encore plus mal pris, considérant ça comme une attaque personnelle, une impertinence. Et ce qui n'arrangeait rien c'était que maman était secouée par un rire nerveux comme elle a parfois avec ses frères, en

1. Pauvre c...
2. Ces fils de p...

Bourgogne justement; et papa, forcément absent de ses souvenirs de jeunesse, se sent doublement exclu, n'apprécie pas du tout et ne manque pas de le lui dire lorsqu'ils se retrouvent seuls dans leur chambre alors qu'avec tout le monde il a fait semblant de rire.

Il ne pouvait pas sortir dignement comme l'autre soir puisque nous étions dans le jardin, ni tempêter à cause de l'élagueur qui écoutait de son arbre sans plus rien tailler du tout. Alors il a fait signe à maman de le suivre en la regardant comme à chaque fois qu'il est mécontent de lui-même et ils se sont éloignés vers le verger.

« *America... America...* » a soupiré Cécile.

Le jardin, d'un seul coup, avait perdu son aspect familier comme tout ce que l'on s'apprête à trahir ou à quitter. Je me suis rendu compte qu'à moi, personne n'avait directement demandé mon avis. Un silence, ça veut dire oui. Il est bon de s'en souvenir. Comme un silence devant une injustice. Comme un silence devant un pays où les gens ont faim.

J'ai rencontré le regard de Bernadette. Il m'a rappelé que l'Amérique, c'était ce pays de l'autre côté de la mer où était parti l'homme que j'aimais. L'Amérique s'appelait Pierre et m'avait fait beaucoup pleurer.

Je ne crois pas au hasard. Je crois que des fils relient tout à tout et que si les yeux de notre esprit étaient plus affûtés, on jouerait sur ces fils et s'y laisserait rebondir comme des équilibristes, toujours plus haut vers la lumière au lieu de s'y laisser prendre et lier.

Je sais que si l'Amérique, qui a fait signe à Pierre, me fait signe à mon tour, c'est pour une raison précise. Mais laquelle? Laquelle, mon Dieu?

CHAPITRE VI

PRÉPARATIFS

Puis tout a été très vite. Tout ce qui comptait avant cette matinée a perdu de son importance, s'est comme posé, mis en attente dans une sorte de cage de verre d'où on ne l'entendait ni ne le sentait plus si bien. Il restait douze jours avant le départ; à la fois une éternité et si proche!

Papa a distribué les tâches. Lui, aurait juste le temps de mettre au courant son remplaçant : Antoine Delaunay, le même qui devait venir en août et pouvait par miracle devancer de dix jours. Maman a été chargée de s'occuper des visas. Je devrais, en tant que filleule, écrire une longue lettre à grand-mère pour lui annoncer que nous ne viendrions pas et lui faire briller en échange les vacances de Noël. Mais Noël, maintenant, c'était comme une promesse en l'air.

Il faudrait aussi que maman aille voir le plus tôt possible les amis qui nous louaient la maison d'Houlgate afin de leur expliquer la chance qui nous arrivait. Elle devrait proposer de payer quand même et s'ils acceptaient, eh bien, c'était la catastrophe; tous les comptes à refaire!

Claire a proposé de trouver un cadeau bien français pour la famille américaine qui nous recevrait. Cécile aurait souhaité se rendre à la banque pour changer des francs en dollars. Maman l'a beaucoup déçue en lui apprenant qu'elle n'avait pas l'âge. « Avec ces questions d'âge, on me laisse pourrir », a-t-elle reproché.

Un soir, papa a ramené à dîner le pauvre Vilain que

nous remplacions. Cécile s'est enquise de sa femme d'un air angélique mais a oublié de cacher son soulagement lorsqu'il nous a appris que cela allait plutôt en empirant.

Vilain nous a décrit un peu la famille chargée de nous héberger. Outre les parents, qui d'après les lettres parlaient correctement le français et semblaient charmants, il y avait une fille aînée , Sally et deux garçons : Tracy et Gary, de dix-neuf et quinze ans. Ils habitaient une grande maison à Kentfield, un village aux environs de San Francisco, de l'autre côté du Golden Gate, le fameux pont rouillé qui enjambe le Pacifique. Le père était médecin bien entendu et la mère sans profession, comme chez nous.

Il y aurait donc là-bas un garçon presque de mon âge. Je me sentais à la fois contente et soucieuse : nous entendrions-nous ?

Le lendemain de la visite de Vilain, nous avons trouvé punaisée au mur de la cuisine une carte des Etats-Unis et Bernadette a collé en grande cérémonie une pastille de couleur sur San Francisco et nous a annoncé qu'elle nous accompagnerait de cette façon, étape par étape, tout au long de notre voyage.

Devant la carte, papa était tout remué par ses souvenirs de guerre. En 44, nous racontait-il, après le débarquement, il suivait ainsi à coups de drapeaux l'avance des Alliés. Mais, sauf maman dont les yeux brillaient comme si elle entendait cette histoire pour la première fois, personne ne l'écoutait. C'était trop loin la guerre, trop absurde.

Ayant découvert avec émotion qu'Hollywood était relativement près de San Francisco, Cécile essayait de soutirer à Charles la promesse de nous y emmener après le Congrès.

A part ça, elle était partie en campagne.

Mareuil est un village vraiment tranquille. Nous y connaissons pas mal de gens et maman fait attention à s'approvisionner dans les boutiques du coin plutôt qu'au supermarché, sauf pour certains produits comme le whisky ou la cire à parquet où cela fait une énorme différence.

La plupart des habitants sont cultivateurs ou petits commerçants. Les seuls à avoir fait fortune sont ceux qui ont ouvert un restaurant à noces et banquets. Tous les samedis, on voit les gens en sortir, vers cinq heures, très rouges, le col défait, dans leurs beaux habits déjà fanés et c'est comme s'ils ne se reconnaissaient plus eux-mêmes et que tout à coup ils flottaient et n'en revenaient pas.

En tout cas, à Mareuil, personne ne s'est jamais aventuré en Amérique sauf le boucher, M. Samson et sa femme, dans un voyage organisé mais ça ne leur a pas tellement plu. Ils ont dit que le steak était filandreux et le café pas du café.

Dès le soir de la nouvelle, Cécile s'est offerte à aller chercher les pommes de terre et le lait à la ferme; c'est généralement réservé à Claire et cela aurait dû nous mettre la puce à l'oreille mais nous avons pensé à un geste spontané et la princesse n'a pas insisté. Cécile est restée plus longtemps que d'habitude et quand, un peu plus tard, elle s'est proposée à nouveau pour le pain et l'épicerie, on a flairé qu'elle annonçait le voyage. « SON » voyage. « Je vais à San Francisco, vous connaissez? » Elle avait escompté un grand effet mais San Francisco, c'était trop loin pour imaginer et ça faisait moins chaud aux gens que si elle leur avait dit qu'elle partait à Rome voir le Pape.

Le père Laplanche est beaucoup descendu dans son estime pour avoir demandé si San Francisco se trouvait à la frontière espagnole où il avait de la famille.

Alors elle a changé son fusil d'épaule et elle a commencé à dire que papa était appelé d'urgence à propos de la rate américaine et les gens ont été tout de suite beaucoup plus intéressés parce que le héros, ce n'était plus l'Amérique mais quelqu'un de chez eux; et c'est lorsqu'ils ont commencé à venir féliciter maman que nous avons tout appris.

Là où cela n'a plus été du tout c'est quand Grossomodo — l'oreille fine — a révélé que Cécile réunissait des fonds pour la cause noire. C'est le boucher qui avait trahi. Il voulait bien donner mais seulement en marchandise et Cécile l'avait très mal pris. Maman a préféré ne pas parler de cette affaire à papa. Elle a expliqué à la poison que son geste partait certainement d'une bonne intention, mais que la cause noire ne l'attendait pas et que d'ailleurs elle la mettait certainement dans le même sac que les autres blancs. Cécile, qui se voyait déjà remettant solennellement à une panthère noire l'obole des Mareuillois, a été ulcérée.

Pour se venger de cette déception et annoncer franchement la couleur de ses opinions, elle a fait alors une chose terrible. Elle s'est collé sur la poitrine un gros insigne de la paix et s'est fait bronzer à mort. Le dessin ressort maintenant très fort en blanc sur son décolleté.

On a su que Claire s'intéressait à l'Amérique à l'acharnement qu'elle mettait à faire tenir toute sa garde-de-robe dans sa valise moyenne. Avec l'argent que maman lui avait confié elle avait acheté les fameux cadeaux : pour la mère un sac de voyage qui, plié, tient dans la poche ; une cravate tissée par un artisan pour le père. En ce qui concernait les enfants, on verrait là-bas. Fait miraculeux, et que sur le moment personne n'a compris, elle a déclaré qu'elle se chargerait du transport.

J'ai toujours eu besoin de voir arriver les choses. De m'y habituer par avance, d'apprivoiser par la pensée, de dorer le nouveau. Ce voyage était venu trop vite ; il était trop important pour moi. Saurais-je regarder ce pays de la bonne façon ?

On dit que tant de voyageurs ne parviennent pas à se détacher d'eux-mêmes et qu'ils passent à côté de ce qui est l'essentiel : l'existence, la vie des autres. A côté de ce qu'ils ont l'occasion unique d'apprendre : que finalement les gens des pays les plus lointains éprouvent les mêmes sentiments que nous.

Et il y avait Bernadette ! Et cette impression qu'en refusant de nous suivre, elle nous retirait une part importante du plaisir de partir.

Entre Stéphane et ses parents, cela allait, paraît-il, au plus mal. Apprenant qu'il ne les rejoindrait pas à Saint-Tropez et en devinant la raison, ils lui avaient déclaré qu'en ce cas il devrait se débrouiller financièrement. Il cherchait une place de pompiste. Un ami de Bernadette avait promis de le pistonner.

Nous l'imaginions avec tendresse, lui si soigné, presque parfumé, servant l'essence et recevant un pourboire; nous l'en aimions encore davantage. Sous ses mines de rien, il savait finalement très bien ce qu'il voulait : Bernadette. Nous !

Il nous avait fait terriblement rire avec Mme Grosso-modo la dernière fois qu'il était venu ! Mme Grosso-modo était passée emprunter une bouteille d'huile à maman et Stéphane, qui la voyait pour la première fois, avait voulu lui baiser la main. On n'avait jamais dû le lui faire et il paraît qu'elle résistait de toutes ses forces en soufflant très fort comme si elle le soupçonnait de vouloir la mordre. A la fin, quand il y était arrivé, elle avait failli, d'émotion, tourner de l'œil.

Ce soir-là, l'aine de Grosso-modo en a pris un sérieux coup.

Bernadette n'avait, elle, pas coupé de son tour de pommiers.

Le « tour de pommiers », c'est la confession. « Si on faisait un tour », propose Charles d'une voix innocente et on sait qu'il a quelque chose à vous dire en particulier.

Il a déclaré à Bernadette qu'il ne se permettrait pas de porter un jugement sur sa vie intime mais que cela l'ennuyait à cause des voisins qu'elle s'installe dans la maison seule avec Stéphane parce que si quelques-uns ne donnent pas l'exemple du mariage, les gens n'en verront plus l'utilité, ce qui aura beaucoup de conséquences regrettables en ce qui concerne les enfants.

Il voulait donc lui annoncer qu'il avait trouvé une solution. Ils auraient un chaperon : son remplaçant. Celui-ci avait accepté de venir habiter *La Marette*.

On a entendu de la maison le rire de Bernadette. Il paraît qu'elle lui a dit qu'elle s'étonnait que vivre avec deux hommes soit mieux considéré par les voisins qu'avec un seul. Cela devait être notre époque.

Mais cela n'a rien été à côté de la confession de Stéphane !

Elle a eu lieu au salon, le temps s'étant gâché, en présence de Bernadette et de maman.

D'après Cécile, Charles a été très émouvant. Il a dit à Stéphane qu'il le considérait comme un fils, chose importante pour lui qui, hélas! n'en avait jamais eu. Il regrettait qu'il ait des ennuis avec sa famille, notre maison serait toujours ouverte à ses parents mais qu'il ne compte pas un instant sur nous pour aller les chercher.

Charles avait commencé doux et fini tonnerre. Stéphane, paraît-il, est devenu écarlate; il s'est excusé pour ses parents. C'était des gens très bien au fond mais d'une autre époque. Un jour, leurs yeux s'ouvriraient.

Maman s'est précipitée pour dire qu'elle n'en doutait pas et Cécile qui était sous la fenêtre, dans la plate-bande interdite, a failli se trahir tellement elle brûlait de dire qu'il vaudrait mieux qu'ils les ouvrent avant de n'y plus voir clair, sinon ce ne serait pas la peine.

Papa a dit ensuite à Stéphane qu'il lui confiait notre sœur. C'était la première fois que nous allions la laisser pendant presque un mois et il serait moins soucieux la sachant avec lui.

Il y a eu un instant où l'émotion les a interrompus et elle a atteint son paroxysme quand Stéphane a proposé, en plus de Bernadette, d'arroser les fleurs. Là, étant donné le silence, Cécile a eu l'impression que papa embrassait son futur gendre et comme elle ne voulait pas manquer ça, elle s'est dressée tout entière et c'est alors qu'ils l'ont découverte.

C'était trop tard pour lui dire de filer puisqu'elle avait entendu l'essentiel. Elle a eu beau assurer qu'elle passait et n'avait saisi que la fin mais pas le début où papa avait parlé du fils. Ils ne l'ont pas crue et l'ont invitée à monter.

Le remplaçant, qui s'appelle Antoine Delaunay, est venu s'installer la veille du départ. Il a trente-cinq ans, un regard sombre, l'air d'avoir souffert. Nous avons dîné à la cuisine comme d'habitude puisque demain il serait chez lui ici.

A un moment, nous parlions du voyage, c'était très gai, son regard a fait le tour de la table, s'est arrêté sur

44

chacune de nous, puis sur maman, et après, l'ensemble de la cuisine, la maison, quoi! Et il a eu tellement l'expression de Pierre lorsqu'il était venu, la dernière fois, que quelque chose s'est cassé dans ma poitrine et les larmes ont jailli.

Je suis sortie de table, j'ai couru dans ma chambre. Je le voulais. Je voulais ses bras autour de moi. Je voulais ses paroles pendant qu'il m'apprenait l'amour. Je n'en pouvais plus de cet été imbécile, de ce soleil et de ce corps pour rien. On fait la brave, mais c'est seulement quand la vague est passée. Les vagues me submergeaient et quand j'ai rouvert les yeux cela a été pour voir encore la mer sur le tableau qu'il m'avait offert.

J'ai regardé ma valise. Pourquoi partir puisque là-bas ce serait encore moi? Encore plus moi abandonnée par lui!

Bernadette est venue me rejoindre. Il avait été entendu que nous coucherions ensemble car je laissais ma chambre à Claire qui donnait la sienne au remplaçant. Drôle de combinaison mais c'est comme ça.

Elle m'a simplement fait remarquer que j'avais intérêt à dormir si je ne voulais pas manquer l'arrivée en Amérique qui devait être un des grands moments de l'existence. Nous sommes allées dans sa chambre. Avec les photos de manège partout, ses trois paires de bottes bien cirées alignées contre le mur, sa bombe suspendue à un clou, on a l'impression d'entendre respirer des chevaux dans la pièce à côté.

Je me suis glissée dans son lit et quand, après avoir éteint, elle a passé son bras sous mes épaules, cela a été la guérison de tout.

Et presque tout de suite le matin était là, plein de soleil. Et le jardin n'avait jamais été si beau, si touchant, si petit surtout : à prendre dans la main, à enfermer en soi.

Tous les bagages étaient sur le perron, attendant Grosso-modo qui est arrivé fièrement dans son break familial six places dont il se sert pour transporter ses plantes. Il l'avait tellement briqué pour nous que tout le jardin s'y reflétait.

Il y a eu l'apparition de Claire au dernier moment, un

peu gênée tout de même, avec le cadeau destiné à la mère américaine, le sac qui, en principe, tient dans la poche, gonflé de tout ce qu'elle n'avait pu caser dans sa valise. Il était trop tard pour changer. Papa lui a simplement dit que s'il y avait excédent de poids il attendrait notre retour à la consigne et que c'était elle qui paierait.

Bernadette a aidé pour le chargement. Nous nous affairions beaucoup mais lorsqu'il n'y a plus rien eu à caser il a bien fallu passer aux adieux.

Je me suis arrangée pour être la dernière à l'embrasser. Elle m'a dit : « Bon voyage, Paul, prends un pied terrible ! » J'avais la larme à l'œil; maman ne valait pas mieux; Cécile lui répétait qu'il n'était pas trop tard pour partir avec nous tandis que Claire, déjà dans la voiture, baissait la glace et la regardait avec reproche mais sans rien dire.

Papa a fini par toutes nous expédier la rejoindre en disant qu'on ne partait ni pour la Chine, ni pour toujours.

C'était quand même un sale coup qu'elle nous faisait et je la vois encore, carrée devant la maison, nu-pieds et jambes dans son jean coupé court, agitant la main puis se retournant et disparaissant dans la maison avant même que la voiture ait quitté le jardin — c'est bien elle, pas d'attendrissement superflu — et moi la cherchant à la fenêtre du salon, l'appelant au-dedans de moi-même, de toutes mes forces, suppliant quelqu'un de la revoir une fois, même une seconde seulement avant de partir. Une seconde... comme si je me doutais...

Puis, pareille à un cri, l'Amérique !

CHAPITRE VII

LA PORTE D'OR

C'EST d'abord de l'espace, des lumières et de longues voitures tranquilles et souples pareilles à des animaux marins.

C'est quelque chose d'immense qui ouvre la poitrine et s'engouffre en vous, comme un vent.

A la sortie de la douane, qui a duré une éternité car Cécile avait perdu son ticket de débarquement et sortait de ses poches, sel, poivre, moutarde, lait en poudre, couverts en plastique, tout sauf le précieux papier, un grand type à lunettes, chemisette ouverte, bras nus, est venu droit à nous et a dit :

« Hello ! je suis Philippe Miller, comment allez-vous ? »

Papa a récité la superbe phrase en anglais qu'il avait préparée à *La Marette*, dictionnaire à l'appui, pour répondre que c'était bien nous et un grand jour de notre vie et Philippe Miller a serré toutes les mains, en nommant chacune par son nom, sans se tromper, comme s'il avait étudié les photos à l'avance et il a déclaré que désormais il faudrait l'appeler « Phil », sinon il nous remettait dans le premier avion pour la France. Puis il est parti chercher sa voiture au parking et ce qui lui donnait cette démarche décontractée, jeune, c'était ses chaussures de basket.

Nous voilà donc sur le trottoir, très famille d'émigrants. A nos pieds, cinq valises dont trois consolidées avec des courroies, plus le gros sac destiné à Mme Miller et auquel Claire aura bien du mal à faire reprendre un aspect cadeau.

Le regard de papa se promène sur l'ensemble.

« Ça ne tiendra jamais dans le coffre », gémit-il.

D'un seul coup, il fait chaud. Depuis le départ, nous avons vécu sous air conditionné. Je n'aime pas ça ! Comment dire ? J'ai l'impression de respirer du faux. Je me souviens de ce que disait Pierre : « Avec un poële à charbon ou à bois on se chauffe jusqu'au cœur ! Pas avec un radiateur. » C'est la même chose !

« Il est huit heures », dit Cécile. *Eight o'clock.*

Elle a mis sa montre à l'heure de la Californie, avant de monter dans l'avion. Les parents l'ont fait au moment où nous nous sommes posés. Claire ne porte jamais de montre. Elle dit que c'est le début de la mort et que jamais elle ne découpera son temps en tranches bien organisées. La mienne marque six heures. Six heures du matin en France. Je fais tourner lentement les aiguilles. Je laisserai le réveil de voyage que m'a offert Bernadette à l'heure de *La Marette.*

« La voilà ! » dit Claire, les yeux brillants.

Une voiture qui n'en finit pas s'arrête devant nous, en souplesse, tout silence. Elle est vert clair avec des phares en amande. Phil et Charles empoignent les valises. Le coffre est gigantesque ; il en tiendrait le double.

Maman rattrape Cécile en arrêt, souffle coupé, devant une famille noire dont les bagages ne sont pas consolidés avec de la ficelle, je vous prie de croire, et qui s'engouffre en riant à la vie dans une voiture encore plus belle que la nôtre. La poison n'a pas l'air d'y croire. Un des membres de la famille, une grosse fille en perruque blonde lui fait un signe de la main. Cécile répond timidement et referme sa chemise sur son insigne de la paix. Comme elle me paraît petite tout à coup ! Comme j'ai l'impression que nous sommes tous sans importance. Et même la France. *La Marette !*

« Alors Pauline ! dit mon père. On te laisse ? Tu as décidé de vivre ta vie ? »

Il sait bien que non ! Je les rejoins dans la voiture. Les trois adultes sont sur la banquette avant qui est d'une seule pièce ; nous nous éparpillons toutes trois derrière. Je dis bien « nous nous éparpillons ». Claire qui déteste qu'on la touche peut être contente ! Une fois, j'avais cinq ans, on m'avait couchée avec elle, à l'hôtel. Elle avait tracé sur le drap un trait au feutre rouge que je n'avais pas le droit de dépasser. Il faut reconnaître que j'étais couverte de boutons. Cela avait fait toute une histoire avec la patronne de l'hôtel et papa avait dû payer le drap. Une chose de plus qu'en principe Claire devra rembourser quand elle aura de quoi.

Au moment où Phil referme sa portière, une sonnerie retentit à l'intérieur de la voiture. Il désigne sa ceinture : la sonnerie ne s'arrêtera que lorsqu'il sera attaché.

« Aucune liberté dans ce pays ! dit-il en riant. On veut nous obliger à rester en vie ! »

Et l'animal marin rejoint sur l'autoroute le flot de ses semblables.

Alors voilà ! Nous y sommes ! La Californie, ce mot sur la carte qui faisait jaillir en vrac des fruits, du soleil, de l'or et de grandes étendues parcourues de cow-boys et d'indiens, c'est là, j'y suis, je touche. A gauche, ces collines parsemées de lumières, c'est ça. Et ces publicités éclairées, et la mer « tout près », dit Phil.

Je ferme les yeux. Tout tourne en moi. Je ne me doutais pas, à la Marette, que cela allait être ce coup au cœur, ce chavirement. C'est peut-être dû aussi au décalage horaire. J'ai un goût d'aube sur le palais et ici le soir vient de tomber. A l'heure où, en France, Bernadette va se réveiller, nous allons nous coucher. Et me voici comme déshabillée de celle d'avant, celle d'hier, de quotidien et d'habitudes. Si j'ai bien compris ce que m'a expliqué maman un jour, cela doit faire cet effet-là, la guerre ! Cela balaie les détails, le décor. Ne reste que l'essentiel : la vie. Vivre. Voilà pourquoi c'est marqué dans le souvenir en couleurs indélébiles. Je jure d'écouter désormais sans bâiller les récits des anciens combattants, à commencer par ceux de mon père.

Un doigt sur le volant, Phil se tourne vers nous.

« Faim, les filles ? »

Les filles rient. En onze heures de voyage, trois repas et un petit déjeuner servis dans l'avion. Nous avons eu droit aussi à un film. Dire que certains trouvent le voyage long! Les parents nous avaient recommandé de tenir le plus possible éveillées. Arrivés en Californie, on dort un bon coup et c'est réglé. Le rythme est pris. Dormir dans l'avion? Mais il n'en était pas question. Au contraire. La première fois qu'on le prend, il faut ne rien perdre. J'ai eu souvent peur. Et si je mourais? Là! Maintenant! Si c'était fini pour moi. J'ai sorti mon passeport et regardé la photo. C'était une vieille d'il y a deux ans. J'y grimaçais un peu parce que j'essayais de prendre l'air intelligent. Je l'ai regardée et je l'imaginais dans le journal, au-dessus d'un gros titre : « Morte au lendemain de ses dix-huit ans. » Cela n'allait pas. Je n'avais pas l'air d'une condamnée. Cela m'a un peu rassurée.

« San Francisco! »

La ville jaillit d'un brouillard orange, en hauteur, en légèreté; peut-être un cri mais un cri de fête. Cela scintille, cela envoie des rêves partout. C'est follement émouvant. Comment dire ce rempart là-bas, à la fois de force et de faiblesse parce que la grande beauté, ça a toujours un côté fragile n'est-ce pas, à cause de l'éternité à laquelle forcément cela vous fait penser. Fière et amicale, cette ville. Ne serait-ce que son nom : San Francisco.

Le nez de Cécile est collé à une vitre, celui de Claire à l'autre. On m'a gracieusement laissé le centre, la nuque de maman.

« Et tout ça va rester allumé toute la nuit? interroge la poison.

— Toute la nuit », dit Phil.

Cécile se renfrogne. Elle frappe à l'épaule de maman qui, à *La Marette*, n'hésite jamais à la faire remonter deux étages quand elle a oublié d'éteindre dans sa chambre.

« Ce n'est pas juste, dit-elle. Ma pauvre petite lampe, à quoi ça sert, dans tout ce gâchis? »

Maman se retourne :

« Comment peux-tu penser à ta " pauvre petite lampe " en ce moment! »

Elle a l'air indigné et la voix fiévreuse. Cécile s'écrase.

Et maintenant, maman parle à Charles : « Il faudra tout voir, tout ! » Je ne l'ai jamais vue comme ça. Claire non plus qui, inquiète, se penche pour voir son visage. Elle a l'air jeune et on a envie de l'aimer. Autrement. Pour elle ! Phil la regarde du coin de l'œil. Il sourit. Alors elle se tourne vers lui, les yeux brillants, et elle dit d'un ton d'excuse : « Vous comprenez, c'est la première fois... »

Quelle première fois ? On voudrait bien savoir, nous ! En tout cas, lui comprend ! Il acquiesce. Il paraît que les San Franciscains trouvent parfaitement normal qu'on tombe amoureux de leur ville. Ils le sont tous !

Dans un drôle de français aux R ouatés, il nous explique que les gratte-ciel, c'était fatal ! San Francisco est bâti sur une presqu'île. Ne pouvant s'étaler sur la mer, la ville a été bien obligée de grandir en hauteur. Il promet de nous inviter à dîner dans un restaurant qui domine tous les environs et tourne très lentement sur lui-même. Vous prenez les hors-d'œuvre face au Pacifique, vous lui tournez le dos au dessert.

« Rien que d'y penser, j'ai le cœur retourné », gémit Cécile qui est souvent malade en voiture et vous fait ça d'un coup, sans avertir, c'est pourquoi on la met toujours près de la fenêtre, si possible dans un courant d'air.

Claire lui écrase le pied. La poison a eu droit à tout un cours sur la façon de se tenir à l'étranger afin de donner de notre pays une image respectable. Leçon un : « Ne parler en aucun cas de ses états physiques. » Ça commence bien ! Et le pire c'est que Phil n'a pas compris « cœur retourné » et qu'il demande des explications. Après, il rit et parie à notre sœur un dollar en argent massif à l'effigie de Kennedy qu'elle tournera au sommet du restaurant sans s'apercevoir de rien.

« Alors ce n'est pas la peine », dit Cécile qui tient quand même le pari.

Nous roulons un moment en silence. Cela fait du bien. La ville est tout près maintenant, à notre gauche. Nous la survolons presque parce que l'autoroute est surélevée. Il y a une tour pointue dont je me passerais bien; et une autre tout éclairée qui s'appelle « Coit Tower », ce n'est pas une blague, c'est vrai ! Charles a passé le bras autour des épaules de sa femme d'un geste de propriétaire et il n'arrête pas de guetter ses réactions. Il doit se dire que c'est grâce à lui, tout ce bonheur qui la rajeunit! Et nous voici en vue du Golden Gate.

Il ne m'était pas particulièrement sympathique, ce pont dont tout le monde parle. Trop, justement! Cette fameuse « Porte d'Or », je la mettais dans le même sac que notre tour Eiffel : un gadget géant. Mais lorsque je le vois, j'oublie ce que l'on m'en a dit et je remercie celui qui l'a construit.

Il a un aspect tranquille. Tous les beaux monuments l'ont; comme s'ils étaient assurés d'être à leur place. Il est menaçant avec ses arches trouées de gueules et la brume accrochée à ses flancs comme à ceux d'une montagne. Il n'est pas doré, il est minium. Ceux qui aiment la mer doivent trouver qu'il ressemble à une voile déployée.

« On a eu beau mettre des barrières, du grillage et boucher tous les trous, explique Phil, presque chaque semaine des gens trouvent le moyen de passer pour se jeter à la mer.

— Et alors? demande Cécile en essayant de voir en bas.

— On ne retrouve jamais leurs corps. Le courant, les requins. C'est comme se suicider trois fois.

— Moi, ça serait dans mon bain avec un tube de somnifères et de la musique, déclare la poison. Tu t'endors tout doucement dans l'eau chaude et tu glisses... tu glisses...

— Et quelle bonne surprise pour tes parents! » dit Claire furieuse.

Je ne sais pas si Phil a suivi. Papa est en train de lui poser des questions sur la fabrication du pont en mélangeant toutes les langues, surtout l'italien qui a l'air de lui revenir formidablement alors qu'il était certain de l'avoir complètement oublié. San Francisco nous regarde traverser la mer.

Je me laisse aller en arrière et, pendant quelques secondes, j'essaie de me concentrer. Le Golden Gate, Californie, Amérique. J'ai l'impression d'être dans des mots, pas dans la réalité. Pauline, *La Marette,* hier. Ça va trop vite. Justement, Phil explique à maman qui lui demandait d'aller plus doucement qu'il a été plusieurs fois arrêté pour excès de lenteur. Ce n'est pas possible ! Excès de lenteur. Pourquoi pas excès de bonheur, de plaisir ou d'amour ? Un gros camion passe et voilà que le pont se balance. J'ai l'impression de galoper à l'intérieur de moi-même. Et si tout le voyage était comme ça ? Une suite d'impressions, de sourires, de gifles, mais sans jamais vraiment pénétrer dans les choses. Il me semble, c'est étrange, que pour vraiment y pénétrer, il faudrait cesser de les regarder si intensément. On dit aussi que le bonheur, pour l'avoir, il ne faut pas trop le viser.

Quand je rouvre les yeux, San Francisco est loin derrière et maman me regarde.

« Sommeil ?

— Ce n'est pas ça ! Tout tourne.

— Pour moi aussi, dit maman.

— Et pour moi aussi ! dit Claire.

— Je croyais que les frontières, ça ne changeait rien... lui fait remarquer Cécile.

— Quand on traverse une mer, c'est différent ! »

La mer change tout. Elle a raison ! Et raison aussi de ne pas porter de montre ! J'ai envie de balancer le temps.

On finissait par croire qu'il n'existait dans ce pays que des autoroutes à huit voies, on se retrouve sur une petite route comme en France. Non ! Je me suis juré de ne jamais dire : « Comme en France ! » D'oublier la France.

Je me dis : « Oublier la France » et : « Surtout, oublier la France ! » Et je me réveille devant la maison !

Elle est longue, toute en bois blanc, faite de lattes superposées. Il y a des lumières partout : sur les murs, entre les fleurs des plates-bandes, dans le feuillage des arbres.

Elle a un rez-de-chaussée avec des petites fenêtres carrées et un premier étage auquel on accède par un escalier extérieur habillé d'une glycine fantastique.

Ce qui frappe lorsqu'on sort de la voiture, ce sont les

odeurs; elles montent de partout, encore tièdes. Odeurs d'aiguilles de pin, de terre mouillée, de feuille, de mimosa. Un mimosa de cette taille, je croyais que ça n'existait pas.

Un garçon dégringole l'escalier. Il est boulot avec une bonne bouille ronde.

« Bienvenue, dit-il. Bienvenue !

— C'est Gary, dit Phil, et vous connaissez à présent la totalité de son vocabulaire français. »

Le fils de quinze ans, donc ! Je vois l'œil de Cécile qui remonte des chaussures de tennis au bermuda effrangé et tente de déchiffrer ce qui est inscrit sur le tee-shirt plein de dessins et de jus de quelque chose. Il ne nous serre pas la main — cela ne se fait pas ici — mais adresse à chacun un grand sourire.

Puis voici une femme très belle, vêtue comme une jeune fille et, à côté d'elle, l'autre garçon, le fils aîné je suppose : Tracy.

Tracy est mince, presque maigre. Il a l'air doux. Quelque chose de Stéphane; cravate en moins et cheveux longs, mais vraiment longs et plus blonds que ceux de la princesse qui pourtant les camomille à mort. Il ne manque que la fille, Sally.

Tout est dans un brouillard de voix, d'odeurs, de fatigue. Nous sommes dans le salon et nous buvons un jus de fruit. Il y a aussi de petits sandwiches, des olives, des chips qu'on trempe dans un mélange de crème et de roquefort, fameux ! Pour me dire bonjour, tout à l'heure, la mère a mis sa main sur mon épaule et, malgré son sourire, j'ai senti passer une tristesse. Je m'en souviendrai.

On nous montre nos appartements. Tout le rez-de-chaussée pour la famille avec issues indépendantes sur le jardin du bas. Il faudra dire si quelque chose nous manque ! Il faudra faire comme chez nous ! Il faudra appeler Mme Miller, Marjory !

Après, nous nous sommes réparti les chambres. La plus belle pour les parents avec deux lits jumeaux, malheureusement pour maman qui est frileuse et apprécie, quand elle n'arrive pas à dormir, de pouvoir se serrer contre un mari en le réveillant un peu. La chambre moyenne pour Cécile et moi. Un dé à coudre pour la princesse qui préférerait une niche à partager. Une niche dorée, s'entend !

Quand Phil a recommandé de toujours laisser baissés les grillages antimoustiques, je me suis vraiment sentie en Californie.

Dans la chambre des parents, il y avait un bar-frigidaire et un grand poste de télévision portatif que Cécile a réussi à soulever. Mais ce qui m'a le plus frappée, c'est la coupe de fruits frais avec, au sommet de la pyramide, une mangue.

Marjory a proposé : « Voulez-vous faire quelques brasses pour vous détendre avant de vous coucher ? » Et nous nous sommes tous retrouvés dans le plus beau : la piscine !

Elle se trouve dans le jardin du haut. Vous y accédez soit par un escalier extérieur, soit par le salon. Vous vous trouvez soudain au milieu d'un mélange de fleurs et d'eau.

L'eau est d'un bleu intense, éclairée de l'intérieur. Il y a des dessins au fond du bassin. Je ne parle pas des bancs, et des canapés, des fauteuils, de la balancelle, de tout ce qui promet qu'il fera beau demain.

Je crois que pour la princesse c'était presque trop à la fois. Cécile tournait autour de Gary, n'osant pas encore le pousser dans l'eau. Marjory a posé sur le plongeoir une brassée de serviettes éponge très épaisses. Il faudra choisir chacun sa couleur et la garder.

Phil a pris maman par la main et l'a menée vers une plante charnue qui sentait comme un fruit. Papa faisait une démonstration de crawl.

Je suis descendue très lentement dans l'eau par l'escalier de pierre. Elle était tiède.

C'est sans doute cette eau, l'air, toutes ces odeurs mêlées, la fatigue aussi, j'ai eu l'impression étrange de pénétrer dans la mangue.

CHAPITRE VIII

DES FLEURS, DE L'EAU ET DU SOLEIL

UNE nuit d'été, je m'en souviens, c'était chez ma grand-mère, en Bourgogne, je m'étais endormie dans ma chambre, une chambre que j'aimais mais qui me faisait peur parce que mon parrain, qui y couchait parfois, était prêtre et que j'y sentais un regard; je m'étais endormie à l'abri du gros édredon de plumes dont on me disait qu'il tenait d'autant plus chaud qu'on l'avait fourré du duvet de volailles encore tièdes, je me suis réveillée dans un lieu inconnu.

C'était la nuit complète et d'abord, surtout, une odeur : celle grise et humide d'un souterrain, « d'une tombe », pensai-je. J'étais en chemise de nuit, debout, glacée; je sentais de la terre sous mes pieds nus; tendant la main, je rencontrai un mur de pierre. Je fis un pas et quelque chose voila mon visage.

Je me rappelle mon cœur qui bat à coups sourds et amples. La peur me poigne. Il me semble être à mille lieues de tout. J'ai toujours eu la hantise de l'obscurité; sans lumière, la certitude me vient d'être aveugle. Où est la porte?

J'ai peur et pourtant, avant de crier, je tente de trouver une sortie. Cette appréhension, même là, de me « faire remarquer ». Puis la panique a dû l'emporter puisque bientôt, autour de moi qui sanglote, il y a les visages stupéfaits et inquiets de la famille en vêtements de nuit; et comme je les aime! A me briser le cœur! A ne pas oser vivre sans eux.

J'étais dans une arrière-cave où personne n'était descendu depuis les années de fortune où on y rangeait le vin fin. J'avais descendu deux étages, ouvert trois portes et refermé sur moi celle de cet endroit dont je ne soupçonnais même pas l'existence et qu'un verrou de taille défendait. Qui m'avait menée là, endormie ?

Ce matin-là, ce premier matin d'Amérique, quand j'ai tendu la main pour allumer et que je n'ai pas rencontré le bois de ma table de nuit mais un mur inconnu, une seconde, j'ai ressenti les battements de cœur de cette ancienne nuit. Puis j'ai ouvert les yeux et j'étais en Californie !

Je cours à la fenêtre et j'écarte le rideau. Tout est envahi d'une lumière différente. Jeune. Allègre. Il y a une camionnette blanche garée devant la maison. C'est son bruit qui m'a réveillée, je le réalise maintenant. Quelle heure est-il ? A ma montre, un peu plus de sept heures. Alors, en France, deux heures de l'après-midi ! Pas étonnant que je me sente en pleine forme. Et une faim ! Une faim !

A l'autre bout de la pièce, cette boule sous le drap dans un lit semblable au mien : Cécile. Déjà un beau désordre ! Hier, elle ne retrouvait plus sa belle chemise de nuit et elle a tout simplement retourné sa valise sur le sol. Des pâtés de vêtements çà et là. Quand enfin elle a mis la main dessus, elle était pleine de sa lotion anti-acné.

La chemise de nuit sèche sur le dos d'une chaise. Plutôt que de recourir à son vieux pyjama, Cécile, furieuse, a préféré dormir comme ça !

Je récupère mes vêtements au bout de mon lit et gagne la salle de bains. Maman a déjà aligné un bon nombre de flacons sur la tablette au-dessus du lavabo. Ça va ! Dans un bocal, il y a des savons de toutes les couleurs, gros comme des prunes. A-t-on le droit de s'en servir ? Ils sont vrais en tout cas. Ils sentent et l'ongle y marque.

J'ai repéré les lieux hier avant de me coucher. Quand j'arrive dans un endroit inconnu et surtout si je dois y dormir, il me faut savoir où sont les issues. La cave de chez grand-mère, sans doute. Et c'est peut-être de cette cave que vient mon horreur des ascenseurs-placards complètement fermés. Une panne un peu longue ? Je meurs.

Je longe le couloir et prends l'escalier intérieur qui monte à l'immense pièce : cuisine-salon et au jardin d'en haut où se trouve la piscine, les fleurs dont, paraît-il, un chevreuil sauvage vient parfois goûter quelques spécimens. Je monte cet escalier et me voilà face à face avec un inconnu vêtu de blanc, y compris la casquette, assis devant le réfrigérateur grand ouvert et qui prend des notes !

Il me regarde en souriant et me dit : « *Hello ! How are you today ? I am Bernard, the milkman.* » Prononcez « Bernarde ». C'est donc le laitier. Il a des dents extraordinaires et des bras de joueur de volley. Quand il a terminé de recenser le contenu du réfrigérateur, il recommence avec le congélateur qui est un monument. Comment se fait-il que personne ne soit là pour le surveiller ?

« Alors, c'est vous les Français ? » dit-il.

Je réponds que oui ! Il hoche la tête et déclare qu'il va devoir en tenir compte, ou quelque chose comme ça, et le voilà qui court à sa camionnette et remonte avec des cartons à n'en plus finir, de laitages, de glaces et de congelés, qu'il organise dans le réfrigérateur comme s'il était chez lui. Puis, un geste de la main et il a disparu.

Bien ! L'eau à la bouche mais je n'ose pas, je quitte le coin-cuisine dont le plus extraordinaire est décidément la grande table en demi-lune, au centre de laquelle se trouvent les plaques chauffantes, et je passe côté salon, côté soleil : attente ensoleillée. Si on aime un endroit pour le confort, celui-ci est idéal. Aucun meuble de style, rien de délicat ou de fragile : un canapé gigantesque et qui tourne, des coussins à s'asseoir, un fauteuil à bascule, une moquette où le pied disparaît.

Sur la cheminée, il y a le portrait d'une fille qui ressemble à Marjory mais avec de curieux cheveux blonds, très courts, mousseux. Elle sourit timidement et ses yeux interrogent. Sally, sans doute ! La fille aînée que nous n'avons pas encore vue.

Apparemment, tout le monde dort encore. La porte-fenêtre est ouverte sur la piscine alors j'en profite et vais m'asseoir près du plongeoir, face à la maison. L'air est encore frais mais il fera chaud, c'est sûr. Par-dessus la clôture, on aperçoit au loin une colline embrumée. Je m'applique à la fixer jusqu'à ce que je ne sois plus Pauline Moreau mais n'importe quel être de dix-huit ans devant une journée neuve à laquelle il faut absolument qu'il s'ouvre le plus largement possible. Puis j'essaie de juger la maison.

Curieuse, d'abord! Pas du tout ce que j'attendais. Avec ses lattes au lieu de pierres, elle a un aspect provisoire. Mais blanche, légère et gaie, semblant jaillir du feuillage. Pas une maison pour recoins, souvenirs, messes basses, mystères et caves inexplorées. J'ai trouvé! Une maison de pionnier pareille à celles que l'on voit dans les films-western.

Et comme je regarde son reflet dans la piscine, voici que dans l'eau qui ondule je vois très clairement Tracy, à sa fenêtre, me regardant.

Alors tout s'arrête! Balayé mon beau calme! Quelqu'un est là que je tiens en mon pouvoir secret. Il me regarde mais ignore que je l'ai vu. C'est une occasion formidablement propice pour donner de moi, jeune fille française, une image intéressante et, si possible, pleine de grâce.

D'un geste lent et élégant, je lisse l'eau de l'ongle; je m'imagine un front pensif alors que dans ma tête, c'est à nouveau la foire la plus complète. C'est stupide, enfantin, je sais! Je commençais à lire l'Amérique dans ce début de matinée et, voilà que soudain, je ne pense plus qu'à plaire à quelqu'un dont je ne sais même pas s'il m'intéressera et qui d'ailleurs vient de refermer sa fenêtre, preuve que moi je ne l'intéresse pas. J'ai voulu m'embellir à ses yeux, je me suis ridiculisée aux miens. Bien fait! Et c'est à ce moment qu'il plonge superbement, dessinant des éclaboussures partout sur la pierre blanche et, en trois brasses, vient me dire bonjour sous le nez.

« Bonjour, Peoline!

— Bonjour! »

Mon nom, avec l'accent américain, est un peu moins vilain. Je note.

Il se hisse à mes côtés : « Je vous ai vue de la fenêtre ! » Et moi, à la fois je suis contente qu'il ait désiré me rejoindre et je souhaite que son plongeon ait réveillé toute la maison parce que je ne sais pas du tout ce que je vais pouvoir lui dire hormis que mon anglais est détestable, que sa maison me plaît, que je suis contente d'être ici : ce genre de phrases inutiles qui blessent en nous la partie secrète qui rêve de contacts plus vrais, plus profonds, même au début d'une connaissance. Et mon père, qui, lui, a trouvé son équilibre avec maman, le veinard, assure qu'au fond de chacun il y a cette même envie jamais tout à fait assouvie d'être compris, vu et aimé comme par un autre soi-même.

Alors, tandis que l'eau se répand sur la pierre et commence à attaquer ma jupe, je dis à Tracy que mon anglais est défectueux, que sa maison me plaît et que je suis contente d'être là. Et avant qu'il ait pu renchérir par des phrases aussi bêtes, répondant à mon souhait, imaginez la superbe apparition de la princesse en longue robe de velours-éponge, soixante-quinze francs le mètre, s'apprêtant à récolter, au moment où elle la laissera tomber à ses pieds et apparaîtra magnifiquement bronzée, tout le bénéfice des heures de torture infligées par le soleil.

Claire en tête, donc ! Maman en jupe que je n'ai jamais vue, Charles sur les talons. Un Charles rasé de frais, miracle, alors qu'à la maison il prétend que faire ça avant le café autant se trancher directement la gorge. Et Phil et Marjory, tous deux en bermuda, et Cécile.

Et imaginez un arbre qui n'a l'air de rien, un arbre véritable avec feuilles, odeurs et oiseaux, tout entouré d'un banc, dans le tronc duquel on branche une cafetière électrique, un toaster automatique six compartiments, une poêle pour les œufs au bacon. Ajoutez à cela des fruits, des céréales, toutes sortes de confitures et vous aurez notre premier repas américain : un « brunch », c'est-à-dire un petit déjeuner-déjeuner. Et si durant la journée la faim se fait de nouveau sentir, ordre de s'adresser directement au réfrigérateur que le laitier aux belles dents approvisionne, sans demander rien à personne, trois fois par semaine et la note à la fin du mois.

Cela sent le café, le chocolat au lait, le lard frit surtout. Ce sont les hommes qui se chargent des œufs. La princesse a tenu à servir les jus de fruits. Une tartine à la main, Cécile est assise à côté de moi, pieds dans l'eau. Il est visible que quelque chose ne va pas.

« Tout compte fait, c'est con, ce tatouage ! » dit-elle.

Et elle frappe sa poitrine à l'endroit de l'insigne de la paix. Je comprends qu'au pied du mur elle n'ose plus le montrer.

« Tu n'auras qu'à dire que ça s'est fait par hasard ! »

Elle me regarde avec commisération.

« Tes hasards, ils sont rudement calculés ! Et eux, ils vont y voir une arrière-pensée, c'est sûr ! Mais je pouvais pas savoir que c'était comme ça, l'Amérique, avec tout ce qu'ils montrent à la télé. »

Elle prend quand même une belle bouchée de sa tartine où la confiture de fraises se mélange avec le miel.

« Tu sais où est Gary ?

— Il dort ?

— Pas du tout ! Il livre les journaux aux voisins. Il fait ça avec un copain, en camionnette. Le copain conduit, il s'arrête devant les maisons et Gary jette le journal juste devant la porte des gens. Et devine pourquoi ?

— Pour gagner son argent de poche !

— Pour payer son Université plus tard. »

J'admire ! A présent, Cécile regarde sous son tee-shirt, l'air écœuré.

« Et en plus j'ai des boutons partout ! Cette puberté, j'en ai plein le dos.

— C'est le cas de le dire », laisse tomber Claire.

La princesse est venue s'étendre près de nous, sur sa robe de velours-éponge, alors qu'à *la Marette* nous n'avons jamais été autorisées à seulement la toucher, même du bout du doigt, à cause du sens des reflets.

Cécile regarde avec envie la peau lisse de son décolleté — je n'en dirais pas autant du mien — puis elle cherche maman des yeux.

Assise sous l'arbre-prise où est aussi branché un téléphone, maman rit avec Phil en essayant de décoller de la poêle la dernière fournée d'œufs au bacon. D'un pas résolu, Cécile la rejoint. Elle n'a pas un regard pour notre hôte.

« L'hiver prochain, tu m'emmèneras chez le docteur », ordonne-t-elle.

Inutile de dire que maman tombe des nues. D'autant qu'on en a un à la maison et qu'il a suffi jusqu'ici. Mais devant l'air grave de Cécile, elle abandonne la poêle et l'oblige à s'asseoir près d'elle.

« Qu'est-ce qui se passe ?

— Ce n'est pas papa qu'il me faut, dit Cécile en jetant un regard noir à Charles qui discute avec Marjory, un peu plus loin, c'est un spécialiste des boutons.

— Des boutons ?

— Un dermatozoïde, quoi ! » dit Cécile agacée.

Si le téléphone n'avait pas sonné à ce moment-là, je crois que maman serait tombée de rire dans le bassin.

C'est Bernadette !

Elle tient d'abord à dire à papa de ne pas s'inquiéter pour sa note de téléphone. Elle n'appelle pas de la maison mais profite d'un super-tuyau : une cabine à Pontoise d'où, pour cinquante centimes, on peut appeler la terre entière. Cela durera ce que cela durera mais c'est toujours ça de pris et ça fait du bien d'entendre qu'on est arrivés à bon port !

Cela dure ! Nous parlons chacun à notre tour. On a beau ne s'être quittés qu'hier, il y a tout à raconter. Elle n'en revient pas d'entendre la Californie en direct. Et comment est le Golden Gate ? Et la maison, l'air et les gens ? Elle nous ordonne de nous défoncer au maximum et surtout de ne pas nous gâcher la fête avec la France où tout va au mieux à commencer par Miss Fanny, la rose favorite de papa, dont les pétales cardinal n'ont pas besoin de rosée pour réciter des poèmes. A part ça, Stéphane est un homme de jardin accompli et Antoine Delaunay, le remplaçant de Charles, une énigme pour elle, mais une énigme qui a apporté pour dîner une formidable pièce montée faite de sorbets variés ce qui lui fera beaucoup pardonner à l'avenir.

Nous sommes tous les cinq agglutinés autour de l'appareil. C'est vraiment stupide qu'elle ne se soit pas débrouillée pour venir, voilà tout ce que je suis capable de lui dire. Cécile s'empare de l'appareil. Elle a oublié de lui recommander quelque chose de très important ! Sous aucun prétexte, Antoine Delaunay ni personne ne doivent lire son journal secret, lequel se trouve dans la cuisine, en haut de l'armoire à conserves, sous la boîte de bougies d'anniversaire.

Enfin, Bernadette nous dit bonsoir parce que nous sommes peut-être au bord d'une piscine de rêve, au début d'une journée formidable, mais elle, c'est sous la douche qu'elle va passer avant d'aller saluer son lit parce qu'elle en a plein les bottes. Ajoutons à ça qu'un type la regarde bizarrement à l'extérieur de la cabine; au cas où ce serait un flic il vaut mieux ne pas prolonger davantage les réjouissances.

Et après avoir raccroché, on ne peut s'empêcher de sourire encore à sa voix. Tout paraît encore meilleur, encore plus gai et plus doré. Cécile s'apprête à raconter aux Miller la cabine miraculeuse quand papa l'arrête d'un regard terrible. En ce qui concerne l'honnêteté, Charles est à peine normal. On l'a vu un jour rapporter au chef d'une station de métro un chewing-gum supplémentaire tombé d'une machine automatique.

Nous expliquons que Bernadette sera un jour une grande cavalière et qu'elle entretient un cheval à la retraite. A part ça, une tête de bois et un cœur d'or. Le cliché vivant mais quand on s'y cogne on s'en souvient !

« Elle ressemble à laquelle ? demande Tracy en nous regardant, et son regard s'arrête sur moi.

— Aucune ne ressemble à aucune, soupire papa. On ne peut même pas faire un lot. Chacune demande un effort d'adaptation particulier. »

Et à ce moment-là — je crois que maman a posé la main sur l'épaule de Claire, nous rions toutes de l'air dépité de Charles qui voudrait tant être le sexe fort mais se trouve toujours dépassé par le nombre — je surprends comme hier, dans le regard de Marjory, quelque chose qui me serre le cœur : un reflet triste. Une douleur.

Et comme pour me prouver que je ne me suis pas trompée, Phil pose la main sur son épaule et l'y laisse appuyée un instant.

CHAPITRE IX

UNE SEULE ET MEME PHRASE INTENSE

Bras croisés sur son torse-nu, Cécile attend que maman ait fini de recoudre l'agrafe de son soutien-gorge.

Elle a découvert un système compliqué de fermetures et de bretelles pour faire pigeonner sa minuscule poitrine. C'est relativement efficace mais la mort rapide de cette pièce importante de son habillement.

Maman met à son doigt le dé en or qu'elle a reçu à quinze ans pour avoir été toute l'année « doigt de fée », à son cours de couture. Papa est en train d'essayer de rentrer son ventre dans le pantalon de toile acheté en solde avant le départ.

« Finalement, dit Cécile, tout ça ! L'Amérique, cette baraque, qu'est-ce que tu en penses ?

— Pour l'instant, remarqua maman, je me contente d'éprouver, de vibrer... c'est presque trop à la fois !

— Tu veux dire presque trop émotivant ? interroge Cécile.

— Emotionnant ! rectifie papa.

— Emouvant, reprend maman.

— Faudrait vous entendre », dit la poison.

Elle regarde maman du coin de l'œil. Quelque chose ne lui plaît pas, c'est évident !

« Et Phil ? Tu en penses quoi ? poursuit-elle d'un ton détaché.

— Phil ! Formidable, s'enthousiasme maman, décontracté, drôle, accueillant, chaleureux !

— Rien que ça ! proteste Cécile. Toi qui nous recommandas toute la vie de n'avoir pas un jugement trop rapide, on peut dire que tu donnes l'exemple! »

Maman lève le nez de son ouvrage, déconcertée par le ton d'accusation de sa fille. La poison fixe avec énormément d'attention la boucle de sa sandale. J'ai compris! J'ai remarqué, moi aussi, la façon dont, depuis notre arrivée, Phil regarde maman, les yeux brillants de maman, en vacances, en liberté, en enthousiasme, en jeunesse.

« Et papa? demande Cécile, est-ce qu'il est décontracté, drôle, formidable, accueillant et chaleureux, lui? »

Papa a enfin réussi à rentrer son ventre dans le pantalon mais, apparemment, il a coincé sa chemise dans la fermeture. Etranger à tout, il s'acharne avec force soupirs.

Maman se penche vers l'oreille de sa fille. Elle a un sourire malicieux.

« Ton père, c'est différent! Vois-tu, je l'aime.

— Et voilà, constate Cécile. Tu l'aimes... Je m'y attendais! Tu l'aimes, tu l'aimes... mais au fond, tu ne le regardes plus, tu ne le vois plus!

— Je ne vois que lui en ce moment, crois-moi, dit maman en riant, et elle ajoute, et je l'aime beaucoup bien qu'il ait ronflé toute la nuit! »

Papa relève le nez, indigné.

« Moi? Ronfler? Je n'ai jamais ronflé de ma vie! Tu es bien la première personne qui me le dit!

— J'espère bien, dit maman.

— Pas de disputes devant les enfants », grogne la poison qui n'a jamais autant mérité son nom.

C'est fini pour l'agrafe. Maman profite de ce que Cécile a les mains occupées à voiler sa nudité pour la prendre aux hanches et l'obliger à lui faire face.

« Si tu m'avais demandé ce que je pense de Marjory, je t'aurais dit : « Belle, intelligente, aimable... » et tu devrais observer un peu la façon dont Phil la regarde; ça t'apprendrait qu'on peut encore se voir... même après vingt ans de mariage... »

Pour le pantalon, papa a abandonné. Il enfile le vieux de l'année dernière avec un plaisir immense et, afin de nous montrer comme il y est à l'aise, il esquisse quelques mouvements de gymnastique. Maman rit de bon cœur.

« C'est compliqué, les parents, tu ne trouves pas ? » soupire Cécile en me rejoignant.

Mais elle a l'air très soulagée.

Puis le tourbillon ! Les valises défaites au son de la télévision. A toute heure du jour, on n'a que le choix entre westerns, policiers, dessins animés ou histoires d'amour. Mais c'est révoltant, cette publicité qui coupe tout, au moment le plus palpitant.

Nous nous sommes partagé les tiroirs et la penderie. Il est déjà midi. Tout à l'heure, les quatre parents doivent partir à San Francisco où Charles rencontrera l'organisateur du congrès. San Francisco est, paraît-il, en plein brouillard. Là-bas, c'est l'hiver . d'été. Il faut emporter un manteau. Je sentais bien que tout est chamboulé, remis en question, même les saisons !

Nous, nous allons à la découverte du Pacifique ! En fin de matinée, des amis de Tracy sont passés et ont proposé un barbecue sur la plage. Ils ont l'air sympathiques, sans timidité. L'un d'eux ne quittait pas la princesse des yeux : un barbu tout broussailleux. Elle n'y semblait pas indifférente.

Elle a fait rire tout le monde, moins papa, en annonçant qu'elle avait décidé de ne pas prononcer un mot d'anglais de crainte de se ridiculiser mais que, par contre, elle était prête à parler espagnol où elle serait avec les autres sur pied d'égalité.

Je la croise dans le couloir. Elle a natté ses cheveux. Ça lui va bien : un air pur, neuf. Ses yeux brillent. Elle me lance : « Ils savent vivre, ici ! » Elle a l'air de respirer. Je sais ce qu'elle veut dire ! Claire n'a jamais aimé compter. Elle était peut-être faite pour vivre différemment, après tout ! Il faut bien reconnaître qu'on compte toute la journée : son temps, son argent. Quand ce n'est pas son amour ou son amitié. Et ici, on a l'impression que l'abondance est reine; je ne veux pas parler uniquement des choses matérielles. Il y a plus de ciel, plus de soleil, plus de fleurs, plus de sourires. Tout est plus ! Plus grand. Plus beau.

Tout à l'heure, en rangeant mes affaires, j'ai découvert au fond de la penderie une robe oubliée. Elle est d'une jolie couleur mauve, le haut brodé de fleurs. Elle semble tout à fait à ma taille. Et soudain, je ne sais pourquoi, il faut, oui, il faut que je la passe.

Je m'enferme dans la salle de bain. C'est une robe bain de soleil à mettre à même la peau. Et me voici nue, saisie de hâte.

Elle me va bien! On dirait qu'elle a été taillée pour moi. Ce léger parfum qui l'imprègne, est-ce celui de Sally? Et où est-elle, Sally, à part dans le cadre sur la cheminée? Comment se fait-il que personne n'en parle, même pas maman qui pourtant demande toujours des nouvelles de tout le monde?

Je tourne sur moi-même. La jupe suit le mouvement, caresse mes cuisses, mon ventre. Et soudain j'ai envie de Pierre. Besoin. Quelque chose qui, en moi, flambe et l'appelle. Pierre! Toi qui as comme moi traversé la mer. Toi qui es en Amérique.

Je pense au rire de maman, tout à l'heure. A sa gaieté. C'est trop facile! D'être gaie, bonne et tout quand on est aimée. J'aimais tout le monde quand Pierre m'aimait. Je m'ouvrais à tout quand il m'ouvrait. Je sens les larmes dans mes yeux. Je m'assois sur le rebord de la baignoire, découragée. C'est bien la peine de venir jusqu'ici pour pleurer.

J'ai caché la robe mauve dans une robe à moi. Je n'avais pas envie qu'on me la prenne. Il me semblait, mais c'est sûrement mon imagination, j'ai trop tendance à rêver que tout le monde me fait signe, que Sally l'avait oubliée là, exprès, comme un message pour moi.

Puis le Pacifique!

Nous sommes partis à trois voitures. Hier, nous n'avions fait que le deviner. Le découvrant en bas de la colline d'herbe brûlée, bouillonnant contre la falaise à pic, j'ai compris que, où que l'on soit, et même très loin de lui, il vous appelait. Que même l'ignorant, on devait éprouver dans une partie secrète de soi sa présence; et d'être arrivée devant lui, arrivée enfin, m'a d'abord été une angoisse.

Il nous a fallu longtemps pour le rejoindre, le toucher. Plus on descendait vers lui, mieux on entendait son appel, mais un appel indifférent, comme l'appel du roi.

Son eau est froide. On la sent habitée. Elle l'est! De phoques, de barracudas, de requins. L'un d'eux a, paraît-il, attaqué un baigneur l'an dernier. Sa fiancée était là. Elle n'a eu que le temps de le baptiser sur le sable avant qu'il ne meure.

La plage s'en va à perte de vue, lisse et douce, ventre doré. Des oiseaux minuscules, juchés sur de hautes pattes, courent drôlement le long de la vague. Tout est gris-vert, un triomphe qui n'en finit pas, de gerbes, de tambours, d'écume. Pas de mots pour décrire. Il faudrait la musique. Il faudrait une seule note tenue, à la fois la plus intense, la plus douce, la plus profonde.

Et on est là, devant tant de beauté; on ose rire, courir, avoir faim, se dire que ça va être fameux le maïs grillé, tartiné de beurre frais et rehaussé d'une coulée de citron vert. Et ce ne sera pas tout! Il y aura d'immenses steaks et des pommes de terre enveloppées de papier d'argent dans lesquelles vous versez une cuillerée de crème.

Avec des hurlements de joie, suivie de Gary qu'elle semble bien avoir déjà réduit en esclavage et auquel elle a emprunté un bermuda, Cécile rentre et sort de l'eau, tout habillée. C'est apparemment une habitude ici que de se baigner sans retirer ses vêtements. Vous marchez le long de la vague et parfois vous y faites une incursion : la mer fait partie du trajet!

J'entends le rire de Claire, assise près de son broussailleux qui a mis sa guitare dans ses bras et puisqu'elle se refuse à parler américain veut lui apprendre à le chanter.

Nous sommes assis, Tracy et moi, l'un près de l'autre, face à la vague, là où le sable est frais. Tout à l'heure, un homme harnaché d'ailes immenses s'est jeté de la falaise à pic. J'ai pensé que c'était formidable. Puis je me suis dit que si les ailes servaient seulement à tomber, sans se faire mal, et non à s'élever plus haut, ce n'était pas la peine.

« J'aimerais voir la France! » dit Tracy.

Le menton au creux des genoux, il regarde au loin. Et

dans sa voix, mon pays devient quelque chose de précieux, de petit, de ravissant : sorte de boîte à musique ancienne chantant des villages, des clochers et des champs.

« Comment est-ce ?

— Très beau. Vivant. Vieux. Non, pas vieux. Ancien. Plutôt tourné vers le passé. Un œil derrière, un œil devant.

— Et encore ? »

Je dis bêtement : « Il n'y a pas de requins. »

Et j'ajoute, je ne sais vraiment pas pourquoi, cela vient comme ça : « Mais il y avait un vieux loup et les gens l'ont tué cet hiver.

— Un loup ?

— Oui ! Un loup. »

Tracy me regarde, étonné. Il m'a demandé : « La France ? » J'ai répondu : « Un vieux loup ! » Mais je sens seulement, d'une partie très profonde de moi, monter la rancune. Il était vieux et affamé. Dites-moi, qui nourrit les loups ? Les gens l'appelaient « le monstre ». Ils en parlaient comme d'un être humain; comme si, au fond, ils avaient souhaité qu'il en soit un : pour plus d'excitation. Et ils se sont mis à cinquante pour le traquer. Une image d'eux me revient. C'est devant le café du village. Ils sont prêts à partir. Ils ont leurs fusils sous le bras et se donnent des allures de héros ! Ils me font pitié, au fond.

On a traqué le loup durant deux semaines. On finissait par se demander s'il n'était pas né du désir des gens : de chasser, tirer, tuer, se prouver. Quoi ? Je ne savais pas que je l'aimais tant ce loup qui, disait-on, avait égorgé deux moutons.

Et pour finir, cette image, mon Dieu ! Entre les jambes des chasseurs pas si fiers finalement, un mètre cinquante de fourrure terne. Des os et du poil. Il paraît que c'était un squelette.

Suffit avec la France !

Nous sommes donc au bord du Pacifique près d'un Américain de vingt ans qui, du bout du doigt, dessine des cercles sur le sable. Il a de longues jambes recouvertes de mousse blonde, des cheveux légèrement bouclés, très fins, retenus en arrière par les oreilles. Il a dans le regard une hésitation qui me plaît.

Devant nous, des hommes en combinaisons de caoutchouc noir, arc-boutés sur des planches, suivent une vague qui n'en finit pas et prouve, avant de venir mourir à nos pieds, que la mer, finalement, n'est qu'une seule et même phrase intense.

Et soudain, c'est merveilleux d'avoir dix-huit ans et tant de choses devant! Est-ce cela que papa appelle mon appétit de vie?

Je me tourne vers Tracy.

« Tracy, écoute... ça y est! Je suis en Amérique! »

Elle me rentre partout, elle me balaie, elle m'emporte. Je viens d'y arriver.

Tracy me regarde et il comprend je crois. Nous restons un moment ainsi, jusqu'à ce que ça passe.

Un peu plus tard, avant de rejoindre les autres qui crient que le dîner est prêt, et l'air embaume d'une odeur de maïs et de viande grillée, je me souviens de Sally.

« Ta sœur? Où est-elle? »

Il souriait; son sourire se fige. Il se détourne.

« Sally est malade. »

Quelque chose dans sa voix m'empêche d'en demander davantage. Malade? Et moi qui sens encore, sur ma peau, le tissu de sa robe. Je revois la photo sur la cheminée, le sourire un peu timide, les yeux qui interrogent mais surtout ces drôles de cheveux blonds très clairs, mousseux, presque un duvet.

Tracy s'est laissé retomber en arrière et, sans cesser de regarder le ciel qui commence à pâlir, il pose sa main sur la mienne. C'est tout! De sa main, il couvre ma main. Il ne cherche pas à prendre mes doigts, ni à les caresser. Il pose sa main sur la mienne et je sens la fraîcheur du sable.

Et pourquoi alors, regardant le ciel, est-ce que je pense tout à coup que nous sommes deux orphelins? Pourquoi, soudain, cette solitude qui me semble venir de très loin et que, j'en ai la brusque intuition, rien ne pourra vraiment guérir? Qu'avons-nous perdu? Qu'allons-nous perdre?

CHAPITRE X

UNE ROBE MAUVE BRODÉE DE FLEURS

LE téléphone me réveille. Pas la sonnerie stridente de *La Marette*, un égrènement musical : comme dans les films américains. Quatre heures ! Je veux dire : « du matin ». Au pied de Cécile, ce bleuté, c'est la télévision qui marche : tout bas. Ma petite sœur dort assise face à l'écran, le visage sérieux, comme si elle suivait la discussion à laquelle se livrent trois bonshommes, l'air endormi d'ailleurs !

Là-haut, quelqu'un vient de décrocher et la sonnerie s'interrompt enfin. Je ne bouge pas. Tout est suspendu à cette voix qui appelait et que je n'entends pas. Bernadette ? Instinctivement, je fais le calcul. Quatre heures ici, midi là-bas. Mais non. Elle n'oserait pas !

Au-dessus de ma tête, dans le salon, un bruit de pas, de hâte. Une urgence ? Nous connaissons ça, nous aussi; et le lendemain notre père a le visage plus gris, une fatigue qui fait tomber ses joues comme celles du chien de Mme Cadillac dont on dirait qu'il a beaucoup vécu.

Derrière le rideau, le jardin s'allume. En un glissement doux, électrique, la porte du garage s'ouvre. Murmures. Le moteur d'une voiture est mis en marche. Je me lève, éteins la télévision en passant et vais à la fenêtre. J'écarte le rideau. Devant la pente qui mène à la rue : rue Arroyo : rue du Canyon, Marjory, en manteau, un foulard sur la tête, discute avec Tracy. Tracy semble lui demander quelque chose. Il insiste.

J'essaie de voir les visages. Trop tard ! La voiture de Phil apparaît en marche arrière. Il ouvre la portière et

Marjory s'engouffre à l'intérieur. Tracy se penche, parle encore un moment. Mais la voiture s'éloigne. Sans lui.

Je n'ai plus sommeil! Tout est aigu autour de moi. Où sont-ils partis? Phil seul, cela pouvait être une urgence; mais Phil et Marjory?

A nouveau, je pense à Sally, sa robe mauve avec les fleurs brodées. Et me vient une évidence : cette chambre, c'est la sienne. En voyant le papier au mur, les meubles, les rideaux, les bibelots, nous nous sommes dit, Cécile et moi : voilà une chambre faite pour nous : une chambre de jeune fille! Celle de Sally, bien sûr! Comment ne l'ai-je pas réalisé avant? Et c'est peut-être dans son lit que je couche. Sa maladie aurait-elle empiré cette nuit?

Sans un mouvement, Tracy a regardé disparaître les lumières de la voiture. Dissimulée au coin de la fenêtre, retenant mon souffle, j'attends qu'il éteigne et regagne la maison. Mais non! Il prend la direction inverse; il monte, à gauche, les marches qui mènent à la piscine.

J'enfile ma robe de chambre et, sans bruit pour ne pas réveiller Cécile, je tire le loquet de la petite porte qui donne sur le jardin. C'est la première chose que nous a fait remarquer Marjory quand elle nous a montré notre chambre. « Ainsi, vous serez indépendantes! » Et maman nous a menacées du doigt en riant : « Pas trop, les filles, pas trop! » C'était avant-hier, seulement! Comme nous avions sommeil! Comme tout était encore mystérieux.

En poussant cette porte, je ne peux m'empêcher de penser qu'elle a été conçue pour ce moment. Ce moment où il est quatre heures du matin, où le jardin tremble des lumières allumées entre les bosquets et moi de cette sonnerie qui résonne encore dans ma tête, porteuse de mauvaises nouvelles.

L'air froid me saisit. Voilà pourquoi le manteau de Marjory! C'est vraiment le silence. Pas le même qu'à minuit. Pas celui de l'aube non plus. Le bout, le fond du silence. Entre une journée qui finit et l'autre qui va commencer. Charles m'a raconté que cette heure était celle que choisissaient certains gouvernements pour procéder aux arrestations surprises parce que l'homme y est le plus abandonné, le plus livré : entre deux eaux. Je ne me souviens plus, de quel pays il parlait mais les salauds! Les salauds!

Je monte les marches. Dans les coins, il y a de la terre mêlée d'aiguilles de pin. Tracy a allumé là-haut. Il fixe l'eau bleue du bassin. Et voici que du bout de sa chaussure, rageusement, il y expédie des brindilles alors que nous faisons tous terriblement attention à ne pas souiller cette eau pure qui caresse les épaules quand vous nagez.

C'est sa chaussure qui me fait réaliser qu'il est tout habillé. Pantalon de velours, gros chandail où son cou fin disparaît, blouson. Il voulait accompagner ses parents, voilà ce qu'il demandait à Marjory; ce qu'elle lui refusait. Les accompagner où?

Il y a eu un froissement dans un arbre. Un oiseau ou le vent. Son regard monte vers les branches et alors je m'aperçois qu'il pleure. Son visage qui déjà fait peine au repos tant il est fragile, désarmé, est tout déformé par la douleur. Ses lèvres tremblent. Et soudain un grondement monte de sa poitrine et sort en une sorte de reniflement insupportable. Je ferme les yeux. Pourquoi les hommes ne savent-ils pas pleurer? Pourquoi leur faut-il absolument refouler les larmes en eux? Qu'est-ce que ça change de laisser couler la souffrance à flot régulier plutôt qu'à digue rompue, à bourrasque, à arrachement!

Il est tombé sur un banc et lutte contre les vagues qui le secouent. J'ai honte. Je me retrouve, poings contre les oreilles au bas de l'escalier. Un trou pour me cacher! Ce matin, moi aussi j'étais au bord de ce bassin et je ne pensais qu'à donner une image fausse de moi! Et tout à coup je me souviens de cette pièce qu'on m'avait fait visiter, enfant, chez un couple de commerçants, cette pièce dite « à montrer », où ils avaient rassemblé tout ce qu'ils avaient de mieux, de plus « prouvant », croyaient-ils. Je revois dans la semi-obscurité le plancher-miroir, le bahut lourd avec la grosse pendule muette, le beau livre à reliure, jamais encore ouvert, la nappe brodée sur la table, le dessus de lit en satin orné de coussins crochetés. Ils ont fermé la porte sur nous et j'ai vu leur vie épinglée dans cette pièce comme on épingle un papillon sans penser qu'il vole et butine et tourne autour des rayons du soleil. Alors j'ai crié que je voulais sortir. Mes parents ne comprenaient pas. Mais des volets pour n'être pas ouverts... du soleil pour lui barrer accès, mais des fleurs qui, sous les doigts, font un bruit de papier, une pendule aux aiguilles arrêtées, un livre dont le contenu crève de n'être pas lu. Ils croyaient avoir enfermé la vie et c'était la mort déjà! Et moi, ce matin, je n'ai su offrir à Tracy que mon côté « à montrer », de toc, de clinquant, de sourires de peau, de ronds de corps. Et lui, ce visage nu, bouleversé, ces sanglots venus du cœur!

Je libère mes oreilles. Là-haut, plus de soupirs. Je vais monter ces marches, m'approcher de lui et prononcer son nom. Tout comme il a su mettre, sur la plage, sa main sur la mienne, je saurai lui faire sentir que je suis là. Nous passerons la nuit épaule contre épaule, sans parler, nos pieds à fleur d'eau bleue. Ce sera bien. Il sourira.

Je remonte l'escalier en faisant un peu de bruit pour l'avertir que quelqu'un vient. Au moment où j'arrive, tout s'éteint. Il n'est plus là!

Quand je regagne la chambre, Cécile est dressée sur son lit.

« Où étais-tu? »

Je dis : « Nulle part! » J'ordonne : « Dors! »

Et quand je me réveille, c'est grand jour. Il est dix heures. Le lit de la poison est fait. Enfin... fait! Devant la maison il y a une nouvelle voiture, longue et resplendissante. Dans le salon, une noire vêtue d'une blouse rose, une noire aux cheveux brillants et lisses, à la voix charnue, chante en passant l'aspirateur. La belle voiture, c'est la sienne! C'est comme ça, ici. Elle rit en me voyant, fait de grands gestes comme si elle s'apprêtait à s'envoler et me dit : « Parti! Tout le monde parti! »

Je trouve quand même maman près de la piscine. Assise sur un transat, elle regarde, au creux de sa jupe, je ne sais quoi qui retient le soleil. Elle me sourit.

« La voilà quand même!

— Pourquoi ne m'a-t-on pas réveillée?

— On a essayé !

— Où sont les autres ? »

Phil et papa sont au Congrès ! C'est quand même pour ça que nous sommes là ! Papa était d'ailleurs un peu ému car il devait prendre la parole. Il a répété devant maman qui se pinçait pour ne pas rire à cause de son accent et ça l'a énervé. Le barbu broussailleux est venu aux aurores enlever notre princesse pour lui faire visiter son Université. Tracy a accompagné Marjory au marché. Gary et Cécile sont partis à la chasse aux scorpions. Gary en a déjà trois dans un bocal. Inutile de dire que Cécile est aux anges.

« Et moi j'étais contente d'être un peu seule ! reconnaît maman. Regarde ce que j'ai trouvé ! »

Elle tire du creux de sa jupe des fragments de coquillage, une moitié de photo découpée dans un journal, un bout de tissu. Une chiffonnière, ma mère. Devant mon peu d'enthousiasme, elle sourit.

« Ne t'y trompe pas ! Dans chacun, il y a un morceau de ce pays, un peu de son ciel, de son soleil, de son histoire. »

Et elle me tend pour appuyer ses dires un long clou rouillé, tordu, que vous jetteriez dix fois à la poubelle mais qui, à y regarder de près, est vivant et, dirait-on, peint par le temps. Et tout cela contribuera un jour à donner un chef-d'œuvre intitulé « Californie » !

Je m'assois sur la dalle, près de l'eau. Ils ont beau dire sur le bidon du produit à nettoyer le bassin qu'il est parfumé à l'œillet, moi je trouve que ça sent l'eau de Javel, quand même ! C'est bien d'être seule avec maman. Je ne sais pas si c'est cette nuit, mais ça va mal ! Depuis le début du voyage, c'est comme ça, d'ailleurs ! Je vis par bouffées : une bonne, une mauvaise. Une qui dilate, l'autre qui enfonce. Nous sommes au cœur de la mauvaise. J'ai envie d'être à *La Marette*. Bernadette me manque, mon grenier, la joue tiède de mon édredon sur mon nez, et notre ridicule pommier nouveau qui se targue de rattraper les autres. Toute l'Amérique contre la première fleur de ce pommier ! Il y a le Pacifique, évidemment ! Eh bien, tant pis, le Pacifique. Couché !

Justement, le maillot de bain de Claire sèche sur le

dos d'un fauteuil, sous mon nez. Je le tâte du bout de la langue. Pas salé! Elle s'est donc baignée ici avant de partir. Elle devient bien active, la princesse, tout d'un coup. Maman gâtifie toujours avec son clou-Californie.

« Alors tu laisses Claire s'en aller comme ça, du matin au soir, avec n'importe qui! »

Elle fait de grands yeux étonnés! Elle a bruni mais l'on voit davantage, au coin des yeux, l'éventail de rides. Tant pis!

« Claire n'a plus l'âge qu'on lui interdise! Et c'est un voyage qu'elle aurait très bien pu faire toute seule. »

Quelque chose se noue dans ma gorge. J'ai envie d'être injuste.

« Alors maintenant, elle peut faire ce qu'elle veut, tu t'en fous?

— Je ne m'en fous pas! Et si je la vois faire quoi que ce soit qui me déplaise, sois tranquille, elle le saura. Je le lui dirai.

— Dire, ça ne sert à rien! C'est interdire, qu'il faut! »

Maman pose son clou. Elle vient s'asseoir à côté de moi. Elle ne me regarde pas mais son épaule touche la mienne. J'ai sûrement oublié de dire que je suis plus grande qu'elle.

« Il faut bien qu'un jour tu apprennes à te diriger toute seule! C'est un peu comme pour conduire. On t'a montré les vitesses, le frein, l'accélérateur. On t'a expliqué les règles, les risques. Un jour, c'est toi qui prends le volant!

— Et me balance dans le fossé... »

Maman rit.

« Mais pas du tout! »

Elle me regarde profond, comme elle sait : « Et si tu veux savoir, j'ai encore beaucoup de choses à t'interdire... »

Oui! Interdis-moi. Interdis-moi de partir. Interdis-moi d'aimer. Interdis-moi d'avoir mal. Interdis-moi de voir le monde. Je me croyais devenue forte, je n'ai fait qu'entrevoir la vie et je suis en train de bien vite refermer la porte. Ça apprendra à Pierre de m'avoir laissée. Je retombe en enfance!

« Qu'est-ce qui se passe avec Sally? »

Le regard de maman me quitte. Il n'est plus le même. Gris, voilé.

« Que sais-tu de Sally, Pauline ?
— Il paraît qu'elle est malade.
— Qui te l'a dit ?
— Tracy. Et cette nuit, il est arrivé quelque chose. »

Cette nuit, maman n'a rien entendu. Dans les bras de son mari, je suppose. A l'abri ! Je raconte tout : le téléphone, le départ en voiture, le désespoir de Tracy. Presque tout ! Je ne dis pas ma honte. Ça, c'est mon affaire. J'ai décidé, à partir de cet instant, d'être plus vraie. A commencer par les grimaces : ne plus prendre devant ma glace l'air vide de la Joconde avant de me tirer la langue pour me dire : « Je ne suis pas dupe, ma vieille. Au fond, voilà ce que tu es : vilaine, sotte, guindée, ratée. »

Maman m'écoute gravement, avec cet air las qu'elle avait l'hiver dernier lorsque nous parlions de Jean-Marc, notre ami qui est mort d'un cancer mais pour lequel, jusqu'au bout, on a espéré alors qu'au fond on savait que c'était foutu ! L'air de se dire que, quand même, ça dépasse parfois les bornes, la vie !

J'accuse : « Tu sais ce qu'elle a, n'est-ce pas ? »

Elle incline la tête.

« Je ne peux rien te dire. Je n'en ai pas le droit.
— Pourquoi ?
— On m'a demandé le secret.
— Qui, « on » ?
— D'abord Vilain que nous remplaçons ici. Puis Marjory. Gary lui-même ne sait pas.
— C'est grave ? »

A nouveau, maman acquiesce. D'un regard, elle embrasse la maison, le jardin, la piscine, cette beauté. On entend chanter la Noire dans le salon.

« Et l'on s'aperçoit, dit-elle, que tout cela, au fond, ça ne compte absolument pas ! Qu'on donnerait tout...
— Contre quoi ? »

Maman ne répond pas. Je pense au beau visage de Marjory. Mais si triste parfois. A la façon tendre, inquiète aussi, qu'a Phil de la regarder. Finalement, dès que je l'ai vu apparaître dans le jardin, le premier soir, j'ai senti qu'il y avait quelque chose.

« Ils sont tous malheureux ici », dis-je.

Elle approuve.

« Et ils sont tous extraordinaires ! Tu vois, il y a des gens que la souffrance enferme en eux. Ils deviennent rancuniers. Ils en veulent aux autres d'être heureux. Et il y a ceux, au contraire, qu'elle ouvre aux autres. C'est le cas de Phil et de Marjory. »

Sa voix est mouillée. Quelque chose me creuse.

« La souffrance, est-ce que c'est obligé ? »

Le regard de maman m'enveloppe. Je me détourne. Je fixe l'endroit où Tracy se tenait hier et j'entends son désespoir. Au plus profond de moi.

« Si je te promettais que tu ne souffriras jamais, je te mentirais, dit maman d'une voix douce. Tu le saurais très bien d'ailleurs et tu aurais encore plus peur. Regarder la vie en face, c'est ça ! C'est se dire que parfois c'est un combat. Mais qu'on s'en sort. »

Je me lève. J'en ai assez. Ma mère vient de m'annoncer qu'un jour je souffrirai. Qu'elle puisse seulement en accepter l'idée me bouleverse et me révolte. Un jour, j'ai été une enfant dans ses bras. Un jour, elle m'a protégée de tout.

Peur ? Au contraire ! Elle va voir !

« Eh bien s'il faut être malheureuse, dis-je, si c'est obligé, si c'est ça la vie, alors tout de suite ! Maintenant ! »

CHAPITRE XI

DOUZE GUÊPES CONFITES

Et nous avons vu San Francisco! Une chance, aujour-
d'hui il n'y avait pas de brouillard. Nous sommes partis
à deux voitures : dans la grande, maman, Marjory, Gary
et Cécile. Dans la petite, Tracy et moi.

Quand on vous dit San Francisco, vous voyez d'abord
un pont doré, puis des gratte-ciel, des collines, le Pacifique et, autrefois, un tremblement de terre fameux. Et
vous voyez aussi l'abondance, le bonheur de vivre et, on
a beau dire, la liberté. San Francisco, pour moi, ce sera
toujours cette boîte de conserve, de la taille d'une boîte
de sardines, qui renfermait douze guêpes confites :
douze guêpes intactes, ailes le long du corps, corset
rayé, antennes et tout, au garde-à-vous dans le miel.

Mais je n'ai pas vu tout de suite ce mets, paraît-il
apprécié des gourmets, car nous avons commencé par
le port.

Il était tout imprégné d'une odeur de café qui montait des sacs énormes appelés « Brésil, Colombie ou
Guatemala », empilés dans les docks; comme accompa-
gnant cette odeur, un petit orchestre de Noirs installé
en plein air jouait de la batterie pour le vent.

Nous avons marché sur les quais. Devant les restaurants, des hommes sortaient des tourteaux fumants de
gigantesques cuves. Autrefois, paraît-il, on chauffait ces
cuves au bois et le problème était d'amener suffisam-
ment de combustible sur le port.

Marjory a acheté des tourteaux pour dîner. Maman
était ravie car Charles a la passion des fruits de mer. Il
sait, mieux que personne, trouver le défaut de la cui-

rasse pour y retourner le couteau et ouvrir le crabe en deux avant de vous le présenter avec cérémonie. Mais n'espérez pas obtenir de lui qu'il le jette lui-même dans les bouillons de l'eau. A la maison, il n'y a que Bernadette qui en ait le courage tandis que Claire regarde entre ses doigts et que Cécile crie à l'assassinat en se pourléchant les babines.

En apprenant que nous étions français, le vendeur de tourteaux nous a offert à chacun un gobelet de velouté de clams. La clam est une coque, sœur de celles que l'on pêche en Normandie, à marée basse. Vous repérez le trou autour duquel s'est formé un monticule de vase. Vous enfoncez deux doigts et si ce n'est pas un gros ver dégoûtant, c'est une coque.

C'était bon. Cela se mariait bien avec l'odeur de varech et de vent salé. Il y avait, comme dans tous les ports, des mâts, des peintres de mâts et des admirateurs de peintres; et, par-dessus tout, le ciel nostalgique des départs remis à demain.

Après le port, nous avons grimpé une colline et nous nous sommes retrouvés en Chine!

D'un seul coup, le nom des rues était inscrit en caractères chinois. Et autour de nous, plus que des visages jaunes, des robes de soie. Même les cabines téléphoniques, les banques et les postes à essence avaient des toits en forme de pagode ce qui ne faisait pas sérieux du tout. Des odeurs d'épices montaient des boutiques en bordure de rue et on voyait sur les étalages des légumes inconnus aux formes tourmentées, des racines plutôt. Il y avait aussi des canards cirés suspendus à des fils. C'est dans l'une de ces boutiques que j'ai vu les guêpes confites alors que maman insistait auprès de Marjory pour lui offrir le dessert de ce soir.

Ce qui intéressait Cécile, c'était une petite femme nue en porcelaine, étendue sur le dos, dont les seins, gonflés à mort, servaient de salière et de poivrière. J'ai oublié de dire que les parents, en un geste de générosité, nous avaient alloué à chacune un billet vraiment conséquent pour que nous puissions rapporter un souvenir d'Amérique. « Ruiné pour ruiné... » avait dit Charles en levant les yeux au ciel et Cécile avait commencé par faire des manières jusqu'à ce que Claire, dont le billet avait déjà mystérieusement disparu, lui ait suggéré de faire don de sa fortune à la cause noire, en la personne de Rose qu'elle avait sous la main par exemple; et cela n'avait pas été bien pris du tout.

Maintenant, la poison ne vivait plus que pour tirer un maximum de son billet. Elle avait fait la monnaie et cliquetait en marchant. Dans un premier temps, elle se contentait d'inscrire ce qui la tentait, avec prix et adresse, sur un carnet intitulé « désirs ». La liste était déjà si longue que maman regrettait de n'avoir pas attendu la veille du départ pour lui annoncer sa richesse.

Moi, je regardais Tracy et je me disais que c'était foutu! J'avais décidé de lui faire comprendre que j'étais avec lui, près de lui. Je ne m'étais jamais sentie si loin. Impossible de sortir un mot naturel. Et lui faisait tout ce qu'il pouvait pour paraître dans le coup, pour rire et plaisanter, ce qui lui donnait l'air encore plus malheureux. Je me sentais complètement inutile. Finalement, j'aurais préféré que les Miller n'aient pas de fils.

Il y avait eu aussi l'histoire du bracelet! Un cercle doré que j'avais trouvé sur le plancher de la voiture alors que nous roulions vers San Francisco. Je l'avais ramassé et, machinalement, passé à mon bras. « Donne-le-moi! » avait dit Tracy. Sa voix était sourde et il ne me regardait pas. Je le lui avais donné. Une fois de plus je me sentais coupable. Ce bracelet devait appartenir à Sally. Ça continuait! J'occupais SA chambre. J'avais essayé SA robe, passé SON bracelet à mon bras. C'était peut-être SA voiture! Je m'étais sentie coupable mais, là encore, je n'avais rien osé demander. Au pied du mur, balayées les grandes résolutions de courage!

Plus tard, vers quatre heures, il s'est quand même passé une chose réconfortante : nous avions acheté une carte postale géante pour Bernadette et chacun avait marqué quelques mots. Mon tour venu, j'ai mis simplement « tu me manques ». Cela n'a sûrement pas été un hasard si Tracy a signé juste à côté de mon nom le T de son prénom presque dans le E du mien comme s'il prenait à nouveau ma main.

Après la Chine, nous nous sommes arrêtés dans un « Drive-in café ». Un « Drive-in », c'est un endroit où si vous venez à pied on vous conduira illico à l'asile. Il y a les « Drive-in cinéma », on connaît! Les « Drive-in banques » où l'on peut retirer de l'argent sans sortir de son véhicule, les « Drive-in pharmacie », vous mettez votre ordonnance dans une bouche, elle vous restitue les médicaments. Mais on peut aussi aller assister à la messe dans une « Drive-in chapelle » et, si on est à Hawaii, regarder bouillir un volcan du « Drive-in cratère ».

Nous avons donc arrêté les voitures devant les poteaux coiffés de téléphones, tendu le bras pour décrocher l'appareil et commandé quatre sorbets panachés, un banana-split avec crème fouettée et un « délice des îles ». Le tout nous est arrivé à domicile, porté par une serveuse en robe vanille-fraise. On pouvait prendre autant de Kleenex qu'on voulait dans la boîte accrochée sous le téléphone. On faisait tomber les saletés dans une corbeille suspendue sous la boîte et il y avait la musique qui était un parfum de plus.

Cécile jubilait et disait que c'était la vie. Maman n'était pas d'accord du tout. Maman n'aime pas la voiture. Elle aime la marche et, en dehors des heures de pointe, les transports publics parce qu'on y côtoie les autres. A Paris, lorsqu'elle prend le métro, elle s'arrête dans tous les couloirs pour écouter les musiciens et si elle leur donne quelque chose, ce n'est pas à la sauvette, en ayant l'air de s'excuser, c'est en les regardant dans les yeux et leur disant merci. Je suis témoin. Merci pour la gaieté, pour la poussière un moment oubliée, pour un peu d'air, enfin pour tout.

A l'arrière de la grande voiture, Cécile et Gary n'arrêtaient pas de parler : un mélange de français, d'anglais, de contorsions, de sifflements et de rires. Cela n'avait pas d'importance, ils se comprenaient parfaitement.

Au grand désespoir de Gary, Cécile avait décidé de lui faire passer sa manie de sucer ses mouchoirs. Il en prend un neuf le matin; à la fin de la journée c'est une véritable loque. Il paraît que pour Noël, il en demande toujours trois cent soixante-cinq. Dès qu'il en sortait un, Cécile le lui confisquait. Il se rattrapait comme il pouvait sur son tee-shirt mais là, c'était sa mère qui intervenait. Pourquoi pas son pantalon pendant qu'il y était, ça coûterait encore plus cher à la famille.

Puis, après les glaces, deux autres collines. Des gratte-ciel bouleversants, des gerbes de verre et d'acier où passaient des nuages. Et nous sommes arrivés à Broadway.

Broadway est le quartier de la fête et puisque la fête c'est, paraît-il, de la musique, de l'alcool et des femmes nues, il n'y avait que ça et les trois à la fois. Des bars, des restaurants, des théâtres où on vous annonçait à coups de lettres éclatantes qu'une femme encore plus nue que celle de l'endroit d'à côté allait vous accueillir et vous servir et qu'alors vous verriez ce que vous verriez! A croire qu'elles allaient se retirer la peau.

Marjory expliquait à maman qu'on n'avait pas le droit de toucher les serveuses mais que sur ce point les Français étaient incorrigibles. Ils touchaient quand même alors que les Américains faisaient comme s'il s'agissait de serveuses vêtues et, tandis qu'elles s'occupaient d'eux, parlaient avec des visages graves des valeurs américaines ou du temps qu'il faisait.

Tout ça ne semblait pas faire grand effet aux jeunes assis sur les trottoirs, jouant d'instruments divers et demandant un peu d'argent aux passants sans avoir l'air d'y attacher plus d'importance que ça. Cécile, elle, n'en perdait pas une miette malgré ses airs blasés et, sous prétexte de vouloir rapporter une surprise à Bernadette, faisait les vitrines de toutes les boutiques pornos. Elle avait déjà noté les lunettes qui déshabillent, le clou télescope qu'on enfonce dans le mur de sa chambre d'hôtel pour voir ce qui se passe dans celle du voisin, le plus petit déshabillé du monde, de la taille d'un confetti. Il y avait aussi beaucoup de disques avec, sur les couvertures, des femmes nues dans des positions incroyables; mais une bande adhésive cachait les parties intéressantes et on ne pouvait la décoller que le disque acheté.

Maman tentait d'accélérer le pas. Gary était tout rouge et profitait de l'accalmie pour transformer son mouchoir en charpie. A un moment, la poison a tout à fait disparu. Nous l'avons récupérée dans une boutique encore mieux achalandée que les autres où elle se renseignait sur des instruments qui lui avaient semblé intéressants et feignait de ne pas comprendre le vendeur qui la suppliait en toutes les langues de se volatiliser tandis que des bonshommes attablés devant des revues ou des diapositives la regardaient d'un air torve. Quand je pense qu'à son âge, je n'osais pas regarder en face les statues du Louvre!

En attendant, le soir était là et les lumières commençaient à envoyer des signaux dans le ciel et aux pieds des passants. Maman regardait fréquemment sa montre. A la façon dont elle s'inquiétait pour l'état des crabes laissés dans la voiture je devinais qu'elle avait hâte de retrouver Charles et de savoir comment il s'était tiré de sa journée de Congrès.

Nous avons regagné les voitures. Depuis un moment, Tracy ne s'obligeait plus à parler. Il marchait devant, le front vers le trottoir et je sentais qu'il réfléchissait. Alors que nous arrivions aux voitures, il s'est retourné brusquement et m'a demandé si je voulais bien rester dîner en ville avec lui. Nous irions dans un restaurant mexicain.

Maman a été tout de suite d'accord mais Cécile était furieuse. Bernadette à *La Marette,* Claire à l'Université, papa à son Congrès, moi dans un restaurant mexicain, ça servait à quoi d'être une famille? Et que je ne compte pas sur elle pour me garder une miette de corail de crabe, ce que je préfère même aux pinces!

Pour la calmer, j'ai promis de la réveiller en rentrant, quelque heure qu'il soit et de lui raconter tout ce que nous avions fait. Marjory avait posé la main sur l'épaule de Tracy. Ils parlaient. Elle avait un regard inquiet et qui interrogeait. Alors, il l'a embrassée sur le front, comme moi lorsque je ne tiens pas à répondre vraiment, et il m'a rejoint dans la voiture. San Francisco était maintenant entièrement éclairé. Nous avons roulé à côté d'un « cable car ». Le cable car est une sorte de wagon antique dans lequel s'entassent les passagers et qui souffle, grince et grimace comme un vieux clown qui n'en peut plus. Arrivés en haut de la rue, les passagers descendent pour aider le conducteur à le faire tourner sur les rails. Les longues voitures souples et silencieuses semblaient escorter le vieux clown fatigué et c'était ça l'Amérique! Mais c'était aussi, au coin des rues, les vendeurs d'orchidées prêtes à être épinglées au corsage des femmes pour embaumer leur soirée.

La rue s'appelait « rue de la Mission » et le restaurant « Sanchez ». La salle était pleine de couleurs et de gaieté. On avait entendu parler italien sur le port, chinois plus haut, à présent c'était l'espagnol. Le seul qui parlait anglais était un perroquet mité qu'ils appelaient « le Gringo ».

J'ai laissé Tracy choisir les plats. J'ignore tout de la cuisine mexicaine et dans l'aventure j'aime me laisser guider. Il a commandé des œufs sur du chili, des galettes, des crêpes en guise de pain et du poulet au chocolat. Je lui disais d'arrêter. C'était trop! Nous n'aurions jamais assez faim pour tout ça. Le poulet au chocolat ne me rassurait pas tellement. Mais on aurait dit qu'il ne pouvait plus décoller son visage de la carte et j'ai compris plus tard qu'il venait dans ce restaurant avec Sally et qu'il avait voulu commander d'un seul coup tous les plats qu'elle préférait.

Lorsque ceux-ci ont été sur la table, pleins d'odeurs sombres et fortes, le patron en vêtements mexicains est venu nous souhaiter un bon appétit. Il avait les yeux de son pays, des yeux de fête triste. Il a demandé à Tracy : « Et la demoiselle, comment ça va? »

Tracy a appuyé fort ses mains sur le rebord de la table : il l'a regardé en face et il a répondu : « Bien! Très bien », d'un ton de défi. Alors le patron a dit que tout était parfait et qu'il allait nous faire goûter un certain petit vin de chez lui!

Lorsqu'il a été parti, Tracy a desserré les poings mais j'ai vu qu'il fuyait mon regard. Il fixait le poulet au chocolat dans sa sauce brune comme s'il allait lui sauter au visage et il m'a semblé que la douleur était là à nouveau, la violence d'hier qu'il n'avait pu contenir. Et cela m'a fait tellement mal que les mots sont venus tout seuls, cette fois.

« Tracy ! Qu'est-ce qu'il y a ? Je t'en supplie... Dis...
Dis... »

Je mettais tout ce que je pouvais dans mon regard.
Tout ce que j'étais et n'étais pas. En face de quelqu'un
qui a mal, j'ai l'impression de me défaire, de me dés-
agréger. Je pense souvent, le soir surtout, à ceux qui ont
beaucoup souffert, à ceux qu'on a torturés dans leur
âme ou dans leur chair, et la seule façon que j'ai de
chasser l'angoisse, de tenir encore debout, c'est de me
répéter : « Heureusement qu'ils sont morts et ne sentent plus rien ! » Bernadette dit que je suis lâche !

Les lèvres de Tracy tremblaient mais maintenant il
me regardait. J'avais l'impression qu'il me demandait si
je voulais vraiment savoir. J'ai répété : « Je t'en supplie,
dis... » Alors il a posé plusieurs billets sur la table, en
vrac, sans compter, et il s'est levé.

J'avais peur de l'avoir blessé sans le vouloir. Mais il
m'a tendu la main, je me suis levée et nous avons tout
planté là !

Le serveur était en train de s'occuper du vin. Il nous
a suivis, la bouteille à la main, le tire-bouchon à moitié
enfoncé, nous demandant en espagnol si quelque chose
nous avait déplu. Le patron s'y mettait aussi. Ils n'y
comprenaient rien. Moi non plus d'ailleurs, mais je sou-
riais tant que je pouvais en leur faisant des signes
d'amitié afin qu'ils ne croient pas que c'était à cause
d'eux que nous partions et j'avais l'impression confuse
de trahir tout le monde.

Ils nous ont regardé démarrer sur le pas de leur
porte décorée. Le ciel était rouge, de la couleur des
crabes cuits, c'est comme ça. Dans les rues, le long des
maisons basses en bois peint, derrière lesquelles veil-
laient les bataillons de gratte-ciel, des familles prenaient la douceur de l'air. Des enfants tournaient en
vélo ou « surfaient » et leurs cris résonnaient comme ils
résonnent en France entre l'heure du travail et celle
d'aller se coucher. Et jusqu'au port où Tracy me rame-
nait, jusqu'à la grande porte grise qui n'était pas celle
d'un hôpital comme je l'avais pensé, ni celle d'une prison comme je le craignais soudain, il n'a pas prononcé
une parole.

CHAPITRE XII

COLD TURKEY

Ce qui m'a frappé en entrant c'est qu'ici aussi c'était l'heure du dîner et que les odeurs et les bruits étaient banals, quotidiens.

Près de la porte, une jeune fille était assise devant une table sur laquelle se trouvait un gros registre. J'ai tout de suite remarqué son regard, comment dire, vous appelant, vous happant. Mais c'était peut-être sa maigreur. Ses yeux tenaient une grande place dans son visage : comme un supplément d'âme.

Elle a dit : « Je m'appelle Myriam. » Elle portait un jean et une chemisette à manches courtes. N'aurait-ce été son regard, je l'aurais crue là par hasard.

J'ai appris plus tard qu'ils se relaient pour l'accueil. C'est quelque chose d'extrêmement important parce que ceux qui poussent cette porte ne sont pas encore vraiment décidés et qu'un regard, une parole ou un geste maladroit peuvent les faire changer d'avis et disparaître à tout jamais ! Il faut donc être à la fois convaincant et prudent. Il faudrait savoir tout comprendre et tout faire comprendre sans mots.

Tracy a dit qu'il était le frère de Sally : oui, Sally qui était revenue cette nuit; et qu'il désirait tellement la voir un moment.

Myriam a un peu hésité : « Sally allait bien; il ne fallait plus se faire de souci à son sujet. » « Quelques minutes », suppliait Tracy d'une voix sourde. « Seulement quelques minutes... » Elle s'apprêtait à dire « oui » lorsqu'elle a réalisé ma présence et s'est ravisée.

Elle m'a regardée, moi, Pauline, juste majeure, « brunette » comme on dit ici pour celles qui ont les cheveux châtains, robe d'été achetée aux Magasins Réunis de Pontoise, sandalettes, sac en bandoulière, et j'ai ressenti pour la première fois ce que j'allais ressentir durant toute cette nuit que j'étais une étrangère. Je ne veux pas du tout dire une Française : que j'étais quelqu'un qui venait d'un autre univers que le sien. Il n'y avait aucun mépris dans son regard, pas la moindre supériorité, simplement une sorte de distance étonnée.

Tracy a dit : « C'est une amie de Sally. » Il a répété que nous ne resterions pas longtemps. « La voir... simplement être sûrs qu'elle est bien là... » Alors elle a ouvert le registre pour que nous signions et j'ai remarqué son bras.

Il était pareil à celui de Jean-Marc qu'on avait tellement piqué qu'à la fin il avait l'air d'un bras mort.

Je crois que j'avais compris dès le début où je me trouvais, dès le regard de Myriam, brûlant au-dessus de ses joues creuses. Mais je ne me l'étais pas encore avoué. Et puis la porte d'entrée n'était pas fermée à clé : on n'avait même pas eu à sonner. Vous poussez, ça s'ouvre. Entrez, c'est pour tout le monde. Et cela n'avait pas du tout l'allure d'un endroit pour gens malades. L'atmosphère était respirable. On ne voyait passer aucune blouse blanche. On ne s'attendait pas, comme dans les hôpitaux, à entendre des plaintes derrière les portes. Il y avait même une odeur de soupe ! La bonne soupe tranquille des familles. Je me disais aussi, bêtement, que Tracy ne serait pas venu dans un endroit tragique en chemise écossaise.

Mais j'ai vu ce bras, j'ai su et la peur m'a balayée. Penché sur le registre, Tracy inscrivait son nom. Je lui en voulais. C'était malhonnête de m'avoir emmenée ici sans m'avertir. Il ne me connaissait pas assez. Je pouvais être fragile. Voilà le genre d'endroits qui marquent des gens pour la vie, qui changent leur regard à jamais. On vous prend la main sur une plage et on se croit tout permis. Vis-à-vis de maman aussi, il devait bien se douter qu'elle n'aurait pas été d'accord. J'ai revu le visage de maman, ce matin, près de la piscine, son visage éclairé : « La vie en face, Pauline, la vie en face... » Eh bien, j'allais la regarder en face, sa vie... Elle l'aurait voulu.

J'ai pris le crayon que me tendait Tracy et j'ai signé, à pleines lettres, à côté de son nom à lui, comme tout à l'heure, sur la carte pour Bernadette. Chère Bernadette ! Chère Sally !

La fille a refermé le registre. Elle a dit à Tracy quelque chose que je n'ai pas compris en lui montrant une direction. Il m'a repris la main et il m'a emmenée.

Nous étions maintenant au seuil d'une pièce immense où des jeunes s'affairaient. De longues tables, dont j'ai remarqué qu'il s'agissait de planches sur des tréteaux, étaient alignées et chacun y disposait des objets; des assiettes, ou des plats, ou des pots d'eau, ou de grands paniers de pain. D'autres portaient des bancs, des chaises. Je me demandais comment, dans cette foire, nous allions pouvoir retrouver Sally mais je me rassurais un peu. Je m'étais peut-être trompée. Cela m'arrive souvent, les mauvais rêves ! L'atmosphère, finalement, était plutôt joyeuse. Nous devions nous trouver dans un groupe, ou un club. Ils adorent ça, les Américains ! Ils ont des clubs de tout : de divorcés, de remariés après un divorce, de rescapés du cancer, de ce que vous voudrez. Seulement, s'il s'agissait d'un club, pourquoi Tracy me serrait-il la main si fort ? Et ce club, il aurait vraiment mérité de s'appeler celui des tortues, et aussi celui des maigrelets et des blafards.

Personne ne faisait attention à nous. Je me souviens de ce grand noir au crâne rasé, vêtu d'une chemise écarlate, qui voulait tout régenter et que les autres traitaient de sale nègre; mais il n'y avait pas le moindre racisme là-dedans. C'était même bien de pouvoir le lui dire. Cela montrait qu'on ne faisait pas de différence. Un sale nègre, un sale blanc, un sale juif, c'est toujours un sale type et on a bien le droit de se défendre. Il y avait aussi une fille en robe longue qui m'a rappelé Ophélie parce que plutôt que de marcher elle semblait glisser au cours d'une rivière visible d'elle seule.

« Viens, a dit Tracy. C'est là-bas ! »

Là-bas, de l'autre côté de la salle, on devinait une

zone de calme, moins éclairée, avec des sortes d'alvéoles où se trouvaient des canapés. C'est sur l'un d'eux que nous l'avons trouvée.

Elle était étendue sous des couvertures et elle grelottait. Elle grelottait si fort qu'on entendait claquer ses dents. Je l'ai reconnue à ses cheveux, cette sorte de duvet plutôt, qui m'avait tant frappé sur la photo du salon, des cheveux presque de bébé. On ne voyait pas son visage; il était tourné du côté du mur et à demi enfoncé dans le coussin.

Il y avait deux garçons près d'elle. L'un assis sur le canapé, l'autre accroupi à ses pieds. Quand d'un geste saccadé du bras elle essayait de rejeter les couvertures, ils les remettaient sur ses épaules. Ils caressaient aussi ses cheveux et souvent se penchaient sur elle pour lui dire à l'oreille des mots que je n'ai pas compris. Avec une grande douceur.

Et nous, nous étions debout, Tracy serrant ma main de toutes ses forces et j'avais envie de crier qu'il lui fallait un médecin, un lit dans une chambre blanche, des médicaments, des soins, sa mère au moins! Mais ma gorge était complètement fermée, bouchée. Je ne pouvais que fixer ce duvet, ces épaules secouées et entendre cet horrible bruit de dents entrechoquées.

Tracy a détaché ses doigts des miens et il s'est approché un peu. A présent, l'un des garçons massait les jambes de Sally qu'elle tenait raides comme lorsqu'on a une crampe et cette fois j'ai compris ce qu'il lui disait. Il lui disait : « *Hold on! Hold on!* » (« Tiens bon! Tiens bon! ») Et j'ai su après que c'était le seul médicament qu'on offrait ici aux malades de la vie : ces deux mots : « Tiens bon! » Et deux autres parfois : « Moi aussi! » Moi aussi j'ai été comme toi et tu vois, pourtant, je suis là, et mes dents ne claquent plus, et je n'ai plus mal aux jambes. Alors tiens bon. *Hold on!*

Tracy était maintenant tout près du canapé. Si Sally s'était retournée elle aurait pu le voir. Je suppose qu'il avait attendu d'avoir assez de force pour le supporter. Son visage était calme, tenu par ses mâchoires serrées. La seule chose, c'est que ce n'était plus un visage de vingt ans. C'était un visage de vieux. Et je pense que les sanglots de la nuit c'est quand le masque se rompt.

Le garçon qui était sur le canapé s'est levé. Il lui a désigné la place et Tracy s'est assis. J'avais peur de ce qui allait se passer maintenant. Je ne savais où me mettre. Je me sentais en trop, en plus, inutile. Je m'aimais encore moins que d'habitude. Pour avoir moins peur, j'éloignais ma pensée d'ici. Je m'énumérais les plats que nous avions laissés sur la table du Mexicain : les crêpes, les haricots rouges et ce mystérieux poulet au chocolat. Et aussi le perroquet qui, comme tous ceux de son espèce, vous laissent sur votre faim : vous attendez d'eux une véritable phrase, une révélation intelligente, un miracle, quoi. Mais rien ! Rien ! Après tout, je ne la connaissais pas, cette fille ! Si elle avait été dans sa famille, nous n'aurions peut-être pas sympathisé du tout. Elle pouvait fort bien être idiote, prétentieuse, sans intérêt. Mais lorsque son dos était parcouru de ces longs frémissements, je les ressentais dans le mien; mais chacun de ses gémissements, comme ceux d'un enfant pris de cauchemar, et le cauchemar est vrai et ne finit pas, déchirait quelque chose en moi.

Les garçons ont parlé à Tracy puis se sont éloignés. Pour aller dîner, je suppose ! Et aussitôt, comme si elle avait senti leur départ, Sally s'est retournée, elle a vu que son frère était venu et je ne dirai pas son visage.

Je le garderai en moi, toute la vie, mais je ne le dirai pas ! Tracy lui avait mis les mains sur les épaules. Il arrivait même à sourire. Mais elle, le froid l'avait reprise de plus belle; elle tentait sans y parvenir de lui dire quelque chose. Alors il l'a serrée contre sa poitrine et il lui a répété lui aussi : « Tiens bon ! » Et « Ça ira ». Et « Ma chérie. »

Je me suis retournée vers les autres et à travers le brouillard d'eau je les ai appelés. Epaule contre épaule, sur les bancs, ils dînaient. On entendait le bruit des cuillers dans les assiettes, celui des conversations, des rires même, parfois. Et c'était malgré tout le bruit de la vie et de l'espoir, donc du courage. Eux aussi, à leur façon, ils disaient « *Hold on* » à Sally et à moi par la même occasion.

On m'a dit plus tard que ces quelques jours où il faut

surmonter le froid et les douleurs se passent toujours sur les canapés de la grande salle et que chacun se relaie pour venir encourager celui qui n'en peut plus et croit qu'il va mourir. Cette période de glace, ils l'appellent d'un drôle de nom : « Cold turkey ». Dinde froide. Peut-être à cause de la chair de poule.

Tracy a gardé longtemps Sally dans ses bras puis il l'a reposée sur l'oreiller et il a pris sa main. Il la regardait, c'était tout, en essayant de sourire avec confiance. Elle avait fermé les yeux. Je m'étais assise sur le sol, comme le garçon tout à l'heure. Cela n'avait pas d'importance que tout le monde m'ait oubliée. La seule chose qui comptait c'était l'effort de Sally, cette lutte qu'elle devait absolument gagner et que j'essayais d'imaginer pour être plus près d'elle.

Je ne sais plus quelle heure il était lorsqu'une fille m'a apporté du thé. Je me souviens de sa douceur et aussi que je me sentais humble; j'avais envie de lui demander pardon. Je crois que c'était d'avoir eu de la chance.

Elle s'appelait Maria. Elle était canadienne et parlait un drôle de français bourru. Elle m'a expliqué qu'un jour un homme que la drogue avait failli tuer avait décidé de fonder cette famille. C'est ainsi qu'elle appelait tous ceux qui se réfugiaient là, de tous âges et de toutes couleurs : la famille! Et c'était très beau et réconfortant.

Comme ça, aux gens de l'extérieur, cela pouvait peut-être avoir un aspect « bonne œuvre ». Mais il fallait se mettre dans la tête que les dames de charité, on les vomissait ici et qu'elles n'auraient pas tenu cinquante secondes dans la baraque parce que tous ceux que je voyais là, tous ceux qui y vivaient, y travaillaient et en bavaient, étaient passés par l'enfer et qu'on n'avait pas l'habitude de mâcher la vérité aux gens. La vérité ici, c'était une question de survie. Les premiers à qui on la servait c'était à ces faibles, ces paumés, mais aussi à ces menteurs, ces voleurs, que deviennent ceux qui ont besoin de leur poison pour respirer.

Et il ne fallait pas croire non plus que les problèmes étaient résolus parce qu'on poussait cette porte. Cela ne faisait que commencer. Ils venaient au bout du rouleau, parce qu'ils avaient essayé tout le reste et que c'était la seule issue qui leur restait excepté le cercueil qui n'allait pas tarder. La plupart du temps, ils venaient en faux jetons, en se disant : « On va se retaper un peu, bouffer à l'œil et quand ça ira mieux, adieu les copains, on recommence les grands voyages ! » Ils voulaient guérir... provisoirement. Mais ça ne se passait pas du tout comme ils l'avaient imaginé. Même à l'hôpital, même en prison, vous avez droit à un peu de drogue. On ne leur offrait ici que des paroles, de l'aspirine et du café. Alors ils devenaient fous. On sait bien que ce n'est pas humain, le sevrage total. On risque d'y laisser sa peau. Ils cassaient tout. Ils juraient de mettre le feu à la baraque et de ficher le camp. Ils le faisaient parfois, ficher le camp ! La porte était ouverte : on ne retenait personne. Mais la plupart du temps, ils essayaient de tenir. Ou ils revenaient. Comme Sally.

Maria parlait. Il y avait en elle quelque chose de sombre qui, je le sentais, ne s'effacerait jamais, mais tant pis ! Elle était au-dessus maintenant. Plus dedans ! Je ne savais que faire pour qu'elle sente que je comprenais.

Lorsqu'elle a été partie, je les ai tous regardés et ce que j'avais ressenti hier, sur la plage, avec Tracy, à cause du vent, de la beauté de l'océan, de son immensité, m'a pénétrée à nouveau et cette fois j'ai su le lire : au-delà d'un certain point, personne ne peut vraiment rien pour nous. Mais si on le sait et qu'on se cale les uns aux autres c'est déjà moins déchirant. Et voilà peut-être le lien le plus fort entre les hommes : d'avoir compris que finalement chacun est seul.

La salle s'est vidée peu à peu. Ils ont emporté les planches et plié les tréteaux. Ils ont mis des fauteuils à la place. Il n'y a plus eu bientôt que quelques lumières allumées çà et là, comme des phares.

Tracy s'est levé et il m'a demandé de partir. Il me disait qu'il était temps, qu'il était l'heure, mais je ne pouvais plus. C'était trop tard. Il me semblait que j'avais quelque chose d'important à faire. Je n'aurais pu dire quoi. Quand il m'a laissée seule avec Sally pour aller boire un café, j'ai su que c'était le moment que j'attendais.

Je me suis assise sur le canapé. Elle avait l'air de dormir mais elle a dû sentir la différence car elle a ouvert les yeux. Elle n'a pas semblé étonnée de me voir près d'elle. Elle a avancé sa main vers moi, très lentement, comme en exploration. J'étais prête. Je l'ai prise. Elle était froide. Je lui ai dit : « Je t'aime, je suis là. » Elle l'a serrée et rien au monde ne me la fera plus lâcher.

Je me suis glissée à côté d'elle sous la couverture pour la réchauffer et parce que j'avais sommeil. Je regardais ces murs étrangers, je sentais ces odeurs, les mêmes que dans les grandes maisons, je devinais que dans les fauteuils d'autres s'étaient installés et qu'ils luttaient aussi à leur façon. Et mon père s'appelait Phil et ma mère Marjory. J'avais eu ce qu'on appelle une enfance privilégiée au bord d'une piscine fleurie. Je n'avais manqué ni d'amour ni de pain. Alors pourquoi ?

A l'aube, un homme est venu et j'ai compris que c'était lui le père de cette famille, celui dont Maria m'avait parlé.

Il avait des cheveux gris, l'air fatigué mais un visage d'une grande lumière ! Sally, les yeux bien ouverts, le regardait. Elle semblait aller mieux.

Il s'est penché sur elle et il lui a dit :

« Tiens ! Tu es encore là, toi ! Je ne pensais pas que tu en aurais le courage. On va voir si tu vas tenir bon, cette fois. Je me le demande... »

Sally s'est redressée sur ses coudes et elle a bafouillé sa première phrase d'une voix enrouée de colère. Elle a dit : « Tu as bien eu le courage, toi ! Tu es bien encore là ! »

Il a eu un sourire fantastique. Il a pris son épaule dans sa main et l'a serrée. Je pense que c'est seulement à ce moment-là qu'il m'a découverte. Il m'a regardée un moment dans les yeux. Il n'avait pas l'air, comme les autres, de me voir de loin. Plutôt l'air de m'interroger : « Et toi, Pauline ? Et toi ? »

CHAPITRE XIII

LES GRANDES RAISONS

« Viens », dit mon père.

Il est debout à côté du canapé et me tend la main. Je me glisse hors de la couverture, très doucement. Il a, sur le bras, un manteau qui ne lui appartient pas.

« Elle dort bien maintenant. Regarde-la. Ça va ! »

Je boutonne mon chandail jusqu'au cou. Si je pouvais plus haut ! J'ai froid et un peu mal au cœur. Où est Tracy ? On ne peut pas la laisser seule !

« N'aie pas peur ! Quelqu'un va s'en occuper. »

Une fille s'approche, en robe de chambre très comme il faut : col rond et petites fleurs. Tout à fait petite jeune fille en vacances chez sa grand-mère. Elle n'entre pas sous la couverture, elle. Elle s'assoit au bout du canapé. Elle a l'air d'avoir salement sommeil mais elle sourit.

« N'oublie pas ton sac », dit mon père.

Je ramasse l'engin. C'est drôle : « Mon sac ! » Qu'est-ce que ça veut dire tous ces riens qu'on transporte avec soi et qui prouvent qu'on a un nom, une adresse, une santé ?

Nous traversons la salle par le centre. Deux ou trois personnes dorment dans les fauteuils, en fœtus ou en serpents. Papa a mis un bras autour de mes épaules mais c'est à mon rythme que nous marchons. Je fais partie, ce matin, moi aussi, du club des tortues.

C'est un garçon qui se trouve près de la porte, devant le registre où mon nom est inscrit. Pour toujours. Pour toujours, dans ces pages, mon nom est inscrit à côté de celui de Tracy. Je ne peux plus ne pas être venue ici.

Le garçon nous adresse un signe de tête. « Au revoir ! » À bientôt ?

Nous voilà dehors. Vols et cris de mouettes partout. Le port, c'est vrai ! Vide, gris, profond, barricadé de mâts qui ferment la mer. Dire qu'il y a des gens qui ne vivent que pour peindre un port : avec un petit nuage sur lequel ils vont passer trois heures. Vous voulez rire : trois jours ! Une vie !

Mon père recouvre mes épaules du manteau. Pas la force de dire que ce n'est pas la peine, que je m'en fous. Plus tard !

« On va boire un café ! »

Le bruit de nos pas résonne. D'autant que j'ai des sabots. Ça fait : « C'est moi, c'est bien moi, bien moi ! » Il doit être très tôt. Le ciel est laiteux. San Francisco s'éveille. La ville la plus belle des Etats-Unis, O.K. ! Mais fragile ! Fragile avec ses gratte-ciel qui font semblant d'atteindre le ciel, ses maisons comme des jouets, ses jardins dans la brume, cet océan qui rappelle qu'on pourrait s'y noyer. Charles a l'air de savoir où il va. Il a dû repérer les lieux. Le jour où il ne saura pas où il va, celui-là ! Un petit café à néons dans une rue où les boueux ne sont pas encore passés et qui sent la pomme pourrie comme toujours les ordures. Aucun client. Une seule serveuse derrière le comptoir ourlé de tabourets. Ça doit venir d'ouvrir et pourtant ça sent déjà le café.

Nous prenons la dernière table, au bout, contre le mur. Il paraît que dans un logement, pour dormir, les gens préfèrent toujours la pièce du fond. Ça cale.

Sur notre table, le distributeur de serviettes en papier, le bouquet de cure-dents, le vrai sucre, le faux sucre, le menu avec photos couleur des plats proposés. Papa s'est installé en face de moi. Il dit souvent à maman qu'il préfère la place d'en face où on se voit plutôt que celle d'à côté où, malgré les apparences, c'est davantage chacun pour soi.

Son visage est gris comme lorsqu'il a eu une urgence. Il se penche vers moi, main en avant.

Je demande, très vite.

« Ça s'est bien passé, hier, ton congrès ? »

Il reprend sa main, passe le dos de son index sur son menton. C'est un tic : ça agace beaucoup la princesse.

« L'exposé, ça a été. Mais après, les salauds, ils m'ont bombardé de questions. Sais-tu ce que j'ai fait ? »

Je secoue la tête : Non ! Non !

« J'ai déclaré que je répondrais en français. Je ne voulais pas me ridiculiser. »

Je murmure :

« Comme la princesse, quoi !

— Comme la princesse ! »

Il se frotte à nouveau le menton. Pas rasé. Ça crisse. Pas de cravate non plus. Il a l'air d'avoir passé sa nuit à décharger les bateaux.

« A propos de la princesse, tu sais le coup qu'elle nous a fait hier ?

— Non.

— Elle nous a mijoté une tarte aux oignons. Formidable !

— Une tarte aux oignons ?

— Ça sentait dans tout le jardin quand on est rentrés. »

La spécialité de Bernadette. Pâte brisée, oignons en quantité, crème fraîche, tomates crues et quelque chose de secret qui parfume. Tarte à l'oignon.

« Là où elle a été soufflée, dit papa sans me regarder, c'est qu'il paraît qu'au marché, pour un kilo, elle n'a reçu qu'un seul oignon.

— Son barbu était là ?

— Fidèle au poste, dit papa. Il paraît qu'il prépare son droit. Je ne sais pas ce qu'il donnera quand il plaidera mais je n'ai pas entendu le son de sa voix. Il doit se réserver. »

Quand le sang circule à nouveau, c'est comme ça. Ça fait mal. On peut à peine bouger. La princesse... Cécile que j'avais promis de réveiller en rentrant, Bernadette.

Voilà les cafés. Il était temps ! Axons-nous sur la serveuse. Elle me rappelle quelqu'un : grandes dents, long nez, chignon en tête de brioche, visage en forme de... je ris. J'ai trouvé qui.

« Olive ! »

Papa rit aussi.

« Olive, oui ! La femme de Popeye. On lui demande un plat d'épinards pour voir si elle se trahit ? »

Je me penche sur ma tasse car voilà que c'est parti ! J'aurais pu attendre qu'Olive ait regagné son comptoir, mais non ! Le pire c'est le bruit de ma gorge. Ça ne passe pas. Ça siffle, souffle, ça sirène, même ! Je vois vaguement que papa me tend toute une poignée de serviettes en papier. J'entends qu'il dit : « N'essaie pas de parler. On a tout le temps ! » Comme si je pouvais parler, moi. Comme si le temps comptait pour quelqu'un d'autre que Sally. Il n'a qu'à me dire « Tiens bon ! » pendant qu'il y est. Cette Claire avec son oignon d'un kilo, quand même !

« Est-ce qu'elle va tenir ? je demande. Est-ce qu'elle va s'en tirer ? »

Il me prend les deux mains. Si on n'avait pas un père pour faire ces gestes-là, de loin en loin, ce serait vraiment fichu.

« Oui, dit-il. Et tu dois y croire, de toutes tes forces, pour l'y aider. »

C'est reparti ! Papa fait signe à Olive qui rapplique. Il est drôle. Il n'a pas honte, lui. C'est vrai que lorsqu'on voit toute la journée le dedans des gens, quelle importance, la grimace ? Je l'entends commander des tas de trucs, des pancakes, des œufs au bacon. C'est tout juste si elle ne galope pas vers son comptoir. Elle doit croire que c'est de faim que j'ai mal.

« Comment ça lui est arrivé ? »

Il ferme les poings, lentement, en les regardant bien, les lèvres serrées. Il faut le connaître, le docteur Moreau, pour deviner quand il est en colère.

« Un type ! Un salaud qu'elle a rencontré il y a deux ans et qui l'a entraînée là-dedans. Elle avait dix-huit ans ! »

Il se penche sur moi : « C'était sa première aventure. Son premier homme. »

Oui ! Je peux imaginer : le premier. La première fois. Quand les portes s'ouvrent une à une de son corps et de l'autre et que l'on est certain qu'on ne sera plus jamais seul.

Il l'a introduite dans un groupe d'amis : des paumés,

de pauvres types. Au début, elle a seulement fumé un peu, pour faire comme eux. Pour être au diapason. Puis, une ou deux fois quelque chose de plus fort pour voir. Et aussi, certainement, parce qu'on l'y poussait. C'est quand il l'a laissé tomber que c'est devenu sérieux parce qu'elle a continué à fréquenter ces gens dans l'espoir de l'y voir revenir.

L'espoir? Le désespoir? J'y suis! Elle est là et elle attend. Au fond, très au fond, quelqu'un lui dit qu'il ne reviendra pas. Mais elle a mis quand même, pour lui plaire, sa robe mauve avec des fleurs; elle a fait mousser ses cheveux. Après tout ce qui s'est passé entre eux et il ne peut pas l'avoir abandonnée. C'est tout.

On met longtemps à accepter que c'est fichu, râpé. D'ailleurs, je suis sûre qu'on ne l'accepte jamais tout à fait. Même à son dernier jour, on doit avoir encore un peu d'espoir. Parce que si on a été vraiment deux et que l'un s'est barré, cela vous fait un vide par où le monde entier fout le camp. Vous n'êtes plus qu'une sorte d'entonnoir. Et ça passe, ça passe.

« Alors, dit papa, l'enchaînement! Cigarettes, acide, seringue. »

Cigarette, acide, seringue. Cela sonne comme une chanson. Ou comme un coup de poignard. Au choix. Au choix, c'est la vie, ça. Et si vous faites le plus mauvais?

« Et ensuite?

— Il y a six mois, elle est allée d'elle-même dans la maison d'où tu viens. Mais elle n'a pas tenu. On l'a cherchée partout. Pour ses parents, tu te rends compte... Et puis il y a deux jours, ils ont appris qu'elle était revenue.

— Justement, dis-je, ses parents! Qu'est-ce qu'ils foutaient ses parents dans tout ça?

— Ils ont réalisé les choses trop tard. Sally est majeure, tu sais! Elle ne vivait presque plus là. »

Ce que je disais à maman! Droit dans le fossé!

Mon père a pris mes mains. Olive est debout près de notre table, portant un plateau avec des crêpes, des œufs, des tartines. On prend toute la place avec nos dix doigts mélangés et elle attend, gênée, de pouvoir poser le ravitaillement, son long corps, son long nez, son haut

100

chignon, tournés vers les rideaux de plastique à fleurs.

On finit par se dénouer.

« Esquiouse-mi », dit papa.

Je ris. « Esquiouse-mi... » Il y a un gâchis de serviettes qu'elle rafle mine de rien et emporte sur son plateau. J'aime qu'Olive soit comme ça, comme un dessin sur un illustré. Il va sortir une bulle de sa bouche, écrite en américain, avec plein de points d'exclamation et de bonheur. Je serai une petite fille et je comprendrai tout à l'envers. Je comprendrai que la vie, c'est une chouette partie de plaisir. Un point c'est tout.

« Mange tes œufs avant qu'ils ne soient froids », ordonne mon père.

Evidemment, c'est important de ne pas laisser refroidir ses œufs! Je reprends une serviette. Pour l'usage normal, cette fois. Normal... Les tartines sont toutes beurrées. Ils vous mâchent la besogne, ici. Et si Pierre avait été comme ce salaud qui a entraîné Sally, lâché Sally, paumé Sally? S'il m'avait appris en même temps que « nous » ce qu'on appelle des « voyages » mais qui se terminent dans les glaces; est-ce que moi aussi?

Et il parle, mon père, avec la voix que j'aime et qui fait penser qu'il s'adresse aussi à lui-même.

« Tu vois, dit-il. On s'escrime à chercher les grandes raisons qui poussent les adolescents vers la drogue : la mésentente avec la famille, la société, la démission des adultes, tout ça! Mais ces "grandes raisons" ont toujours existé et il a bien fallu se colleter avec. Seulement, maintenant, avec ou sans grande raison, la drogue est à tous les coins de rue. Tu en veux? En voilà! Alors comme à dix-huit ans on n'est jamais si bien dans sa peau et que les chagrins d'amour sont le lot de tout le monde, c'est la solution de facilité. Planer au-dessus des soucis, c'est trop beau! Trop simple! Et le danger, on ne le comprend que quand on y est jusqu'au cou. Alors voilà! »

Alors voilà! Les salauds qui vivent du trafic de la drogue, il leur tordrait le cou, mon père. Pas d'excuse, aucune excuse pour ceux qui initient les gosses afin de gagner du fric sur leur dos.

Il parle sourdement et essuie son front. Je le sens

bien qu'il pense à nous! Qu'il a peur comme tous les parents. Et, en attendant, ce sont ses œufs à lui qui vont être froids. Moi, ça va!

Je demande : « Qu'est-ce qu'on peut faire ? »

Contre l'occasion, la tentation, la faiblesse aussi. Contre, malgré tout l'amour en vacances partout, le vide d'amour!

« Faire! dit-il. Exactement! "Faire." Ne pas rester les bras ballants. Accomplir quelque chose. Bon Dieu, si on n'a pas d'idées, on n'a qu'à se tourner vers les autres : le travail ne manque pas, je te promets. Et puis nous, les parents, essayer d'apprendre à nos sacrés enfants à savoir dire non. »

Il écarte le rideau de plastique et regarde la rue comme s'il s'en voulait pour Sally. Les poubelles sont toujours là. Et des chiens maintenant. Tout cela tremble encore un peu. C'est la façon dont il a dit : « Nos sacrés enfants... » avec tant de colère et d'amour. Rue du port! Je crois que je me souviendrai toujours de ce boyau laiteux qui m'avait semblé mort jusque dans son odeur mais où peu à peu revenait la vie.

Il laisse retomber le rideau.

« Et aussi, dit-il, d'urgence, chercher la paix en soi. »

La paix en soi, d'urgence! C'est beau. Cette région de soi-même où on accepte.

« Ce n'est pas facile, dis-je. C'est tout brouillé. »

Il rit.

« Puis-je me permettre une remarque personnelle ?

— Je ne sais pas...

— J'ai une fille, dit-il, appelée Pauline, qui aurait parfois un peu trop tendance à s'examiner le nombril. »

Je me sens devenir écarlate. Je proteste.

« C'est quand même par cet endroit-là que j'étais accrochée à ma mère! Si tu crois que ça ne compte pas! »

Il est bien obligé de convenir que si. Nous rions. Il verse sur ma crêpe le sirop d'érable qui a un fumet sauvage d'écorce. Je sens qu'il adorerait me faire manger. Une cuillerée pour maman. Une cuillerée pour l'avenir. Une cuillerée pour le doute. Je disais toujours : « Une cuillerée pour le loup. » Comme ça, il n'avait plus assez d'appétit pour venir me dévorer la nuit. Tiens ! C'est peut-être de là, mon amour des loups. Du vieux loup. Je l'ai nourri, moi !

C'est bon ces crêpes qui ressemblent à des pièces d'or. Je dévore. Pour deux. Pour dix. Encore du café. Encore des œufs, du bacon croustillant, des tartines toutes beurrées. Maintenant, je peux rendre son manteau à ce monsieur d'en face qui a dû le voler je ne sais où pour venir en couvrir les épaules de sa fille. Ce monsieur qui me regarde, et me regarde encore, avec des yeux mouillés, ma parole. On ne va pas recommencer tout de même !

J'ordonne à mon père : « Mange tes œufs avant qu'ils ne soient froids. » Il m'ébourriffe. Elle ne sait plus que penser, Olive ! Si vous voulez mon avis, elle va avoir une drôle d'opinion des Français.

CHAPITRE XIV

UN SÉQUOIA QUI TOUCHE LE CIEL.

« REGARDE, dit Cécile. Mets-toi comme moi. Allons, n'aie pas peur ! Si tu crois que les gens font attention à toi ! Tu verras qu'il les a, ses deux mille ans ! Et pas qu'un peu, le pauvre vieux ! »

Elle est étalée sur le dos, les doigts en lorgnette sur les yeux, et vise le haut du séquoia, là où il touche le ciel.

« Tu comprends, dit-elle, moi je pense à tous ceux qu'il vit défiler, à toutes les tempêtes qu'il essuya et même l'incendie de San Fancisco, je suis sûre qu'il devait le sentir jusque dans ses vieux os ; et ça me fait du bien de le voir encore là.

— Moi aussi, dis-je. Ça me fait du bien ! Mais un jour, quand même patatras !

— Pas sûr ! dit Cécile d'un ton de mystère, je ne le jurerais pas, tu vois ! Quart de bœuf[1] n'arrête pas de répéter que chaque chose porte son contraire. Alors, puisqu'il y a les éphémères, pourquoi pas les éternels ? Je trouve qu'il a une tête d'éternel, moi !

— Qu'est-ce que vous dites ? » demande Gary entre deux bouchées de mouchoir.

Sa bonne bouille ronde est toute affligée de ne pas comprendre. Etendu sur le côté, boudiné dans son bermuda, il regarde ma sœur qui, de toute évidence, l'intéresse infiniment plus qu'un séquoia de deux mille ans.

Cécile se tourne vers lui, patiente.

---

1. Son professeur d'histoire et géographie.

« On dit qu'il est vieux. *Very, very old.* Et aussi qu'il ne mourra jamais.

— Jamais, répète Gary avec une même conviction car j'ai remarqué qu'il se guidait pour comprendre au ton de ma sœur. Jamais! Putain de bordel! »

Satisfaite des fruits portés par ses leçons, Cécile adresse à son élève un sourire approbateur. Gary doit se demander pourquoi, le nez dans les aiguilles du séquoia, je suis agitée de soubresauts. Maintenant, la poison lui explique *La Marette.* Il paraît que nous avons une piscine le contraire de chauffée; glacée à jet régulier par une source potable. « Comme on glace son jus de fruit », dit-elle. Gary semble très impressionné : une piscine « on the rock »! Il ne savait pas que ça existait. Il aimerait s'y baigner et boire en même temps. Il n'a pas le droit de boire l'eau de sa piscine à lui à cause du chlore.

« L'eau est fameuse, mais je dois avouer qu'on se les gèle », reconnaît Cécile.

Elle laisse aussi tomber négligemment qu'elle a offert un cheval à sa sœur. Gary va nous prendre pour des milliardaires.

Le voilà qui bat des pieds, mi-sérieux, mi-joyeux.

« *Don't go!* supplie-t-il. *Don't go!* Je ne veux pas que tu t'en ailles.

— Je reviendrai, promet la poison gravement. On revient toujours en Californie. »

Parce que c'est déjà dans deux jours que nous quittons Kentfield. Dans deux jours, il y en aura dix que nous sommes là. Le congrès est terminé. Les Miller font quelque chose de formidable. Ils nous prêtent leur grosse voiture. Nous allons rouler comme des princes, avec air conditionné, ceintures de sécurité carillonnantes et poubelle accrochée au tableau de bord parce qu'ici si vous jetez l'emballage de votre chewing-gum par la fenêtre, c'est cinquante dollars d'amende à tous les coups.

Nous nous relevons. Pluie d'aiguilles de pin, de brindilles, de terre. Pluie de forêt. Je touche l'écorce de l'ancêtre. Une plaque indique que Jésus-Christ, s'il était passé par là, aurait pu se reposer à son ombre. Il a l'air à la fois plein de vent et d'expérience. Je l'écoute et son écorce est chaude à mon oreille. Cécile l'enlace de l'autre côté; nous sommes de part et d'autre d'un monde.

« Tu es au courant pour Claire ? demande-t-elle.

— Maman m'a dit. Elle ne veut pas venir avec nous.

— Il paraît que les paysages ne l'intéressent pas, explique Cécile en me rejoignant, qu'elle préfère les gens ! A condition qu'ils soient barbus, je suppose...

— Qu'est-ce que ça veut dire, barbu ? » demande Gary.

Cécile fait un geste imagé. J'interroge.

« Comment ça s'est passé ?

— L'autre soir à dîner. Le soir de la tarte à l'oignon. Dès que j'ai senti l'odeur, j'ai bien compris qu'il y avait de l'appât là-dessous. Elle avait invité Jérémy pour se donner du courage mais comme il avait chopé du persil dans sa barbe et que personne n'osait le lui faire remarquer, ça lui retirait toute son autorité. Après, il m'expliqua que c'est très mal commode pour manger, une barbe, surtout la soupe et la choucroute.

— Mais Claire ?

— Elle a accepté tous les compliments pour sa tarte. « Mais non !... mais non voyons, ça n'est rien ! Tout le plaisir est pour moi... » Tout le plaisir a été pour papa quand en plein milieu du crabe elle a annoncé : « Finalement, je ne ferai pas le tour avec vous ! Vous me reprendrez en passant. »

— Alors ?

— Charles a laissé tomber sa pince et la suite tu connais ! Papa regarde maman qui regarde Claire qui regarde le paysage comme s'il lui disait que c'est elle qui a raison. Ce n'est pas un hasard si elle a choisi de parler devant les Miller. A cause du linge sale qu'elle préfère ne pas laver en famille.

— Qu'est-ce que c'est, famille ? demande Gary.

— C'est nous », dit Cécile.

J'interroge : « Et que disaient les Miller ?

— Qu'ils seraient très heureux de garder Claire à condition qu'on soit d'accord.

— Et Jérémy ?

— Il massacrait son tourteau avec sa barbe persillée

et il souriait à tout le monde comme si on était en train de parler du beau temps. Pour un avocat, côté flair, c'est pas ça ! »

Cécile me regarde avec reproche. Idem pour Gary.

« Je t'ai attendue toute la nuit pour te raconter. Je pouvais pas prévoir que tu découcherais. »

Elle dormait quand je suis rentrée. Elle avait pris mon lit. Par représailles, je pense. J'ai voulu défaire le sien. Elle s'est réveillée à ce moment-là. La furie. « Tu trial-as peut-être les parents. Pas moi ! »

Je pense à mon père ce soir-là. D'abord Claire, ensuite moi ! Une bonne soirée quoi. Il doit parfois en avoir par-dessus la tête de ses filles !

« Comment ça s'est terminé ?

— Dans la chambre des parents. Claire a essayé de filer tout de suite après le dessert mais maman l'a rattrapée. Ils lui ont dit qu'une famille c'était fait pour dialoguer. Pas pour se mettre au pied du mur !

— Alors ?

— Elle a répondu qu'avec une éducation répressive tout dialogue spontané était tué dans l'œuf. »

Je siffle. Cécile aussi semble impressionnée par cette réponse.

— Répressivité, dit-elle, c'est le contraire de libérance.

— De liberté. »

Cécile a un soupir excédé : « Je hais le français », dit-elle.

Sa bête noire, c'est le dictionnaire. Elle dit que c'est le cimetière des mots.

« Et après ?

— Papa a fini par dire « oui » à condition qu'elle rentre tous les soirs à la maison, je veux dire chez les Miller. »

Cécile vient près de moi et son visage est vraiment anxieux tout à coup.

« J'espère que tu viens, toi ! Fille unique, finalement, c'est pas marrant. Les parents mettent tous leurs espoirs sur votre dos, je ne sais pas si tu te rends compte du poids !

— Je viens bien sûr. Je n'ai pas de barbu, moi.

— Tu as Tracy.

— C'est juste un ami. »

Elle a l'air soulagée. C'est donc cela qu'elle avait pensé pour cette nuit. Tracy et moi !

« Mon fric, finalement, dit-elle d'un ton dégagé, je l'ai filé à Claire. On aura l'air de quoi si elle se fait entretenir par son barbu ! »

Et avec humour : « Evidemment, de la cause noire à la princesse, il y avait de la route à faire ! »

Elle rejoint Gary qui, un peu plus loin, dévore son tee-shirt pour se venger d'être exclu de la conversation. Dès qu'il voit Cécile arriver son visage s'illumine. Ça ne sait pas dissimuler, les garçons ! Ils s'éloignent, dans leurs bermudas identiques. La poison a fait main basse sur la garde-robe de son ami, exclusivement composée de jeans et de bermudas. Comme elle est plus petite que lui et quand même moins enveloppée, cela lui donne une dégaine incroyable. Le pantalon et la jupe achetés en l'honneur de la Californie n'ont pas été portés une seule fois. Maman se désole. Claire a renoncé à râler.

Je reprends le chemin vers la clairière où nous avons pique-niqué. « Tu as Tracy ! » Il me regarde parfois comme s'il attendait quelque chose de moi et alors une gêne m'emplit, un regret. Je voudrais lui dire qu'il ne faut pas.

Au pied des grands arbres, d'autres, comme découragés de trouver un jour la lumière, rampent à ras de sol. C'était il y a trois jours, Sally ! La maison sur le port ! Il y a trois jours, j'étais certaine que la vie n'aurait plus jamais les mêmes couleurs pour moi. Et la vie est là, partout, suspendue dans les branches, parfumée de vent. Et j'y suis bien. Je m'y sens protégée. Est-ce l'égoïsme ?

Le chemin tourne à droite. Une petite montée et nous y sommes. C'est formidablement organisé pour les pique-niques ici. Non seulement ils vous fournissent la table et les bancs mais aussi un barbecue avec du bois gratuit.

Etendus dans l'herbe, pieds au soleil et tête à l'ombre, le docteur Moreau et son confrère Phil m'ont tout l'air de dormir. Beau début pour papa qui n'ayant vu jusqu'à aujourd'hui que des têtes d'hématologues et senti que le vent dans les artères, se prétendait affamé de perspectives plus vastes.

Assise sur un banc, près de Marjory, ma mère! Avec des souvenirs de forêt plein les mains. En un sens, elle n'a pas dépassé l'âge des coquillages; celui où l'on glane sur les plages d'été des souvenirs pour l'hiver; et comment pourrait-on prévoir qu'on les laissera s'effriter au fond d'un tiroir alors qu'ils ont, des années durant, reflété la mer?

« Tiens, dit maman. Ma fille!

— Eh oui! »

Je viens m'asseoir près d'elle.

« Ça va? »

Dans sa voix, toutes les questions, toute la tendresse. Nous n'avons parlé de rien mais elle sait. Cela suffit. Un soir peut-être, à *La Marette,* dans l'odeur d'un feu de pommier tombé, je lui parlerai de Sally.

« Ça va! »

Cécile arrive comme une flèche, tenant par le poignet Gary qui tente de se dégager. Ils s'arrêtent en face de maman.

« Maman! Est-ce qu'on peut ramener Gary en France? Il est d'accord! Il dit que l'Amérique, finalement, c'est qu'un tas de merde. Je lui ai parlé de *La Marette.* Ça lui plaît. Il a envie d'aller faire sonner les cloches de l'église, tu sais, quand il y a une noce et que le curé demande des volontaires? Ici, toutes les cloches, c'est des boutons. Les vraies, y'en a plus qu'au cinéma. Ça serait bien qu'il voie. »

Ecarlate comme à chaque fois qu'on parle de lui, Gary fixe le bout de ses espadrilles de tennis sur lesquelles se répandent les chaussettes. Maman pose la main sur sa tête. Je sens bien qu'un fils, ça ne lui aurait pas déplu. Ça doit être plus carré, plus naïf, moins ricaneur peut-être. Côté coiffure, ce n'est pas plus brillant que la poison qui a fait un effort le premier jour et après, terminé, sous prétexte que lorsqu'on a été baptisé au Pacifique on en garde le sel sur la tête le plus longtemps possible.

« Gary est invité quand il veut à la maison, dit

maman. Mais je suppose que ses parents ont leur mot à dire.

— Et voilà, fait Cécile avec un soupir géant en direction de son ami.

— Bordel de merde », dit Gary en écho avec le soupir.

Finalement, papa ne dormait pas. Il était tout à fait attentif à la conversation. Il se redresse comme une flèche et foudroie la poison avant de foudroyer maman soudain affairée avec les couverts, imitée par Marjory qui rit, c'est drôle, elle comprend mieux le français que je ne pensais, tandis que Cécile fixe d'un regard limpide les branches d'un arbre.

Phil, lui, n'a pas bougé.

« Cet été, dit Marjory, Gary va à un camp avec des amis. Mais pour l'été prochain, je ne dis pas non.

— Si nous sommes encore là, dit Cécile d'un ton sinistre en guettant du coin de l'œil les réactions paternelles, espérant que l'annonce d'une catastrophe générale l'amadouera. Jérémy a dit qu'on risquait de plus en plus de prendre une bombe sur la gueule et que c'était plus réaliste de compter en mois qu'en années !

— Bombe ou pas, tonne papa, peux-tu aider ta mère à ranger le pique-nique. »

Avec un geste autoritaire en direction de son ami, Cécile s'exécute.

« Y'a qu'une chose qui me consolera, maugrée-t-elle, c'est que dans l'état où on sera, les mortuaires pourront toujours courir pour faire leur beurre ! »

Un de nos amis est mort cet hiver. Cécile l'aimait beaucoup. Elle n'a pas pardonné au type vêtu de noir chargé d'organiser l'enterrement et qui prenait l'air affligé alors qu'il n'avait jamais vu Jean-Marc vivant. Je n'oublierai jamais le moment où elle lui a dit que les larmes n'étaient pas nécessaires; elle ne les avait pas vues inscrites sur l'addition.

Stimulé par le ton sinistre de ma sœur, Gary ouvre la bouche pour dire quelque chose. Cécile le coupe d'un regard terrible. Marjory retient à nouveau son rire. Elle est plus gaie depuis deux jours; cela doit aller son chemin, là-bas. Le soir, elle parle tard avec maman. J'aime ça.

Et voilà que, surprise longuement préparée dans les sous-sols de la maison, les deux petits entament à pleins poumons *La Marseillaise*. Les arbres millénaires en ont sûrement beaucoup entendu mais ça, cela m'étonnerait !

Il faudra que je parle à Claire ! Le contact est coupé depuis notre arrivée ici. Juste une petite secousse sur la ficelle pour montrer qu'on est toujours là. Ça peut servir un jour !

CHAPITRE XV

SAUSALITO

Il paraît que l'on ne voit jamais que ce que l'on veut voir. Que la vérité parfois vous aveugle mais que l'on s'arrange pour regarder d'un autre côté. Il paraît qu'un jour, un illustre spécialiste du cancer lut sur ses radios qu'il en était atteint mais jusqu'au bout proclama qu'il y avait eu une erreur de dossier.

Ce qui devait arriver avec Tracy, c'était évident, cela crevait les yeux. Sa main sur ma main, ses regards, nos silences aussi et cette chose plus profonde qui nous réunissait depuis Sally et à laquelle je ne saurais donner un nom, la solitude peut-être, tout cela menait au moment où, pour être plus près encore, il chercherait à me prendre dans ses bras. Et comme ce moment, je le redoutais, je m'efforçais de ne pas le voir venir; je me disais : « Nous partons dans deux jours alors que peut-il arriver avant? » Je me disais : « Je ne l'ai pas une seule fois encouragé à devenir autre chose qu'un ami. » Jamais de coquetterie, même au contraire : des yeux gonflés, un nez qui coule, c'est à un frère qu'on offre ça.

Je cherche l'amitié. Je voudrais trouver un garçon, ou un homme, avec lequel je pourrais tout partager sans qu'un jour, fatalement, il soit question de partager aussi les corps. Pourtant, ce n'est pas un frère que je veux. C'est quelqu'un avec qui tout serait possible, mais voilà, on n'en éprouve pas le besoin, tout est parfait ainsi. Il n'y a rien à ajouter.

Quand Tracy m'a demandé de passer avec lui et quelques amis cette avant-dernière soirée, j'ai senti une inquiétude. Mais tout de suite j'ai regardé ailleurs, du côté d'un plaisir, d'un repas au restaurant dans cet endroit dont je ne connaissais que le nom chaud et chantant : Sausalito.

Sausalito est un port qui regarde San Francisco et un village sur une colline. Plus on est riche, plus on y habite haut. Les jeunes et les artistes, eux, se sont installés sur des bateaux qu'ils ont transformés en maisons. On vient de partout les admirer.

Le restaurant qu'a choisi Tracy avance sur la mer. De l'autre côté de la baie, San Francisco nous adresse des signaux lumineux. La ville est comme sur une scène : elle se donne en spectacle. On se rend compte qu'elle n'est pas grande, ceinturée de collines et d'eau, imprégnée d'odeur d'algue et de fleurs. Mais, encore à cause de l'air conditionné, toutes les ouvertures sont hermétiquement fermées et les odeurs perdues.

Nous sommes quatre garçons et autant de filles. Aucun ne m'est inconnu. Depuis notre arrivée, tous sont venus presque chaque jour plonger dans la piscine et y précipiter Cécile qui hurle mais n'attend que ça.

Les garçons me paraissent sans histoire. Ce sont les mêmes que ceux avec qui, parfois, je danse en France. En plus décontractés peut-être. L'un d'eux, un très gros, n'arrête pas de faire rire la galerie. Il a beaucoup d'humour. Quand il marche, ça se balance autour des hanches comme s'il portait un jupon d'autrefois.

Deux des filles sont très jolies, longues, avec une transparence comme beaucoup ici. La troisième est une catastrophe ! Noiraude, tassée, l'air d'en vouloir au monde entier. Je me dis souvent que cela doit être terrible d'être laide et de rêver que tout à coup on est devenue belle et attirante. Pour qu'on s'occupe d'elle, il faut vraiment qu'une fille laide ait des qualités immenses de vie, de gentillesse, d'enthousiasme, aussi comment voulez-vous ? Déjà devant une fille mince par exemple, et qui se bourre de pain alors que vous devez compter vos tartines, vous ressentez un sentiment d'injustice ! Alors si vous avez des cheveux qui rejoignent les sourcils, un nez qui salue le menton et un corps en accordéon, cela doit être vraiment difficile de vivre même si vous vous répétez que d'autres sont encore plus défavorisés, les infirmes par exemple.

Tracy m'a raconté que cette fille prenait des cours de charme. On y enseigne aux élèves à mettre en relief ce qu'elles ont de plus réussi et à plaire en toute circonstance. Elle sait maintenant comment souligner une lèvre inférieure pour faire sensuelle mais pas trop, raccourcir un nez, hausser des pommettes, effacer un ventre. Elle a appris à se coiffer, s'habiller et se chausser. Elle connaît la plus jolie façon de remercier un automobiliste qui vous laisse le passage, de répondre à un soupirant que l'on veut évincer, d'accepter un cocktail. Mais ça ne colle pas. C'est pire. Et pour comble de malheur il a fallu que ses parents l'appellent Grace !

Nous commençons par prendre l'apéritif. De grands verres de jus de fruit mélangé de rhum. J'évite l'alcool d'habitude ! Claire en boit plutôt trop, Bernadette raisonnablement, Cécile à la folie dès qu'elle en a l'occasion, c'est-à-dire lors des fêtes. Je crois que, pour moi, l'alcool est lié à cet ami de papa, un ami d'enfance, l'un de ceux qu'on ne se refait jamais dit-on, qui en est tellement imbibé que Charles en parle avec regret, comme s'il était parti en pays étranger sans espoir de retour. Mais ce soir, on ne m'a pas demandé mon avis. Le verre était plein de morceaux d'orange et d'ananas alors j'y suis allée et, arrivée à la moitié, je me sens déjà à l'aise dans mes vêtements et du genre belle et intelligente.

Je m'essaie à parler américain avec l'accent japonais ce qui fait rire tout le monde, Tracy aussi. Cela me plaît de le rendre gai. Je pense à Sally et j'ai l'impression de lui montrer l'exemple de l'optimisme et du courage. Comme papa, je crois que cela peut aider les gens en difficulté si on pense à eux avec un espoir sincère. Bref, je me trouve bonne et la musique qui sourd des murs me ferait pleurer de bien-être.

Puis nous mangeons du crabe dans une mystérieuse sauce appelée « des mille îles », des steaks à faire pâlir l'entrecôte du boucher de Mareuil et les fameuses pommes de terre fourrées de crème fraîche. Il y a aussi la salade au roquefort, le tout accompagné de pains chauds, fondants et briochés comme si c'était dimanche.

Je comprends que le gros soit gros! Il prend double portion de tout. Dans l'ensemble, l'ambiance est O.K.

Et cela se gâche d'un coup! Il est dix heures. Nous venons de commander les desserts. Pour moi, une glace spéciale noix de coco. Pour Grace, un mystère. Alors que nous sommes toutes en robes légères, Grace porte un corsage manches gigot et col officier. Le gros lui déclare d'un air inspiré que le mystère, c'est elle! C'est ce qu'elle dissimule sous sa robe. Et pourquoi ne la voit-on jamais se baigner? Je ne pense pas qu'il veuille vraiment être méchant. D'ailleurs, lui non plus ne se baigne pas et peut-être pour la même raison. Mais c'est la première fois que quelqu'un adresse directement la parole à Grace, alors pour lui dire ça!

D'abord, elle ne répond pas. Elle a l'air de réfléchir. Et voilà qu'elle se lève et commence à défaire un à un les boutons en chapelet de son corsage en annonçant que puisque mystère il y a, elle va nous offrir un spectacle encore jamais vu : le strip-tease d'une jeune fille laide et mal foutue. Et pourquoi pas puisque dans une boîte de Broadway il y en a en ce moment une femme enceinte qui exhibe son ventre dans un super show appelé « Deux en une » et qui a un immense succès parce que les gens imaginent autre chose.

Notre table est au fond du restaurant. C'est très tamisé comme la plupart des endroits où on est censé s'amuser et les serveurs peuvent encore penser que ça va se tasser. Mais ça ne se tasse pas du tout! Ces crétins de garçons encouragent Grace tandis que les filles, elles, restent sur la réserve mais la regardent avec un air de pitié qui crie qu'elles sont rudement contentes de ne pas lui ressembler et se sentent d'autant plus séduisantes. J'en suis malade. Je voudrais leur dire qu'ils sont des salauds. Les filles surtout! Mais je n'ose pas. Avec Bernadette, ce serait déjà fait. Des salauds! Parce que demain; demain pour elle, quand elle se réveillera et se souviendra. Lequel y a pensé?

Elle ne tient même pas sur ses jambes. L'alcool et les hauts talons. Et cette musique qui reprend de plus belle comme pour souligner le spectacle! Pour le corsage, ça y est! Il est sur sa chaise avec les manches qui restent gonflées. Lorsqu'ils ont vu qu'elle portait un soutien-gorge vert pomme, les garçons ont applaudi. Ils parient sur la couleur de la culotte. Elle dégrafe sa jupe. Le pire, c'est son sourire. Le sourire de son école de charme, comme un masque mal appliqué. Je sais! C'est banal de dire « masque », mais trouvez un mot plus juste? Elle s'est foutu un masque sur la gueule et ça craque d'appels comme le visage de la vieille grand-mère de Mareuil qui a perdu son mari cet hiver et dont le sourire perpétuel ne fait qu'appeler le moment où elle partira aussi.

Je regarde Tracy. Il n'en rajoute pas mais il a l'air intéressé quand même. La jupe tombe sur le sol. Pas de culotte verte, un jupon. Re-applaudissements. C'était prévu, alors, le strip-tease? Ne prendrait-elle pas des cours, par hasard? Parce qu'à San Francisco, il y a des cours d'effeuillage aussi. Destinés en priorité aux femmes qui veulent rattraper leur mari quand le feu s'est éteint, c'est malin! On s'accompagne de musique comme ici.

J'ordonne à Tracy : « Arrête-la! » Tracy me regarde, étonné. J'ai peut-être les larmes aux yeux. En tout cas, il fait un grand geste et dit aux autres : « Assez. Ça suffit. Laissez tomber! » Il prend le corsage et le lance à Grace. « Rhabille-toi! »

Alors, c'est pire! Grace est coupée, cassée. Les pieds au cœur de sa jupe, elle regarde Tracy comme s'il s'était jeté devant sa voiture lancée à cent à l'heure et qu'elle ne savait pas sur quel chemin se rabattre.

Et comme s'ils n'avaient attendu que ce moment, voilà le serveur avec les glaces, le « mystère » hérissé d'amandes et inondé de chocolat, et une bonne femme qui doit être la patronne, qui a une robe très belle, une coiffure impeccable, un visage parfait et même un sourire, oui. Et elle demande à Grace de ne pas donner ce spectacle aux clients avec une voix si glacée. Et Grace est toujours immobile, la bouche ouverte comme si elle allait crier : « Mais réveillez-moi! Réveillez-moi donc! » Je n'en peux plus. Je sors!

Il fait froid dehors. Vraiment! C'est bien! Cela vous balaie un bon coup lumières, musique et cauchemar. Je marche le long des bateaux en respirant le plus à fond possible, les yeux le plus fort possible sur le ciel qui est rosé. Pourquoi est-ce que je ne tiens jamais le coup dans ce genre de situation? Pourquoi ai-je envie de me cacher sous la table, de me boucher yeux et oreilles comme si c'était de moi qu'il s'agissait? Une fille se déshabille en public, et après? Elle a un soutien-gorge vert pomme, où est le drame? Elle est vilaine, il y en a d'autres! C'est drôle, c'est triste, c'est la vie, on s'en fout qu'elle montre sa peau. Si ça lui plaît!

Le vent berce les bateaux-maisons. Mais elle est comme moi, Grace! Elle a des espoirs, des désespoirs, des rêves, des préférences... Certains ponts des bateaux ont été transformés en jardins. Il y a des arbustes, des allées, des bosquets et des bancs, tout ce qu'il faut, quoi. Sur l'un d'eux, un homme, pipe au bec, regarde San Francisco en souriant d'un air satisfait comme si la ville lui appartenait. Ce qui est important, c'est que l'on comprenne une fois pour toutes que le vent, le bruit d'un flot, n'importe quelle lumière, sont à vous en effet, qu'il y en aura toujours et que c'est cela notre bagage le plus précieux.

Puis Tracy marche près de moi et si je prétendais que je ne l'attendais pas, je mentirais. Il a passé le bras autour de mes épaules et il me dit que je ne suis pas comme les autres. Je n'attaque pas, paraît-il. Je me tais. Mais tu sais, mon vieux, j'aimerais bien être capable d'attaquer moi aussi! De parler en me croyant intelligente. Si tu crois que je me suis choisie!

Il rit! Je n'ai pas assez dit qu'il était beau. Pas beau à faire frémir; beau à émouvoir, à attendrir, surtout ses yeux clairs comme assombris par ce qu'il cherche en vous.

C'est formidable d'avoir quelqu'un qui essaie de comprendre. Je voudrais le lui dire mais à ce moment-là il se penche et il m'embrasse.

C'est la première fois depuis Pierre, depuis les lèvres de Pierre sur les miennes, ce soir où il est venu me dire adieu à *La Marette,* depuis ce baiser immense où il y avait tout ce qui ne nous arriverait jamais puisque c'était le dernier. Tout ce qui aurait pu nous arriver.

« Mais tu pleures... » murmure Tracy.

Pleurer, en anglais, cela se dit « cry ». Comme un cri en plus fort à cause du « y ». Je ne lui dis pas pourquoi. Qu'il pense que c'est Grace, le vent, le rhum, ces petites lumières au flanc des bateaux comme des fêtes perdues.

Il a l'air tellement malheureux que c'est moi qui l'embrasse cette fois pour lui dire que ma peine, ce n'est pas à cause de lui, qu'il est blond et doux et que si j'avais pu je l'aurais aimé autrement.

Il y a des moments suspendus, comme des ponts, au-dessus du quotidien. C'en est un. Nous sommes assis sur un banc, ma tête sur sur son épaule et, de son bateau, le barbu nous regarde avec sympathie. C'est ainsi que je voudrais dire au revoir à la Californie, face à une ville plus belle que les autres et qui ne dort jamais tout à fait.

Puis nous regagnons la voiture sans parler, très près l'un de l'autre. La banquette est moelleuse. Cela fait quand même du bien d'avoir chaud. Nous nous embrassons encore. En musique, cette fois. Pour tout dire, Mozart ! En moi, ce n'est pas l'appel douloureux, le bouleversement ; c'est plutôt le repos, le refuge. A un moment, Tracy m'écarte de lui et il me demande quelque chose. Je ne comprends pas mais j'ai dû dire « oui » car je me retrouve, seule dans la voiture, devant un motel palpitant de néon qui s'appelle *Le Paradis*.

Le Paradis s'étend entre un supermarché dont on distingue, imbriqués les uns dans les autres, les armées de chariots géants et une station d'essence désignée par une flèche immense qui proclame qu'on vend là le carburant le moins cher de la planète.

Devant chaque porte du motel, il y a un fauteuil à bascule et, au-dessus des portes, une lumière qui s'allume lorsque la chambre est prise.

Tracy est dans une sorte de guérite en verre, en train de donner des dollars à un homme qui a l'air d'un tenancier d'hôtel dans un film américain. Je me réveille tout à fait. J'ai sauté du pont suspendu à la terre ferme. Enfin, ferme ! Quand la chambre numéro 44 s'allume, je comprends que l'affaire est réglée dans la cage de verre et que cette chambre nous est destinée.

Mais je n'en veux pas, moi! Je n'ai jamais dit oui à une chose pareille. Tracy rentre son portefeuille. Ce qui me désespère le plus, c'est tout cet argent qu'il a déboursé pour rien. Je pense « pour rien » mais ne comptez pas sur moi pour faire un mouvement. Et déjà il remonte près de moi et m'embrasse avant de démarrer pour aller s'arrêter devant le 44, comme s'il venait de réaliser avec succès la première partie d'un pacte.

C'est une chambre fantastique! Tout un panneau de mur en lourdes tentures blanches et dorées. Un même tissu sur le grand lit — ce qu'ils appellent ici un « king size », c'est-à-dire un lit pour le roi : deux mètres au moins. Aux murs, des tableaux représentent des montagnes enneigées, comme toujours à la mer, alors qu'à la montagne vous avez droit à la Bretagne ou à la Normandie. Une télévision « king size » aussi. Des sièges en pagaille.

Il y a aussi un bar et, sur la table de nuit, tout ce qu'il faut pour se faire chauffer son petit déjeuner au lit; sucre en poudre, lait en poudre, café en poudre.

Je reste plantée devant, stupidement, pendant que Tracy va dans la salle de bain où j'entends malgré moi l'eau couler. Je me dis : « Si maman me voyait, mon Dieu! » C'est tout simplement inimaginable. Je ne suis pas là. Je ne suis jamais venue dans une chambre d'hôtel avec un garçon pour lequel je n'éprouve aucun amour. D'ailleurs, je ne sens plus mon corps. Il est comme le mannequin de la couturière qui faisait mes robes, avant. Sans sexe, vaguement renflé à la poitrine. Insensible, indifférent, plein de son. J'y plantais des aiguilles. C'était à moi que cela faisait mal. Délicieusement.

La porte se rouvre et Tracy réapparaît, torse nu comme s'il m'avait déjà conquise. Il sent le savon jusqu'ici. Il semble étonné de me retrouver devant le petit déjeuner en poudre. Il devait s'attendre à ce que je sois déjà au lit, une jambe ou un sein sorti comme par hasard.

Il s'approche et me prend dans ses bras. Ses lèvres

sont dans mon cou. Il ne se doute pas encore que c'est le mannequin de la couturière qu'il tient. Je le laisse enlever mon pull. Nous sommes assis sur le bord du lit maintenant. Je ne fais pas un geste. Il y a le bruit de son jean qui tombe sur le sol. Il porte un maillot de bain.

Le plus simple serait de me laisser tomber en arrière, de fermer les yeux et d'accepter qu'il vienne. Ce serait une sorte de cadeau d'adieu. Un cadeau tendre. Et je suis si fatiguée soudain. Mais à la fois je pense « pourquoi pas » ? Et je sais que je ne le ferai pas. C'est tout simplement impossible. Mon corps ne me laisse pas le choix. Mes genoux se serrent, mon ventre se ferme, ma poitrine se creuse.

Je prends ses mains et je les retire de moi. Tout est arrêté soudain. Je dis : « Je ne peux pas. » Il ne comprend rien. Il insiste. Pourquoi l'ai-je suivi alors ? Pourquoi ai-je accepté ses baisers ? Il a raison. Pourquoi ?

Il se lève et j'ai l'espoir qu'il a renoncé mais pas du tout. Il cherche une pièce dans son pantalon et la glisse dans un engin fixé à la tête du lit. Et voilà que le lit se met à vibrer. Un lit masseur. Et c'est vrai que ça fait chaud aux reins et que ça doit être bon. Non !

Je me relève. Je remets mon chandail. Il est étendu sur le lit, les bras derrière la tête. Il a l'air malheureux. Comment lui expliquer ? Comment te dire, Tracy ? Moi je veux des élans, je veux des mots qui bouleversent, une gorge sèche, des larmes même. Je veux un cœur qui chavire, un corps roulé par la vague. Je veux un peintre de marée basse. Je veux un homme qui m'a quittée et personne d'autre.

CHAPITRE XVI

LE GRAND JEU DU FROID

« Qu'est-ce qui t'arrive ? » demande Claire.

Elle me regarde de son lit, moi sur le seuil de sa chambre, elle dans ses oreillers, plus princesse que jamais, avec des cheveux répandus sur de la dentelle, des parfums mêlés où je reconnais celui aux amandes de sa crème pour les mains.

« Ne reste donc pas plantée comme ça ! Et ferme la porte ; les moustiques vont entrer ! »

Je ferme la porte. J'avance un peu. J'ai été si heureuse de voir sa lumière allumée que ma gorge en est serrée.

Sans hâte, elle met une marque dans son livre et le pose sur sa table de nuit où se trouvent déjà un verre d'eau sur une soucoupe, une boîte argentée contenant un somnifère au cas où, de la pommade pour les lèvres, sa bague, son réveil.

« Si tu as froid, tu peux venir, tu sais ! »

Elle soulève l'édredon. Je retire mes sandales et entre. C'est un lit pour une personne et demie. Parfait !

« Et ne parle pas tout de suite. Tu as le temps de reprendre ta respiration. »

Elle me laisse un morceau d'oreiller. Je ferme les yeux. J'en ai assez d'être à bout de souffle, à bout de cœur, de silence. Tracy n'a pas dit un mot pendant tout le retour. C'était affreux ! Et ces lumières sur les collines, fraternelles, cette autoroute bordée de fleurs, cette aventure pour rien ! L'Amérique pour rien !

« Je suppose que c'est Tracy », dit-elle.

C'est Tracy ! Il a voulu, pas moi. Voilà ! Classique. Cela

arrive, je suppose, à un million de gens à cette minute même. Sans compter tous ceux qui voudraient bien mais ne peuvent pas et vice versa. Et toute cette foule qui, à cette seconde, essaie, réussit ou rate, ça ne me console pas. C'est peut-être ça le plus navrant !

« Inutile de t'énerver comme ça, dit ma sœur. Il n'y a vraiment pas de quoi. »

Mais j'ai envie, besoin de tout déballer. En plus, Tracy conduisait très lentement comme s'il avait attendu que je me ravise et que, pour lui, tout était suspendu à un mot que je ne voulais pas prononcer. Ecoute, Claire, c'était comme si quelqu'un soudain m'avait verrouillée. Ce n'était même pas que je ne voulais pas, je ne pouvais pas. Je regardais ses mains sur moi et je n'éprouvais rien. Je regardais ce garçon en costume de bain et je me demandais ce que nous faisions là. Pourtant, il est beau, je l'aime bien et souvent, surtout le matin, dans la chaleur des draps, mon corps réclame. Alors ! Et si c'est comme ça à chaque fois qu'un homme voudra de moi ? Et si Pierre, en me quittant, avait faussé un ressort essentiel. On vous le rabâche assez que le désir est fragile, mystérieux, comme l'inspiration. Et si le désir, le plaisir, étaient désormais liés pour moi à la peur de souffrir ? »

« Comment ça s'est passé ? »

J'entends mon rire. « Je me suis laissé entraîner dans un hôtel. Tu te rends compte ? »

Claire lève un sourcil intéressé : « Un hôtel comment ?

— Tu ne peux pas savoir ! Des rideaux... des meubles... Le Ritz ! »

Elle soupire. On dirait de regret : « Et tu es allée jusqu'au Ritz pour dire non ?

— C'est venu si vite ! A peine eu le temps de réaliser. C'est au pied du mur que je n'ai pas pu. »

Mais déjà, dans la voiture, quand il payait, je savais que c'était pour rien.

« Tu compliques trop, dit Claire. Une femme peut toujours. Et s'il en avait tellement envie... »

Je secoue la tête. Cela aurait été comme on se réfugie, comme on se prend la main. Cela aurait été faire l'amitié. On dit « faire l'amour », mais on fait aussi la haine. On fait l'habitude. On fait l'indifférence. On fait n'importe quoi.

« Je ne veux que si j'aime vraiment ! »

Claire hausse les épaules. Elle s'enfonce un peu plus sous le drap. J'ai chaud maintenant. C'est elle ! Je suis bien. Avec des restes de rancœur çà et là qui ne demandent qu'à disparaître. Tiens ! Il y a une pêche là-bas ! Une belle, bien mûre, posée sur sa coiffeuse. A *La Marette,* mi-matinée, si vous rentrez sans frapper dans sa chambre, vous avez toutes les chances de la trouver sous un cataplasme de fruits ou de légumes. Elle nourrit sa peau.

« Aimer vraiment, dit-elle, comment peux-tu savoir ? Si tu fais marronner le garçon qui a envie de toi, il va se croire amoureux à tous les coups. Idem pour toi si c'est lui qui te fait attendre. Le désir ! L'amour ? Il n'y a que quand tu l'as fait que ça se décante. Là, tu peux savoir où tu en es. »

Je la regarde. Quand je pense que nous avons vécu dix-huit ans ensemble et que c'est la première fois que nous abordons ce sujet grâce auquel, dit-on, le monde tourne : le désir, l'amour. Est-ce qu'on ne pourrait pas simplifier ? On ferait l'amour sans façon et on attacherait de l'importance à d'autres choses plus durables et faciles à cerner : la paix, la justice, l'amitié, le regard.

Je ne sais plus où j'en suis. Quelque chose en moi me dit que Claire a raison ; ailleurs cela proteste. Je n'ai jamais pu en tout cas supporter les filles qui jouent avec le désir du garçon, qui appâtent avec leur corps. Et je vais finir par le prendre en horreur ce mot, si ça continue. Il m'embête, mon corps, à vouloir quand il n'y a personne et ne plus vouloir quand c'est possible, jeune et beau ; à se souvenir trop fort du premier qui l'a eu.

« Claire, est-ce que tu as déjà aimé quelqu'un vraiment ? »

Elle n'hésite pas.

« A treize ans. Jamais depuis. Christiane... Tu te souviens ? »

Si je me souviens! Christiane! C'était son professeur de français, matière où la princesse a été première une bonne partie de l'année et volontaire pour jouer les tragédies de Racine grâce auxquelles elle pouvait hurler son amour en public, les yeux sur le trou du souffleur où se tenait sa bien-aimée.

Ça s'est mal terminé! Un jour, elle a surpris Christiane avec quelqu'un. Un homme! L'amour est tombé, les notes avec!

« Et Jérémy?
— On s'entend bien. On se comprend. »

Je ne peux retenir mon rire. C'est nerveux. C'est son « on se comprend ». Si vous les entendiez se comprendre en petit nègre! Nouveau rire. Claire fronce le sourcil.

« Si tu tiens absolument à réveiller les parents... »

Je me retiens. Elle daigne sourire, ouvre le tiroir de sa table de nuit et me tend un mouchoir, joli, bien repassé, légèrement parfumé. Une sœur princesse? Indispensable dans une famille!

Elle croise les bras derrière sa tête. J'aime cette partie tendre, protégée, qui va de l'aisselle au coude. L'une de celles qui tombent les premières, quand on vieillit, vérifiez sur les plages. Si j'étais un homme, c'est là que j'irais en premier avec mes lèvres. Et maintenant, elle parle! Elle parle comme si elle n'avait attendu que ça depuis dix-huit ans qu'on se côtoie. Au fond, le soir, lorsqu'elle monte dans sa chambre un peu avant tout le monde, elle espère peut-être que quelqu'un viendra l'y rejoindre. Elle attend qu'on ait besoin d'elle. On s'imagine toujours qu'elle est à protéger, Claire, et si c'était le contraire?

Elle me dit que, dans l'amour, ce qu'elle préfère, c'est après. Le moment de la tendresse. Si, alors, elle peut longtemps appuyer sa tête à l'épaule de l'autre, s'ils se parlent, pas forcément de choses importantes mais quand même, de ce qui leur plaît dans la vie, de ce qu'ils souhaiteraient pour mieux y respirer; s'il dit par exemple qu'il la comprend de ne pas vouloir participer à la folie générale, s'il la caresse mais pour la seule douceur de caresser quelqu'un qui a été à vous et sans

124

idée d'y revenir, alors elle sait qu'elle a eu raison de se donner et elle connaît des minutes de bonheur.

Mais il est arrivé que l'amour terminé, on se lève d'un coup de rein, que l'on se jette sur son tabac, ses vêtements, sa voiture, ses dossiers. Alors elle ferme la porte de son cœur et elle se dit avec un petit sourire pour elle : « C'est fini, mon bonhomme ! Tu pourras toujours te traîner à mes pieds, m'offrir ta vie et ta fortune, je ne t'appartiendrai plus jamais. »

Je demande : « Ça t'est arrivé ?

— Quoi ?

— La vie et la fortune. »

Elle a un sourire satisfait.

« Oui ! Mais à quoi cela aurait servi... avec un étranger ? »

Je la regarde encore, et encore. Elle a l'air... comment ? Intacte. C'est cela. Pas embrassée vraiment. Pas meurtrie.

Je risque : « L'amour, est-ce que ça a déjà été complètement bien pour toi ? »

Elle attend avant de répondre. Me voilà presque intimidée. Ses jambes bougent sous l'édredon. Elle lisse sa chemise de nuit.

« Complètement ? Non ! Très agréable à certains moments mais en tout cas jamais comme on raconte ! »

Partout ! Dans les romans. Au cinéma. Dans les revues spécialisées. Mieux que le mieux. Que le possible.

Tournée vers moi, elle me regarde d'un air soupçonneux.

« Je t'en prie, ne commence pas à t'en faire pour moi. Ça m'est égal. Ça viendra.

— Et si ça vient et qu'alors tu aies tout : l'amour complètement bien, la tendresse, le dialogue. »

Là, cela semble lui poser un problème.

« Je ne sais pas. L'amour brûle tout. Il fait table rase. La tendresse, au contraire, elle comprend. Elle excuse. Les deux ne se marient pas. Alors je préfère la tendresse. »

Et elle ajoute : « Parce que, de toute façon, ne compte pas sur moi pour être jamais prisonnière de quelqu'un ! »

Je ne compte pas sur elle! Elle avait exactement cette voix, l'hiver dernier, quand elle disait que jamais elle ne s'enfermerait dans un bureau. Elle ne fait que suivre une même ligne. Belle et libre. Ni liée à un homme, ni liée à un travail.

J'entends l'argument de papa : « Si tout le monde faisait comme toi ? » Je connais les réponses : « D'abord, tout le monde n'en a pas envie... » Ensuite : « Ce serait formidable. On arrêterait un peu de courir... » Et papa : « Et on se nourrirait comment, s'il te plaît ? » Bernadette : « De l'air du temps, j'imagine... » Maman (douce) : « Tout le monde n'a pas ta chance, tu sais. » Alors Claire : « Je l'ai, je le sais, j'en profite. » Et ça peut continuer pendant des heures. Et c'est comme ça qu'un soir de l'hiver dernier, elle a quitté la maison !

Je remonte encore l'édredon. Au bout, quatre pieds apparaissent. Et soudain je me souviens...

« Claire... tu te rappelles ? Notre jeu. "Le" jeu... »

Ses yeux brillent tout à coup. Elle a son rire d'avant.

« Evidemment, je me le rappelle. »

D'un grand geste, elle envoie l'édredon par terre. Elle ordonne : « Pieds! »

Nous y jouions le soir avant de dormir, quand les parents sortaient. Bernadette, Claire et moi. Cécile était trop petite; elle aurait rapporté. Nous choisissions les jours les plus froids d'hiver. Nous ouvrions la fenêtre. Un miracle que nous soyons encore en vie! Je nous revois, toutes les trois, nues sur nos lits. C'était Claire le meneur de jeu. Le Chef. J'entends sa voix : « Pieds! » Cela voulait dire qu'on avait le droit de couvrir les pieds. « Chevilles! » C'était parti pour quatre centimètres de plus. « Mollets! » « Cuisses... » La couverture remontait et avec elle la chaleur, par vagues, chaque fois plus hautes. Mais il fallait attendre qu'elle ait dit « cou » pour avoir enfin tout à fait chaud et c'était bon, comme c'était bon alors de pouvoir s'enfoncer, se dilater, se gorger de chaleur... Et vingt fois l'une ou l'autre avait failli arrêter le jeu, remonter d'un coup la couverture mais on n'aurait plus été considérée du tout. Claire augmentait chaque fois un peu plus le temps de l'épreuve. Nous avions des corps faits d'une seule pièce lisse. C'était cette époque, à propos, où la princesse aimait Christiane. C'était l'enfance.

Je lui raconte le lit masseur, ce lit qui chauffait les reins. Ses yeux brillent. Jouer à notre jeu sur un lit masseur, ça doit être quelque chose! Elle donnerait beaucoup pour pouvoir essayer. Décidément, en France, on n'a rien de surprenant. C'est agaçant!

Puis le temps passe. Elle remonte son réveil.

« Si tu veux dormir ici, tu peux. Moi, j'ai sommeil. J'éteins. »

Je me déshabille en vitesse de crainte qu'elle change d'idée. Avant de me glisser à côté d'elle, je vais écarter un peu les pans du rideau. Les projecteurs sont allumés sous les fleurs. Tracy dort-il maintenant? Cécile va encore s'imaginer que je suis avec lui. C'est réussi! Pourvu que demain elle ne fasse pas mille allusions à ce propos. Elle ne voudra en tout cas jamais croire que la princesse a partagé sa couche royale avec moi.

Je me glisse à côté d'elle. Il est une heure. Nous venons donc d'entamer notre dernière journée chez les Miller. Et après tout, vivement qu'elle soit finie! Mon cœur se serre; mais Claire reste.

« Et si tu venais avec nous? »

Elle me regarde, hésite et quand elle me répond, à la fois tout est illuminé et s'assombrit.

« Je vous aime trop, dit-elle. Il faut que je m'en sorte. »

Quand elle se penche pour éteindre, je sens sa poitrine qui effleure la mienne. Il n'y a plus que la lumière du jardin, apparaissant juste ce qu'il faut dans l'ouverture du rideau. Est-ce qu'on peut trop aimer? Se sentir douloureusement attachée? Oui! Cent fois oui. Encore une fois, Claire a raison. Je me suis complètement trompée sur son compte. Il faudra que j'en parle à maman. Un jour.

« Sais-tu ce qui manque dans cette maison? dit-elle d'une voix endormie. Une bonne odeur d'écurie. »

Je souris dans le noir. Il ne manque que Bernadette, en effet. Mais si Bernadette avait été là, c'est vers elle que je serais allée ce soir. Alors tant pis! Tant mieux, même. D'ailleurs, cela aurait été pour me faire engueuler. Je l'entends d'ici. « Un hôtel ? Un bordel, tu veux dire !... » Et son rire : « Alors comme ça, tu t'es retrouvée dans un hôtel sans réaliser... »

Je râle. Avec son Stéphane, son Germain, ses plans d'avenir qui ne bougent pas, elle nous les casse, comme dirait Cécile.

Claire respire à peine. Je suis sûre que je sens, là-bas, l'odeur de sa pêche. Une odeur, en un sens, c'est une lumière. Je pense à ses paroles : la tendresse, les caresses du cœur... On croit être une fille qui a de la morale, on n'est souvent qu'une sale égoïste. Ce n'est pas par morale ou par principe que je me suis refusée à Tracy, c'est parce que je n'en avais pas envie. Et si, lui, avait besoin de ma tendresse ? Claire se serait donnée. Il y a les cent une positions de l'amour. Ça se vend bien d'ailleurs, paraît-il. Mieux que la Bible ! Il y a aussi les cent une positions du cœur et à mon avis toutes sont bonnes !

Tout à l'heure par exemple, quand je serai sûre que ma sœur dormira, je me rapprocherai le plus possible sans l'éveiller. Je fermerai les yeux. J'ajusterai ma hanche à sa hanche, mon souffle au sien, j'éprouverai que nous sommes deux.

CHAPITRE XVII

LA VILLE ENCHANTÉE

Ce matin, ce dernier matin à Kentfield, nous avons reçu une lettre de Bernadette !

En France, tout va bien. Le temps est lourd avec des orages qui ne se décident pas à éclater. Stéphane, qui a trouvé une place de pompiste à Pontoise, passe son temps un tuyau à la main : celui de l'essence ou celui de l'eau pour le jardin. Une nuit, il a rêvé qu'il arrosait de super les plates-bandes de papa ! A part cela, il est content et reçoit des tas de pourboires, n'en déplaise à ces chers Saint-Aimond !

Pas de problème concernant Antoine Delaunay, le « remplaçant », comme continue à l'appeler notre sœur. Il semble travailler beaucoup et rentre généralement après dîner. « Par discrétion », suppose Bernadette. Mais que papa se rassure : Mareuil peut voir chaque soir les lumières de plusieurs chambres allumées à la maison et parier pour l'un ou pour l'autre. L'honneur est sauf !

Enfin, il y avait à la lettre un post-scriptum pour Claire ; une simple question que Bernadette voulait lui poser : la princesse s'était servi du cadeau pour Marjory — le sac — afin de transporter ses affaires à l'aller. Comment comptait-elle rapatrier celles-ci ?

Nous nous sommes regardées ! Personne n'y avait pensé.

L'après-midi, tandis que Gary et Cécile, bottés et sac au dos, partaient à la chasse aux reptiles, les parents sont allés, en amoureux, visiter les environs de San

Francisco. Jérémy est passé chercher Claire pour l'emmener à sa fameuse Université. Ils m'ont proposé de les accompagner.

Comment dire? Dire « tout »! La profusion, la chance, la richesse, la beauté. Dans le soleil et la verdure, ces longs bâtiments clairs, emplis de salles dont les portes restent toujours entrouvertes, même pendant les cours. Vous voulez entrer? Allez-y. On ne vous demandera rien.

Il y avait aussi des salons de lecture avec fauteuils et canapés, des bureaux équipés de machines à écrire, et des salles de musique, de cinéma, de danse, peinture, méditation, je n'en dis pas le cinquantième.

Dans les couloirs, tous les vingt mètres, jaillissaient de petites fontaines glacées pour que les étudiants puissent se désaltérer. Nous n'avons pas vu les stades, les piscines, les terrains de sport. Nous avons longé des bars, des cafétérias, des restaurants. C'était une véritable ville finalement. Une ville entière appartenant aux étudiants, offerte à leur fantaisie.

Au début, je n'avais su qu'écarquiller les yeux pour admirer. On a peine à croire que rien n'est compté, que toutes les portes sont ouvertes, que personne ne va venir vous taper sur l'épaule pour vous demander poliment ce que vous faites là. Claire, elle, y croyait! Elle me désignait chaque chose, chaque lieu, comme s'ils avaient été conçus pour elle. Elle aurait aimé vivre là; où on peut parler de tout, où tout est accepté, permis, possible.

Nous nous sommes étendus sur l'une des pelouses. Dans un bassin, un peu plus loin, des étudiants nus s'éclaboussaient. Je ressentais maintenant comme une angoisse, ou un malaise. Je me souvenais de ce conte que maman me lisait autrefois : des enfants arrivent, affamés, dans une ville merveilleuse où tout peut se manger : les arbres, les bosquets, les fleurs. Mais aussi les maisons, les bancs, les meubles, les objets. Des fontaines que l'on aperçoit sur la place, coulent des boissons douces et sucrées. S'il pleut, c'est une pluie de bonbons. S'il neige, des flocons de barbe à papa! J'aimais le début du conte, lorsque les enfants s'arrêtent au seuil de la ville enchantée, éblouis, hésitant à y pénétrer. Je me tenais à côté d'eux. J'avançais à pas prudents, sans oser goûter encore à tout ce qui était offert et que maman choisissait parmi mes préférences. C'était vraiment le meilleur moment !

Les enfants se décidaient à rentrer dans une maison et, timidement, détachaient un petit morceau de mur en chocolat. « C'était bon ? demandais-je. — Formidable, disait maman. — Et après ? — Eh bien après, disait-elle, ils ont mangé un petit bout de canapé en pain d'épice... — Et après ? — D'abord une ou deux gorgées au robinet de jus d'orange, puis un morceau de tiroir au nougat, une feuille de bosquet à la menthe... »

Je suivais les enfants. Je commençais par goûter à tout avec eux mais, très vite, je me lassais. Je ne posais plus de questions à maman. J'étais rassasiée. C'était la fin de l'histoire que je voulais maintenant, le moment où les enfants allaient dire au revoir aux habitants de la ville et où ceux-ci les presseraient de rester. Les enfants refusaient gravement. « Nous devons rentrer chez nous. » Les habitants de la ville enchantée n'en revenaient pas. Chez eux où tout était compté ? Où il leur arrivait d'avoir faim ? Où il leur fallait travailler ?

Mais ils voyaient bientôt que rien ne saurait retenir leurs invités, alors, sans hâte, ils retournaient manger : un petit bout de banc... une écorce d'arbre au nougat... un coin de trottoir !

Je reprenais la route avec les enfants. Je me sentais infiniment soulagée. Un peu de nostalgie peut-être, mais soulagée quand même.

J'ai été contente de rentrer.

Je me dis souvent que les événements vraiment importants, les bouleversements, ce qui, d'un coup, va faire chavirer votre vie, détruire l'ordre des choses, un signe vous en avertit à l'avance mais qu'on ne sait pas le déchiffrer.

Il me semble que si les projets, les plans que l'on dresse, ne doivent pas se réaliser, on doit en avoir connaissance dans une région lointaine de soi; mais de cette région ne viennent que des éclairs, des fulgurances qu'on se hâte d'oublier comme tout ce qu'on ne peut cerner. En tout cas, durant cette dernière soirée à Kentfield, aucun de nous ne s'est senti averti de quoi que ce soit. Rien n'a entravé ou obscurci les projets. Et Dieu sait que nous en avons fait !

Vers six heures, Papa et Phil ont étalé la carte routière sur la moquette du salon et Charles a tracé au crayon feutre transparent le chemin que nous suivrions durant les huit jours de notre périple. Suivant ce tracé qui évitait les trop grandes autoroutes, nous avons goûté par avance les côtes du Pacifique, savouré la jolie ville de Carmel où nous passerions une nuit et dans laquelle, assurait Phil, existait un restaurant où l'on pouvait s'inviter à danser moyennant des téléphones posés sur chaque table...

L'étape après Carmel était Los Angeles, et la poison, palpitante d'émotion, a fait une entrée triomphale à Hollywood qu'elle a entouré d'un rond de couleur rouge sang. « Comme les cœurs qu'elle s'apprêtait à faire saigner là-bas », a plaisanté Charles.

Gary a demandé traduction de « cœur saignant » et, après l'avoir reçue, il a pris un air si malheureux que Cécile lui a rendu un des mouchoirs confisqués.

Phil n'arrêtait pas de désigner des points sur la carte et si on avait voulu visiter tout ce qu'il nous indiquait, l'année n'y aurait pas suffi. Je me demande parfois pourquoi on a tellement envie de faire goûter aux autres les choses qui vous ont plu ? Est-ce vraiment pour eux ou pour se confirmer dans l'idée qu'on a eu raison d'aimer ? Je pencherais pour la seconde solution à cause de la cervelle de mouton, des foies de veau, des tripes, des huîtres baveuses, de toutes ces choses innombrables que les gens veulent absolument faire ingurgiter à leurs enfants tant qu'ils peuvent les forcer, sous prétexte que « c'est bon » !

Nos mères suivaient le périple, assises au bord de leurs fauteuils, un grand verre de coktail coloré à la main. Il y avait tant de petits gâteaux salés et d'amandes pour accompagner l'apéritif que pour la première fois de sa vie, Cécile avait déclaré forfait. Claire n'était pas là. Elle était retournée à l'Université pour assister à une conférence, paraît-il passionnante, en anglais naturellement, sur « Le fluide émotionnel et l'abstraction géométrique ». Il avait été entendu avec les parents que, même si elle rentrait tard, nous la réveillerions demain pour lui dire au revoir. Le démarrage était prévu à huit heures.

Nous avons décidé de prendre ce dernier repas près de la piscine. C'était une soirée formidable. Mouvements d'air et de douceur. Certains moments sont si intensément parfaits, parfois, que le cœur se serre. Au fur et à mesure que la nuit tombait et que les couleurs s'estompaient, les odeurs, elles, parlaient davantage et semblaient vouloir rejoindre, à l'horizon, le soleil qui sombrait. Tracy n'était pas là. J'ai mis son couvert quand même.

Phil et Charles ont fait griller du mouton sur le barbecue. Papa furetait dans le jardin à la recherche d'herbes rares pour aromatiser la viande. Il était déchaîné. Il avait déclaré qu'à partir de ce soir, cette minute, cette seconde, il n'était plus le docteur Moreau, hématologue réputé, mais « Monsieur » Moreau, cuisinier distingué, époux de la charmante personne ici présente et père de quatre filles à marier ce qui n'était pas sans lui causer un certain souci, d'autant qu'en ce qui concernait les dots, elles n'auraient que leurs beaux yeux.

Marjory riait avec maman. Il faut du temps à papa pour être drôle mais quand c'est parti il dame le pion aux meilleurs comiques ! Bien sûr, au centre de tout, il y avait la tristesse du départ, mais lorsque nous repasserions chercher Claire, nous dînerions encore une fois ensemble et qui sait si les Miller ne viendraient pas en France l'été prochain ?

Tout était donc doux, calme et odorant. Si, ce soir-là, on nous avait dit que nous avions mis pour rien nos bagages dans le coffre de la grande voiture, que nous ne verrions pas les maisons de Carmel, que Cécile ne mettrait pas ses pieds dans les empreintes laissées par les vedettes à Hollywood sur Sunset Boulevard, que Los Angeles resterait un nom pour nous. Si on nous avait dit que les rires et les plaisanteries de papa passeraient du côté des souvenirs encore plus douloureux car ils ont précédé le coup inattendu, jamais nous ne l'aurions cru.

Le téléphone a sonné. Nous venions de terminer le mouton. Cécile parlait de dormir sur un matelas, dans la piscine, et pourquoi pas? Pourquoi refuser aux enfants ce qu'on n'a jamais eu envie d'essayer, soi? C'est Marjory qui est allée répondre.

L'appareil se trouve à quelques mètres de la table de jardin, branché, je l'ai expliqué, dans le tronc d'un arbre.

Marjory n'a dit que quelques mots. Elle est revenue vers la table et elle a souri à papa : c'était pour lui! La France!

Papa s'est levé, tout joyeux. La France, c'était forcément Bernadette. Elle devait nous appeler de sa cabine miraculeuse pour nous souhaiter un bon voyage. Mais Marjory a dit : « Non, c'est un homme. Une voix d'homme. »

Je crois que tout de suite j'ai eu peur. Pourtant, cela pouvait très bien être le docteur Delaunay. Papa lui avait recommandé de l'appeler si la petite Richaud vomissait à nouveau du sang. J'ai eu peur parce que soudain tout m'a paru en place pour une mauvaise nouvelle; jusqu'à cette impression de beauté tout à l'heure, presque douloureuse.

J'ai fait le calcul. Onze heures du soir ici. Sept heures du matin là-bas. Ça, c'était normal. Ils pouvaient penser qu'après nous dormirions et, avant, pour eux c'était la nuit.

J'ai cherché le regard de maman. Marjory lui expliquait quelque chose concernant notre voyage mais maman ne pouvait s'empêcher de regarder du côté du téléphone. Papa avait dit « Allô », joyeusement et avec un accent américain terrible destiné à impressionner favorablement l'interlocuteur; puis il s'était tu et il écoutait. Cécile était complètement hors du coup, elle nattait la tignasse du pauvre Gary qui subissait stoïquement son dernier martyre. J'ai ressenti, d'un coup, très fort, l'absence de Claire.

Papa avait commencé par répondre face à la table, à nous. Puis, lentement, il s'est tourné de l'autre côté et nous n'avons plus vu que son dos, un dos de père, un peu courbé, à pleurer de tendresse, de rage, de regret, à hurler contre le temps qui passe. Maintenant, il posait des questions brèves, basses : « Comment est-ce arrivé?... » — « Que disent-ils exactement?... » — « Combien de temps?... »

Marjory s'était tue et regardait maman, tournée vers Charles. Phil fourrageait dans sa pipe et je me souviens du bruit de la lame grattant le fourneau. Mais c'est dans le plus grand silence que nous avons entendu papa dire : « Bien! On vous téléphonera l'heure de notre arrivée. »

Et nous avons compris que le voyage était fini.

Mon père a raccroché et il est resté quelques secondes immobile, toujours tourné de l'autre côté. Au silence, Cécile a quand même réalisé que quelque chose s'était produit. Elle a planté là Gary avec une natte en train et a couru vers papa. « Qu'est-ce qui se passe? Qui appelait? »

Maman les a rejoints. Tout cela faisait un peu théâtral à cause des lumières tremblantes des bougies torsadées. Je suspendais mon souffle. Je savais que ce ne serait pas M. Moreau, cuisinier distingué, qui allait se retourner, mais le docteur Moreau, quand il a reçu une mauvaise nouvelle, qu'il attrape sa trousse, refuse de mettre convenablement le col de son pardessus et dit : « Je ne sais pas si je serai là pour dîner, en tout cas, ne m'attendez pas! » d'une voix mauvaise, comme s'il nous en voulait à nous.

Le docteur Moreau s'est retourné et il a dit d'une voix trop calme que Bernadette avait eu un accident de cheval. Sérieux! Elle était à l'hôpital. Il fallait joindre Claire immédiatement. Nous rentrions par le premier avion.

CHAPITRE XVIII

L'OMERTA

C'est moi qui vois Stéphane en premier. Il se tient derrière l'écriteau « Vous n'avez rien à déclarer », près des douaniers. Je le vois et pourtant, avant de le reconnaître tout à fait, j'ai une hésitation. Ce sont bien ses vêtements, mais on dirait qu'il a dormi avec. Et son visage ! Il y a d'habitude, sur le visage de Stéphane, quelque chose de léger, une transparence qui éveille l'espoir. Aujourd'hui, il est gris, tendu, presque hostile. Voilà quelqu'un qui a des problèmes. Qui en veut au monde entier. Ce n'est sûrement pas à côté de lui qu'on irait s'asseoir dans le métro.

Il lève la main au moment où toute la famille l'aperçoit. Papa nous cloue au sol d'un geste autoritaire.

« Vous restez là pour les bagages, les filles ! »

Et il y va, suivi de maman.

« Les bagages... les filles », soupire Claire. Nous voilà cataloguées. C'est aux grands moments de la vie que la vérité vous échappe ! »

Cécile désigne Stéphane.

« Tu veux l'achever ? »

Là-bas, par-dessus la chaîne, sous le regard des douaniers, maman vient d'avoir un geste inattendu. Elle a pris la tête de Stéphane entre ses deux mains et l'embrasse : une fois. Deux fois.

« Elle n'est pas morte ! constate Cécile. Si elle était morte, maman n'eût pas embrassé Stéphane. C'est Stéphane qui eût embrassé maman, sans rien dire, étouffé par les grandes douleurs muettes et elle aurait tout de suite compris.

— Ta gueule, *please* », dit la princesse prononçant à ma connaissance son premier mot d'anglais depuis le début du voyage.

Du coup, Cécile s'éloigne, blessée, serrant contre son cœur le mystérieux sac en grosse toile que Gary lui a offert au moment des adieux et qu'elle n'a pas quitté depuis. « Est-ce qu'elle va mourir ? » C'est la première chose qu'elle a demandé, hier, après le coup de téléphone. Et j'ai cru que papa, de fureur, allait la jeter dans la piscine. Mais lorsqu'il a vu qu'elle était prête à s'y jeter d'elle-même, avec une pierre au cou, il l'a prise aux épaules : « Si tu voulais bien arrêter une seconde de dire des sornettes... »

C'est à la tête ! Bernadette s'est blessée à la tête en tombant de cheval. Pas de quoi s'affoler, paraît-il, mais quand même de quoi se faire pistonner pour rentrer par le premier avion ! De quoi ne plus savoir sourire qu'en montrant trop les dents et, en ce qui concerne maman, passer la totalité du voyage contre l'épaule de son mari, ignorant les plateaux-repas dont elle avait, à l'aller, profité comme une petite fille.

Cela n'a pas été simple de trouver Claire. Les coups de téléphone aux amis n'ayant rien donné, Phil et moi avons filé en voiture à son Université de malheur. En fait de conférence, elle était dans la chambre de Jérémy et ils ont attendu une éternité avant d'ouvrir. Ils écoutaient de la musique sur le lit dans un drôle d'état, enveloppés par un nuage de fumée. C'est moi qui ai parlé : « Bernadette est à l'hôpital. On rentre. »

Pendant tout le trajet en voiture je m'étais répété cette phrase. Je m'étais regardée la lui dire, pâle, avec infiniment de persuasion, debout sur le seuil de la porte. « Bernadette est à l'hôpital. On rentre. » On ne sait jamais avec Claire comment elle va réagir. Et si elle voulait rester ?

Elle s'est levée. Elle a remonté la fermeture de sa jupe, attrapé son sac et dit : « Qu'est-ce qu'on attend ? » Il fallait voir comme son Jérémy était mort et enterré avec sa chemise sortie du pantalon et sa barbe en fouillis. C'est Phil qui lui a tout expliqué parce que sa bien-aimée était déjà dans le couloir avec moi, me pétrissant l'épaule : « Si c'est grave, je veux le savoir ! Tu m'entends ! »

Les parents reviennent vers nous.

« Ça va », dit Charles en nous enveloppant d'un même regard : les trois idiotes en parfaite santé. « Il n'y a rien de nouveau. Je file directement à l'hôpital dans la voiture de Stéphane. Votre mère va rester avec vous et Tavernier vous rapatriera avec les bagages. »

Parce que Grosso-modo est là !

« Il ne manque plus que la fanfare », constate Cécile.

Papa se contrôle. « A tout à l'heure à la maison ! »

Il passe à la douane mains dans les poches et rejoint Stéphane qui regarde d'un autre côté. J'ai eu une drôle d'impression en l'apercevant tout à l'heure. Il y avait sur son visage quelque chose qui me rappelait celui de Marjory, le premier soir. Mais quoi ?

« Allons mes filles ! dit maman. Trouvez-moi vite des chariots que nous ne perdions pas de temps ! »

Claire demande : « Quand est-ce qu'on la verra ? »

— Demain, dit maman. Il ne faut pas la fatiguer.

— Et toi ce soir, je suppose, interroge Cécile.

— Et moi ce soir, bien sûr ! »

Maman pose la main sur la tête de la poison qui se dégage d'un mouvement brusque et va examiner une tache sur le mur tout en parlant avec son sac. C'est gai ! Gary et elle ont fait aussi un échange de photos. Là où cela a explosé c'est à l'aéroport quand on s'est aperçu que la photo qu'elle avait dédicacée à son ami était celle de son passeport. Un miracle que nous soyons là !

Le tapis se met en mouvement et voilà les bagages. La plus belle valise est celle que Marjory a prêtée à Claire. Nous embarquons tout sur les chariots et passons la douane sans fouille. Une mère et ses trois filles, ça fait sérieux. Par contre, le basané d'à côté risque d'y passer la nuit, le pauvre ! Rien à déclarer sinon notre inquiétude et qu'il suffit de trois phrases au téléphone pour que la vie prenne un autre relief.

Devant la sortie, Grosso-modo attend. Il s'est vissé sur le cou une tête de circonstance. C'est presque drôle.

On a envie de lui demander comment il va, lui ! Et la France a une drôle de bouille aussi avec ses toutes petites voitures, son parking miniature et même son ciel qui fait réduit, encadré, avec juste ce qu'il faut de pommelé, d'antennes et d'hirondelles.

« Qu'aurions-nous fait sans vous, monsieur Tavernier ! » dit maman, avec un sourire brave, en serrant fort la main de Grosso-modo qui regarde partout sauf dans les yeux et bredouille que c'est naturel.

Et au moment où il s'apprête visiblement à sortir sur Bernadette la grande phrase émue qu'il a préparée...

« Et votre aîné ? C'est une affaire réglée, j'espère ? » intervient Cécile.

Du coup, il plonge dans le coffre. Claire est déjà installée sur la banquette arrière. Je voudrais courir dans la campagne. Il y a une odeur d'herbe fanée dans l'air. Il y a une odeur de France. Je me sens déjà tout entière reprise par mon pays. J'ai le sentiment très vif qu'il est doux, joli et imparfait mais que j'y suis chez moi. L'Amérique est si loin qu'on se demande si elle existe. Qu'aura-t-elle été pour moi ? Quelques prénoms. Deux surtout qui finissent par un Y. Et une robe mauve brodée de petites fleurs que j'ai cachée au fond de ma valise. Du vol ? Plus fort que moi !

Nous prenons l'autoroute direction Paris. De l'autre côté, c'est la folie. Files de véhicules, valises ou vélos sur les toits, motos, bateaux, klaxons, poussière. C'est vrai ! Nous devons être quelque chose comme le premier août. Pour eux, cela ne fait que commencer.

« Savez-vous comment ça s'est passé exactement ? interroge maman d'une voix trop calme.

— Eh bien, Grosso-modo c'était avant-hier après le déjeuner, dit Tavernier. On a vu votre grande fille arriver à la maison toute boitillante et ma femme m'a fait remarquer que son pantalon était déchiré et qu'elle saignait au genou. Elle a proposé de mettre quelque chose dessus mais ce que Bernadette voulait c'était surtout de l'aspirine parce que la tête, excusez-moi, mais ça n'allait pas.

« L'aspirine est dans la pharmacie de la salle de bain des « parents », déclare Cécile sèchement. Il y en a toujours plusieurs tubes d'avance et ma sœur le sait très bien. »

Grosso-modo jette un coup d'œil à la poison dans le rétroviseur. Il n'a jamais eu d'enfant et Cécile à la fois le fascine et le terrifie. C'est Mars, pour lui !

« Et alors ? demande maman.

— Ma femme lui a donné deux sachets dans de l'eau pour que ça fasse effet plus vite et elle a nettoyé la plaie du genou.

— Une plaie, c'est sûrement beaucoup dire ! intervient à nouveau la poison. Les gens ont toujours tendance à exagérer. Sauf quand il s'agit de choses agréables, bien entendu ! »

Découragé, Grosso-modo se referme. A droite, dans une sorte de brume, se dresse une ville nouvelle. Sans toits, ni fumées, comme étonnée de se trouver là. Là où il y avait des arbres et des champs qui fleurissent au printemps. J'essaie d'imaginer ceux qui vivent dans ces maisons. C'est à la fois dommage et bien tous ces gens qu'on ne connaîtra jamais. On peut se dire que parmi eux il y en aurait un qui vous conviendrait exactement.

« Je voudrais bien savoir le nom du fils de chien qui l'a éjectée, dit sombrement Cécile.

— Elle avait plus l'air de bien savoir où elle en était, reprend Tavernier. Ma femme lui a conseillé d'aller voir le docteur Delaunay. J'ai proposé de la conduire en voiture.

— Et alors ?

— Elle m'a demandé de la ramener au manège où elle avait laissé sa mobylette. Le cheval était rentré tout seul paraît-il. Ce qui l'ennuyait c'était pour sa bombe qu'elle n'avait pas retrouvée. »

Etonné de n'avoir pas été interrompu, Tavernier regarde à nouveau la poison. Mais elle n'a plus l'air d'écouter. Elle a même un air de complète indifférence. Elle montre les voitures arrêtées de l'autre côté.

« Regardez-les ! Mais regardez-les donc. Ils sont bien avancés, ces cons.

— Laisse-les partir, ça fera toujours eux de moins », laisse tomber Claire.

Maman se retourne une seconde et nous regarde. Elle

avait l'air si jeune en Amérique! Vingt ans de plus cet après-midi, ou ce soir, je ne sais plus avec leur foutu décalage. Il est cinq heures mais on se sent minuit. Vingt ans de plus sous les yeux et aux coins de la bouche.

« Et après, elle est donc partie voir le docteur Delaunay, reprend-elle doucement.

— Sur sa mobylette, soupire Tavernier. Et moi je suis rentré parce que j'étais de permanente-couleur. »

Tavernier aime les cheveux. Avec les fleurs, c'est ce qui le console d'avoir lâché le commerce. C'est lui qui se charge de la coiffure de Mme Grosso-modo. Il nous a avoué qu'elle avait derrière la tête la « bosse du crime » ce qui ne facilite pas la tâche de l'artiste! Depuis peu, il a aussi Mme Cadillac et il la réussit pas mal. Il faut dire qu'il n'y a pas de coiffeur à Mareuil. Papa a formellement interdit à maman d'aller au massacre.

« Et puis à six heures, la voilà qui appelle à la maison pour nous dire qu'elle va rester en observation mais que ce n'est pas grave... »

Bernadette ne lui parle pas de Stéphane. Mais justement il est là. Grosso-modo peut voir l'arroseur en marche. Alors il court l'avertir. Sa femme y serait bien allée aussi mais elle se cache. La couleur est ratée. Elle a viré. C'est comme les mayonnaises, ça peut tourner en cas de contrariété. Ça devait être platine à la Marylin Monroe, c'est mauve-évêque. « De circonstance », fait remarquer Cécile.

Quand il apprend à Stéphane que sa Bernadette est à l'hôpital — il dit « sa » Bernadette — Stéphane devient si blanc que Grosso-modo croit qu'il va tomber lui aussi.

« Il ne savait que répéter : « C'est de ma faute! C'est « de ma faute! » »

Nous nous regardons, étonnées. De sa faute? Comment cela?

« Nous la lui avions confiée, explique maman. Dans ces cas-là, s'il arrive quelque chose, on se sent forcément coupable. »

Je sais maintenant ce qui m'a frappée dans l'expression de Stéphane à l'aéroport, ce qui ressemblait à l'expression de Marjory : un air coupable.

« Et voilà! dit Grosso-modo. Quand, hier soir, M. Stéphane est venu me dire que vous rentriez, j'ai tout de suite pensé à vous chercher avec vos bagages.

— Nous vous remercions », dit la princesse avec hauteur.

Enfin un silence! Je me sens vide. Je n'éprouve plus rien. Aucune peur. Aucune inquiétude. D'abord retrouver *La Marette,* me poser, on verra ensuite. Sous le poirier, cela devrait faire revenir les sentiments normaux. Je n'avais jamais remarqué que les cheveux de Grossomodo frisaient comme ça sur la nuque. J'ai envie de toucher. Cela me le rend tendre, jeune, vulnérable. Je l'aime bien, notre voisin. Je suis contente de penser qu'en cas de malheur, il a tout de suite été là. En Normandie, par grosse mer, les sauveteurs sortent le bateau et surveillent les flots. Il suffira d'un appel de détresse pour que deux hommes, en courant, le mettent à l'eau. C'est agréable de compter les gens qui seraient là, au cas où. Mais, comme dit Béa, « veille à ce que ça reste occasionnel sinon, plus personne! » On s'habitue très vite au malheur des autres. La couleur vire une fois au mauve, quoi! Pas deux! Je me souviendrai toujours de la façon dont Claire a dit : « Qu'est-ce qu'on attend? » en apprenant pour Bernadette. Et elle était déjà dans le couloir et Jérémy aux oubliettes.

« Vous dites qu'elle n'avait pas retrouvé sa bombe? interroge maman d'une voix hésitante.

— C'est ça même, répond Grosso-modo. Tout d'un coup, à la maison, elle dit : « Tiens, ma bombe! Mais « qu'est-ce que j'ai donc fait de ma bombe! » Et ma femme n'a pas compris tout de suite de quoi elle parlait avec tous ces attentats partout! »

Maman sourit. Enfin! Claire regarde Tavernier avec amitié. Elle a toutes les indulgences pour qui la traite en reine.

« Je me suis permis de faire remarquer qu'elle avait dû rouler lors de la chute, dit Grosso-modo. Elle a ri et dit : « Alors ma tête a dû rouler avec parce que je ne la « sens plus du tout. » Et c'est là que j'ai pensé qu'elle devrait aller voir le Dr Delaunay parce qu'un jour je suis tombé de vélo et, grosso-modo, j'ai mis vingt-quatre heures à me retrouver en France!

— Espérons que vous y êtes bien aujourd'hui, dit Cécile avec un sourire suave. D'ailleurs, qui sait si ce n'est pas un rêve, tout ça. Nous, on serait à San Francisco, à bien s'amuser, et vous, vous seriez par terre à côté de votre vélo ! »

Du coup, Grosso-modo ne sait plus du tout où il en est et freine brusquement. Maman adresse un geste mécontent à la poison.

« Auriez-vous la gentillesse de doubler une fois pour toutes cet ahuri ? » demande Claire en montrant le camion de laiterie qui roule à notre allure depuis un bon bout de temps et dont le conducteur fait tout ce qu'il peut pour faire comprendre à la princesse qu'il lui offrirait volontiers une place à ses côtés.

Grosso-modo obtempère. Claire dépasse, tête haute. Je me laisse aller en arrière. Et soudain, comme mon bras frôle le sac de Cécile, ça bouge dedans. Je n'ai pu réprimer un sursaut. Le regard de Cécile supplie. Claire est toute au paysage. Je demande.

« Une tortue ? »

Elle fait « non ».

« Un rat ? »

C'est encore « non ».

« Alors ? »

Elle serre les lèvres et, tout à coup !

« Qui sait ce que veut dire « l'omerta » ? » demande-t-elle à la ronde.

Personne ne sait. Tout le monde s'en fout.

« C'est la loi du silence dans la Mafia ! On vous confie un secret. Si vous le répandez on ne vous le pardonnera jamais. Et la Mafia qui ne pardonne pas, ça ne pardonne pas !

— A part ça, le français est une langue très riche », soupire Claire.

Cécile ne relève pas. Elle me regarde. Elle attend une réponse.

« D'accord pour l'omerta », dis-je.

Mais je devrai attendre que nous soyons arrivés pour savoir. C'est *La Marette* et, malgré tout, une houle de joie en moi. Ce sont les odeurs de toujours, un soleil gai, un réconfort, une douleur, une douceur. Chez moi.

Là. Comme nous déchargeons les bagages, Mme Grosso-modo se présente, sa chevelure sous un foulard. Nous lui livrons lâchement maman. Dans l'escalier, Cécile entrouve le sac. Dans une sorte de cage, sur des chiffons, c'est un serpent. Il est blanc et noir.

« Inoffensif, dit Cécile. Je te le jure. »

Je suis plusieurs marches plus haut.

« S'il meurt, dit-elle, Bernadette meurt. S'il vit, elle vit ! » Pour l'instant, heureusement, il dort !

CHAPITRE XIX

UNE PATIENCE QUI S'APPELLE « LA PENDULE »

« Voilà, dit Charles. Je ne serai pas long, n'ayez pas peur. Mais je voudrais faire le point pour vous. »

Il se tourne vers Delaunay.

« Le docteur Delaunay qui s'est occupé de Bernadette depuis l'accident pourra témoigner que je ne minimiserai rien. »

Il se tourne à présent vers Cécile. Installée à une table de bridge, un peu à l'écart, la poison mêle deux jeux de cartes avec application.

« Ceci à l'intention de certaines personnes qui ont une fâcheuse tendance à s'exagérer les choses.

— C'est la vie qui exagère, tranche Cécile sans lever les yeux, « et pas certaines personnes »... »

Il y a un silence. Delaunay, qui a demandé qu'on l'appelle Antoine, Antoine alors, regarde avec curiosité notre sœur aligner ses cartes pour une patience qui s'appelle « la pendule ».

Neuf heures sonnent à la mairie. Ils viennent seulement de rentrer. Les quatre adultes! Les quatre qui peuvent voir Bernadette tant qu'ils veulent. Nous, nous avons eu le droit de défaire les valises, de ranger, d'arroser, de faire les courses pour le dîner. Et à Mareuil, tout le monde était au courant bien sûr! Les gens avaient une façon précautionneuse de parler; mais Cécile, sourire éclatant, claironnait que tout allait bien et elle commence vraiment à m'énerver même si je sais que son attitude est une attitude de défense.

Quand nous sommes rentrés, une flambée nous

145

attendait au salon. C'était Claire qui l'avait allumée. Un feu, le premier août, par grosse chaleur ! Mais aussi par inquiétude, par souvenir... Et maintenant les flammes se mélangent à l'été dans les carreaux de la fenêtre ouverte.

« Bernadette a ce qu'on appelle un hématome crânien, explique Charles d'une voix nette en nous regardant tour à tour. Vous savez toutes ce qu'est un bleu : des veines éclatent et une poche de sang se forme sous la peau. En tombant, Bernadette s'est fait à la tête un bleu important. On la garde à l'hôpital pour en surveiller l'évolution mais il n'y a pas lieu de s'inquiéter outre mesure.

— Outre mesure... dit Cécile sans lâcher ses cartes des yeux. Quand on y réfléchit, voilà deux mots qui font bizarre ensemble... Outre, comme une outre, et mesure...

— Comme une mesure », lâche Claire agacée.

Elle se tourne vers papa : « Quand pourra-t-on la voir ? »

Le visage tendu, assise à sa place habituelle et sur ses pieds bien entendu, elle a une expression à la fois de défi et d'inquiétude. Elle est très belle. Les cernes, sous ses yeux, montrent comme sa peau est jeune et sensible. Elle a trouvé le temps de se faire un shampooing, assorti je suppose à l'une de ses fameuses ampoules au placenta humain destinées à prévenir la chute des cheveux, qui lui coûtent toutes ses économies et une partie des miennes. J'ai une envie folle qu'on l'admire.

« Demain, pas tout le monde à la fois et brièvement, dit papa. Mais, si vous le permettez, je n'ai pas tout à fait terminé. »

Il sort un mouchoir de sa poche et tamponne son front, puis sa nuque. Ce qui me fait le plus de peine, c'est le trop beau costume qu'il porte : son costume de congrès, en tissu léger, acheté pour la Californie. Une sorte de costume de fête, quoi ! Mais la fête s'est mal terminée et le voilà sur la sellette.

Maman ne le quitte pas des yeux et, de temps en temps, une seconde, il vient puiser de la force dans son regard.

« Ne vous étonnez pas de constater certains changements dans le comportement de votre sœur ! »

Claire a levé brusquement la tête : « Certains
changements ? » Quelque chose se coince en moi.

« Des troubles de mémoire par exemple, dit papa.
Surtout en ce qui concerne les dernières heures avant
l'accident. Inutile d'essayer de l'aider à se souvenir.
Cela reviendra tout seul.

— Est-ce vraiment certain ? » demande Stéphane.

Sa voix est sortie comme rouillée. Depuis son arrivée
dans le salon, il n'avait encore rien dit. Serré nos mains
quand même, mais pas bien : par politesse.

« Il y a toutes chances », dit papa.

Le mouchoir à nouveau. Un air las. Mais nous sommes tous dans le brouillard avec ce décalage et sans
Bernadette, plus d'une serait au lit car pour nous il est
six heures du matin.

Stéphane regarde de nouveau fixement le feu.

« Est-ce qu'elle se souvient de nous ? demande Cécile
d'une voix calme, le nez sur son « horloge ».

— Elle m'a même demandé de tes nouvelles, figure-
toi, intervient maman. Elle m'a dit : « Qu'est-ce qu'elle
« fait, cette poison ? »

— Et tu as répondu ?

— Elle empoisonne », dis-je.

Elle empoisonne, c'est vrai ! Avec son « horloge », ses
sourires tout à l'heure, à Mareuil, son cran peut-être, sa
façon horripilante de se mêler de tout et de ne rien
faire comme tout le monde. Je ne parle pas de son
serpent !

Elle me fixe avec étonnement. D'habitude, c'est Claire
ou Bernadette qui la remettent à sa place. Je n'aime pas
cette façon amusée qu'a le docteur Delaunay de nous
regarder ! Vous n'êtes pas au spectacle, monsieur ! C'est
le seul à n'être pas assis. Il est appuyé au mur, les
mains dans ses poches, avec un air à la fois là et
ailleurs, l'air entouré d'une barrière de protection.
Je ne me souvenais pas qu'il était si beau ! Il est vrai
que, la seule fois où nous l'ayons vu, c'était la veille
du départ et nous n'avions déjà d'yeux que pour l'Amérique.

« Combien de temps va-t-elle rester à l'hôpital ? demande Claire.

— Tout dépend de l'évolution de l'hématome. »

La princesse se tourne vers maman. Elle pose très rarement des questions, alors, quand cela lui arrive, c'est chez tout le monde un silence religieux.

« Maman ! Es-tu inquiète ?

— Nous le sommes tous, dit maman. Mais...

— Les « mais » sont inutiles, interrompt Claire. Je les connais. »

Il y a un silence et le regard d'Antoine sur la princesse : grave ! Il me semble qu'il n'y a plus rien à dire. Papa doit le sentir aussi.

« Je prendrais bien un whisky, déclare-t-il d'une voix qui n'est pas la sienne. Et je suis certain qu'Antoine et Stéphane ne diront pas non. »

Claire se lève tout de suite. Je la suis. La cuisine est sans odeur, sans âme. Pourtant, j'ai envie de m'y asseoir et d'attendre. Que je sois à nouveau une petite rivière calme, sans vague. J'aime le bois de la table ! C'était une table de ferme sans prétention, avec un tiroir où on range les serviettes. Le bois en est épais, couleur miel. Il est fait de plusieurs lattes entre lesquelles il y a un espace où se logent les miettes de pain. Lorsqu'il y en a trop, une seule méthode : l'aspirateur.

Sur le buffet, les provisions de Bernadette : son pain complet, son bouquet de persil — elle en met partout — son pot de miel avec des rayons dedans. C'est impressionnant de la voir les manger. On a l'impression qu'elle mord dans la vie.

Du menton, silencieusement, Claire me désigne, au mur, la carte de Californie. Bernadette nous avait promis de nous suivre en pensée et elle l'a fait. Elle nous a même précédés. Il y a une pastille de couleur sur Carmel, ville au bord du Pacifique où nous serions à l'heure actuelle si elle ne s'était pas foutue par terre. Quand elle était petite, elle écrivait ses lettres avant de partir en vacances et personne ne s'en est jamais rendu compte. Il faut dire que pour ne pas bouger, ça ne bouge pas, la Bourgogne ! Avec SES vins, SES vieilles églises, SES monuments et là-bas, juste sous la colline, pendant qu'on prend le café avec toutes sortes d'oncles et de tantes, un long train qui raie la campagne.

Si vous prenez le bac à glaçons avec une main mouillée, la main se colle au bac et on a l'impression désagréable qu'on va y laisser la peau. Pourtant, on ne peut pas s'empêcher de recommencer. Pour voir.

Lorsque nous rentrons dans le salon, Claire portant le plateau où tintent les verres et moi les bouteilles, les parents racontent San Francisco à Stéphane et à Antoine. Je n'ai pas l'impression que Stéphane écoute.

Papa va chercher la bouteille de whisky qu'il a achetée dans l'avion, sans droits de douane. On a beau avoir une fille sans mémoire, on pense à sa petite personne! Pour lui, ce sera avec eau plate, eau gazeuse pour Antoine, jus d'orange pour maman, « on the rock » pour Stéphane, après ça comment voulez-vous que les gens s'entendent sur un programme politique!

« Pourrais-je savoir, interroge Cécile de sa table de bridge, si quelqu'un s'y connaît en serpents? »

Tout le monde se tourne vers elle, étonné. Elle a l'œil incroyablement limpide.

« Plus précisément en adaptation de serpents à une terre étrangère », spécifie-t-elle.

Papa échange un regard inquiet avec maman mais je suis sûre qu'il n'imagine pas une seconde que là-haut, dans un panier, sur un lit d'herbe, abondamment pourvu de cadavres de mouches, plus une tasse de lait de ferme, se prélasse un reptile californien dont j'aimerais être tout à fait sûre qu'il est inoffensif.

« Je n'ai pas tellement réfléchi à ce problème, dit papa avec bonne volonté. Est-ce important?

— Assez! » dit Cécile.

Antoine a quitté son mur et s'approche de la table de bridge. C'est vrai ce que nous en écrivait Bernadette. Il a l'air d'un homme à mystères. Il ne doit pas aimer parler de lui. Et d'ailleurs, qu'en savons-nous? Il doit avoir dans les trente-cinq ans, l'âge d'être marié et père de famille; l'âge d'avoir raté ou réussi des choses importantes et de n'être pas certain de vouloir recommencer.

Il s'assoit carrément aux côtés de Cécile et examine « l'horloge » qui progresse malgré tout.

« Il me semble, dit-il, que grâce à une solide couche d'écailles, le serpent doit être capable de s'adapter à pas mal de situations, qu'en penses-tu ?

— Espérons », dit brièvement Cécile.

Elle place quelques cartes puis relève le nez.

« Tu peux prendre ma chambre ! Je coucherai avec Pauline.

— Je te remercie, dit Antoine, mais j'ai fort bien dormi la nuit dernière à Pontoise et suis prêt à recommencer. Le divan du cabinet de ton père est très confortable et Mlle Poubeau m'a apporté des croissants chauds pour mon petit déjeuner. »

Mlle Poubeau, l'infirmière-secrétaire de papa. Des croissants ? L'infidèle !

« Il y a de la place pour tout le monde à la maison », se rebiffe Cécile.

Mais Stéphane s'est levé. Il s'approche de maman et dit d'une voix fiévreuse que puisqu'on parle des chambres, justement, il s'est arrangé avec son garagiste pour coucher à Pontoise.

Maman proteste. Et la chambre de Bernadette ? Stéphane secoue la tête.

« Je ne pourrai pas, dit-il. Non, je ne pourrai pas. »

Antoine s'est approché et fixe Stéphane comme s'il savait quelque chose que nous ignorons encore.

« C'est Stéphane qui devrait s'installer chez Cécile. Moi... je me plierai aux ordres !

— Alors prenez la chambre de Bernadette, décide Claire. Il n'est pas bon de la laisser vide.

— Au cas où elle s'habituerait, renchérit la poison. J'ai connu des chambres qui refusaient de reprendre leurs habitudes. Ils n'avaient plus qu'à crever. »

Sa voix s'est un peu cassée mais c'est en fanfare qu'elle reprend, en regardant tour à tour Stéphane et Antoine.

« Si je comprends bien, une de perdue, deux de retrouvées »

Antoine lui sourit.

« Et tu vois ça m'arrange ! Parce que pour une seule des tartines grillées de *La Marette*, je donnerais dix des meilleurs croissants. »

Et c'est à ce moment qu'on entend grincer la grille et crisser le gravier. Cet homme massif aux cheveux en brosse, à la tête très droite, qui se dirige d'un pas raide vers la porte d'entrée, je me demande d'où je l'ai déjà vu. Puis je remarque, sous son bras, la bombe de Bernadette.

« Crève-cœur, avertis-je. Le maître du manège.

— Quel est son vrai nom ? » demande papa précipitamment.

Nous nous regardons, consternés. Personne n'en a jamais rien su.

Et il est au garde-à-vous au milieu du salon. Il a baisé la main de maman et serré les autres. Nous pensons tous à Germain, le préféré de Bernadette qu'il voulait vendre au boucher pour cause de vieillesse. « Pas d'histoire » a ordonné sévèrement maman à Cécile tandis que Stéphane allait ouvrir la porte.

« J'ai vu de la lumière, dit-il, alors j'ai pensé que vous étiez rentrés et j'en ai profité pour rapporter la bombe. »

Il la montre à tout le monde. Il a l'air de ne savoir qu'en faire. Ni de lui d'ailleurs. Je viens la prendre. Il l'a nettoyée, c'est sûr. Pas trace de terre, ni d'herbe. Une ou deux éraflures dans le velours mais c'était peut-être une autre fois.

Claire s'approche.

« Un whisky ?

— Plutôt une bière si c'est possible ! »

Tandis qu'on va la lui chercher, il regarde autour de lui, les meubles, nous, le feu surtout. Notre feu du premier août. Il paraît qu'il vit seul avec ses photos de régiment. Evidemment, ici, ça doit le changer.

« Asseyez-vous », dit maman.

Et elle ajoute : « Je regrette d'avoir dû attendre pareille circonstance pour faire votre connaissance. »

Il baisse la tête à se rompre le cou pour remercier : la nuque est rouge, épaisse. Est-ce qu'une femme l'a déjà caressée ? Peut-être arrive-t-il qu'un homme n'ait, durant toute sa vie, jamais droit à de tels gestes de tendresse. Peut-être est-ce pour cela que maman lui a tendu cette petite phrase, comme une perche, pour le sortir un peu de sa solitude. Maman : spécialiste des solitaires !

Cécile a abandonné sa patience et, ne cherchant aucunement à cacher son intérêt, dévore des yeux l'ancien militaire toujours au garde-à-vous mais, cette fois, sur le bord du canapé, le regard sur les flammes qui se sont empressées d'allumer un foyer dans ses bottes.

« Où l'avez-vous retrouvée ? demande maman en montrant la bombe.

— Dans un bosquet, dit-il. Elle avait roulé assez loin finalement. »

Il s'éclaircit la voix, se tourne vers Antoine.

« Docteur, comment elle allait ce soir, la petite ?

— Rien de très nouveau, dit Antoine. Il faut attendre.

— Alors, le temps va me sembler long », dit Crève-cœur en se tournant vers les parents.

Et il ajoute : « Je lui avais pourtant interdit de sortir Prince ! »

Prince ! Un poulain de trois ans un peu fou et qui vide tout le monde. Mais Bernadette est arrivée comme une boule de nerfs ce matin-là et elle n'a rien voulu savoir.

Crève-cœur avait l'air vraiment triste. Et si malgré tout le mal qu'elle en dit, il aimait Bernadette ? Stéphane est allé s'asseoir sur le rebord de la fenêtre. Il évite nos regards. « Une boule de nerfs... » Pourquoi ?

« La malchance, c'est que Prince s'est bien comporté au manège, poursuit Crève-cœur, alors elle a voulu lui offrir une promenade. »

Et une demi-heure plus tard, il voit Prince revenir sans sa cavalière. Et au moment où il s'apprête à partir la chercher, voici Bernadette avec Tavernier. Elle dit que ce n'est rien mais elle a une sale tête.

Il se tourne vers papa.

« Pensez-vous qu'on doive opérer ? »

Le mot nous cloue.

« Il n'en est pas question pour le moment, dit Charles très calmement.

— En tout cas, vous pouvez la rassurer pour son Germain, dit Crève-cœur. On s'en occupe. »

Il regarde tout le monde, particulièrement Cécile et je

152

me demande si, finalement, il n'a pas eu vent de l'émission de télévision[1].

« C'est une sacrée tête de bois, votre fille! Mais sans elle, eh bien, le manège, il fait vide!

— Savez-vous, monsieur, dit Claire toute droite, que c'est à cause de vous que Bernadette n'est pas allée en Amérique? »

Crève-cœur est stupéfait. Nous de même.

« Eh bien... dit-il... Eh bien... à cause de moi?

— Elle s'était engagée à vous aider en juillet aussi elle est restée! Parce que c'est une sacrée tête de bois justement! »

Claire soutient une seconde le regard de Crève-cœur puis se tourne vers le jardin. L'audition est terminée. Que l'œil admiratif de Cécile sur la princesse me fait plaisir. Jubiler, c'est cela, un bouillonnement soudain de joie en soi. En attendant, cela a plutôt jeté un froid; si on peut s'exprimer ainsi alors qu'avec ce feu sans cesse ranimé par quelqu'une, il doit faire dans les quarante degrés dans la pièce.

« Avec le whisky, plus le décalage horaire, j'ai la tête qui tourne, constate maman. Si nous mangions quelque chose? Vous ne me direz pas que personne n'a faim? »

Et quand tout a été prêt sur la table; avec aussi du vin, des longuets italiens, avec des tagliatelles pour un régiment — sur l'ordre de maman, Crève-cœur est resté dîner, c'est lui qui a tenu à faire la sauce : tomate concentrée, huile d'olive, oignons, un vieux morceau de saucisson qui traînait, feuilles de laurier : « Une sauce de vieux routier », disait-il à son marmiton, Cécile, qui, en échange, ne cessait de le harceler pour savoir combien d'ennemis il avait tués dans sa vie — quand tout a été prêt, avec, malgré tout, quelque chose de joyeux, de chaud, on s'est aperçu que Stéphane n'était plus là.

« Il m'a chargé de l'excuser, dit Antoine. Finalement, il a préféré rentrer à Pontoise. »

---

1. Voir *L'Esprit de famille*, Fayard, 1977.

CHAPITRE XX

UN REGARD ÉTRANGE

« ALORS? L'Amérique? demande Bernadette. C'était bien, l'Amérique?

— Très bien !

— Et la famille ? »

— Formidable. Il y avait Phil et Marjory. Leur fille aînée Sally et deux garçons : Tracy et Gary.

— Y, Y, Y, Y, dit-elle. Pour les finales, on ne peut pas dire qu'ils se soient foulés. »

Elle ferme les yeux, comme épuisée par ces quelques mots. D'ailleurs, ils lui viennent difficilement : pâteux, besogneux. Un rayon de soleil tombe sur les barreaux du lit. Dans un angle du mur il y a un ventilateur. Je ferme, moi aussi, une seconde les yeux. Mon Dieu, faites que ce ne soit pas vrai ! Faites que Cécile ait eu raison, hier, et que tout cela ne soit qu'un rêve. Que je me réveille en Californie dans une maison pleine d'odeurs qui ne soient pas l'hôpital.

Mais l'odeur est bien là. Nous disions : « Une odeur de piqûre » quand nous étions petites. Alors rouvrons ! Regardons puisqu'on est là !

On lui a rasé la tête et seuls ses sourcils rappellent que ses cheveux sont châtains. Ils étaient aussi bouclés et tellement doux au toucher qu'ils n'avaient pas l'air de lui appartenir : de la soie sur une tête de bois. Elle a peut-être un hématome crânien mais elle s'est aussi esquinté le visage. Pas grave, ça ! Des égratignures. Seulement, entre le crâne blanc et les lèvres blêmes, ce n'est pas esthétique, ces balafres violettes. Ça jure avec santé, sécurité, bonheur. Et pourquoi cette chemise de nuit? C'est celle de Claire! Bernadette n'aime que les pyjamas; d'hommes naturellement car à ceux que l'on fait pour les femmes on trouve toujours moyen, paraît-il, d'ajouter de la fanfreluche. Elle a l'air dix fois plus malade dans ces dentelles et ses bras nus, cuivrés jusqu'au coude, blancs au-dessus, font ridicules. Jamais vu Bernadette se faire bronzer. Ça l'ennuie mortellement. Et du coup, il y en a pour tous les goûts, du crème au chocolat selon le décolleté, la façon dont elle a retroussé ses manches, la puissance du soleil ce jour-là.

Mais ce n'est pas ce qui fait le plus mal. Je lui apporterai un pyjama. Et même un de papa — elle les adore — et cette fois, parions qu'il ne protestera pas. Ses cheveux, on les reverra! Ce qui fait vraiment mal, c'est son regard.

Il m'aura fallu dix-huit ans d'existence pour découvrir l'importance d'un regard. Essayez de vous souvenir de quelqu'un? Si vous avez les yeux, vous avez le bonhomme. Je me souviens de ceux de Pierre, couleur mer et nénuphar, couleur angoisse et amour, mon amour! Le regard de Bernadette est sombre, vif, blagueur, hargneux parfois lorsqu'elle ressemble aux taureaux qui soulèvent le sable du sabot avant de foncer, son regard est capable, si elle le veut, de vous retourner la peau. La fille qui est dans ce lit trop haut, à portée de main de médecin, a un regard sans lumière; pire, un regard qui fuit, ou qui erre. Les voilà donc les « certains changements » de mon père! J'ai envie de rire. Evidemment, elle a ses deux jambes. Elle a ses bras avec des mains au bout, son ventre en bon fonctionnement je suppose, son nez, sa tête. Non! Justement, pas sa tête! Pas la nôtre. Pas sa tête à claques, sa tête de mule, sa sacré caboche. Qu'a-t-il imaginé le docteur Moreau? Qu'on ne s'apercevrait de rien? Je vois d'ici Cécile devant le désastre tout à l'heure. Sans « horloge » pour regarder ailleurs. Et Claire! Elle en fera une tête, la princesse. Parce que je suis la première à passer. On est débiles dans la famille, vous savez ce qu'on a fait ? Puisque papa a dit chacune son tour et pas trop rapprochées, on a tiré au sort. J'ai gagné ! Je voyais bien que maman avait envie de m'accompagner. Mais elle y était déjà ce matin et elle avait l'air si crevée que Claire se déployait pour lui mitonner un thé au jasmin. J'ai refusé. « Au thé ! C'est un ordre ! Et au lit après ! » Elle m'a seulement avertie pour les cheveux. On s'en fout des cheveux ! C'est ce qu'il y a dessous qui compte. Alors, c'est pour cela que mon père m'a accompagnée jusqu'à la porte et que c'était moi qu'il guignait du coin de l'œil, mine de rien, lorsque nous sommes entrés. Mais il ne m'a pas eue. J'ai posé ma voix et j'ai dit : « Laisse-nous seules. » Il m'a pris l'épaule. « Ne t'en fais pas, ça reviendra. Tout reviendra... »

Tout ? Mais qu'est-ce qu'il en sait ? A-t-il été y voir dans ce crâne ? Peut-il affirmer que rien n'y est abîmé, bousillé, pour toujours ? Et si ce regard, jamais plus... Il y a un mot qu'un de ces jours je raierai de mon vocabulaire ! C'est « jamais » !

Elle a l'air de dormir. Ça aussi, on m'a averti. Elle vous tombe endormie d'un coup, comme on bâille, nous ! Il y a des fleurs, des livres, de l'eau minérale, un paquet-cadeau non défait, ce quelque chose d'arrêté qui vous serre la gorge dans toutes les chambres d'hôpital.

Je me lève. J'ai un corps énorme en énormément bonne santé, moi ! Et un cerveau intact qui réclame la preuve que c'est vraiment Bernadette, là ! Je vais ouvrir le placard. Et voici deux bonnes grosses bottes à la forme de son mollet avec encore un peu de boue. Voici la chemise de cow-boy que lui a offert Stéphane, son vieux jean de travail, c'est tout dire sur la couleur ! Voici, se balançant devant mon nez, son sac fourre-tout en corde dans lequel, un jour, elle nous a ramené une araignée de mer dont les pinces étaient prises dans les mailles; on a cru qu'il faudrait couper. Voici, dans ce placard, la vraie Bernadette. La nôtre.

Je plonge la tête dans la chemise, je la respire,

je m'y perds. La nôtre. Pas la paumée, la brisée.
« Pauline ! »

Elle me regarde avec un reste de son ancien air de méfiance.

« Qu'est-ce que tu fous ?

— Je regardais comment tu étais habillée quand... quand c'est arrivé. »

Son visage se crispe un peu.

« Et comment j'étais habillée ? Montre ? »

J'ouvre tout grand. J'énumère allégrement.

« Vieilles bottes ! Jean de travail ! Chemise que Stéphane t'a offerte.

— Ne me parle pas de ce salaud », crache-t-elle.

J'ai bien dit « crache ». Parler avec une telle rancune, une telle colère, c'est cracher.

Elle est retombée sur l'oreiller, les joues encore plus pâles, me semble-t-il, et les paupières non pas closes mais serrées, serrées. Soudain, j'ai mal au cœur ; comme lorsqu'on descend d'un bateau après un voyage de plusieurs jours et que la terre n'est plus la terre mais quelque chose posé sur l'eau et qui bouge. A-t-elle bien dit : « Ce salaud ? » Etait-ce bien de Stéphane qu'elle parlait ?

Je referme le placard et je reviens m'asseoir près d'elle, avec précaution. Elle rouvre les yeux. La haine y est toujours.

« C'est à cause de lui que je suis là !

— Comment ?

— Ses parents... Se débarrasser de moi... Il m'a dit... Il m'a dit... »

Elle ne trouve pas ses mots. Je revois le visage de Stéphane, hier. Tout s'éclaire. Il répétait « c'est de ma faute » à Tavernier. Il ne savait dire que ça, paraît-il ! Il a refusé de coucher dans la chambre de Bernadette. Il a quitté la maison comme un voleur : comme un voleur de sœur.

Mais je ne dois pas poser de questions. Interdit ! Inutile. Fatigant. « Ne pas essayer de l'aider à se souvenir », a dit mon père.

La porte s'ouvre et une infirmière entre. La seule chose que je supporte, dans leur tenue, c'est les bas blancs. On a l'impression qu'elles vont soudain s'élancer, bras écartés, et patiner. Elle me regarde avec un grand sourire.

« Vous êtes laquelle?

— Pauline!

— Vous ne lui ressemblez pas du tout! »

Qu'en sait-elle? J'ai des cheveux, elle pas! Je suis sur mes pieds, en bon état; elle est à sa merci. Et comme Bernadette, à la merci de quelqu'un, cela n'a rien à voir avec Bernadette!

Elle est près du lit.

« Comment allons-nous?

— Ça cogne », se plaint ma sœur.

Et elle lève les yeux pour montrer où ça se passe. Là-haut : au poste de commandement! Là où tout ce que l'on vit, voit, ressent, s'inscrit à jamais, paraît-il. Là où il y a quelques jours était encore inscrit l'amour de Stéphane.

« Nous allons vous donner quelque chose, dit l'infirmière, et après nous dormirons un peu... »

En temps normal, vous l'entendriez, Bernadette, si on lui parlait comme ça. Vous l'entendriez, son rire. Et elle ouvrirait son drap : « Nous allons dormir? Entrez! Entrez... »

Mais elle laisse cette inconnue soulever sa chemise et lui enfoncer dans la fesse son fameux quelque chose.

Après l'avoir recouverte, l'infirmière me fait signe de la suivre. Je vais d'abord vers le lit. Je pose mes lèvres sur une joue. J'embrasse une étrangère. La dernière fois que j'ai embrassé ma sœur, c'était sur le perron de *La Marette*. Le soleil se reflétait dans le capot de la voiture bien briquée de Grosso-modo; nous partions en Californie. Mais quand la voiture s'est éloignée et que Bernadette a disparu dans la maison, je me souviens de cette angoisse soudaine. J'étais tournée vers la fenêtre du salon et je suppliais de la revoir encore une fois. Je savais!

Elle ouvre un œil.

« Amuse-toi bien! C'est les vacances quand même.

— Compte sur moi. »

Dans le couloir, l'infirmière m'attend, son plateau de médicaments à la main.

« La nuit a été mauvaise. Des cauchemars. Ça arrive fréquemment dans ces cas-là. On revit l'accident. »

Elle ajoute : « Le docteur Moreau est encore ici. Vous voulez le voir ? »

Je dis : « Non. J'ai ma mobylette en bas et un rendez-vous urgent.

— Alors parfait ! A bientôt. »

Elle a l'air pressée. C'est le moment de poser la question; comme si cela allait de soi, n'avait pas d'importance.

« Croyez-vous qu'on doive opérer ?

— Nous attendons l'avis du professeur Bernard. Il vient cet après-midi de Paris.

— Merci. »

Merci ! Merci bien ! Marcher calmement; en comptant ses pas, ça aide ! Il ne faut pas qu'elle regrette de m'avoir parlé. Il ne faut pas qu'elle dise à mon père que je sais qu'il faudra opérer Bernadette. Je le sais depuis hier; depuis que Crève-cœur a posé la question. Tout comme j'ai su, dans la voiture de Grosso-modo, que lorsque je reverrais ma sœur, elle ne serait plus la même. Nous attendons l'avis du professeur Bernard, alors ? Et il vient tout exprès de Paris ! Qu'est-ce qu'il fout donc, cet hématome crânien ? Qu'est-ce qu'on va lui faire de beau à cette poche de sang qui empêche ma sœur de parler correctement ? Sally ! Tracy ! C'est mon été ! Pierre ! C'est mon année ! Je jure que dans tous les hôpitaux, dans tous sans exception, il y a une femme à cheveux blancs tout fous, en robe de chambre et gros chaussons, qui longe un couloir sinisre et vous regarde quand vous passez comme si elle attendait l'impossible. Et on peut s'estimer heureux. Il y a pire ! Il y a ne plus attendre l'impossible !

C'est l'escalier de pierre. Mes jambes ne m'appartiennent plus bien. Contrôler la respiration... C'est un conseil de Bernadette. Elle attache à la respiration une énorme importance. Respirer comme si on avait été mis sur terre exclusivement pour ça. Ah ! voici le hall. La réception. « Adressez-vous à la réception... » Enfin la cour, le vent, l'odeur indéfinie d'une campagne qu'on ne voit pas mais que l'on sent tout près comme deux bras ouverts.

Retrouver ma mobylette... Y monter comme si de rien n'était et que le monde continuait à tourner principalement pour mon bonheur. Surtout, ne pas commencer à pleurer!

CHAPITRE XXI

LA RUPTURE

J'AI fait trois postes à essence avant de trouver le bon. Pontoise était très animée. C'était le jour de marché et, en août, ce jour-là, en plus de tous ceux qui viennent des environs, il y a un grand nombre de touristes. Mes parents répètent toujours qu'à l'étranger il faut chercher les marchés parce qu'on s'y approche un peu plus de la vie des gens.

J'ai observé les différences. Il y avait ceux qui étaient là uniquement pour s'approvisionner et se pressaient, et ceux qui se promenaient avec un sourire. J'ai vu aussi un vieux type qui hésitait une heure avant de se décider à ramasser une pêche encore possible qui avait roulé dans le caniveau. Après avoir osé, il a regardé autour de lui d'un air de défi, l'a essuyée au rebord de sa veste et y a croqué un bon coup.

Le poste de Stéphane était à la sortie de la ville, pas loin de l'Oise. Il servait quelqu'un justement. Il portait une combinaison de travail comme les grands couturiers en ont lancé la mode cette année et si j'étais un ouvrier, ça me ferait bien rire. Ou hurler. Mais le plus comique, c'était la casquette. C'était elle qui le consacrait vraiment pompiste.

J'ai laissé ma mobylette à l'entrée de la piste, pas loin de ces buissons qu'ils mettent pour décorer et qui ont l'air nourris à l'essence. Quand le client est parti, je me suis approchée.

C'était la première fois que j'allais me trouver seule avec Stéphane. J'avais l'impression d'aborder un inconnu. Je me sentais intimidée; heureusement, cela n'a pas duré.

Lui aussi a mis un moment à réaliser que c'était moi, et alors il m'a souri d'une telle façon tendre et triste que j'en ai eu la gorge serrée : et dire que j'aurais pu ne pas venir !

« Comment ça va, Pauline ? »

Nous n'étions pas là pour parler du temps et je ne voulaïs pas qu'il imagine que j'étais venue uniquement par amitié, ou par curiosité, aussi j'ai annoncé tout de suite.

« Je viens de l'hôpital. J'ai vu Bernadette. »

Il a dit « ah! ». Serré un peu les lèvres. Puis : « Comment va-t-elle ?

— Elle a passé une mauvaise nuit. Des cauchemars. Il paraît que c'est classique. »

Une Porsche est arrivée avec un espèce de minet qui a demandé le plein de super sans même regarder qui le servait, ne se doutant pas une seconde qu'il s'adressait au fils d'un avocat fameux qui aurait pu être en train de lézarder sur un yacht de toute beauté, un mousse à sa botte, au lieu de remplir son réservoir d'essence. Mais ce garçon aimait ma sœur, alors voilà !

Stéphane a nettoyé le pare-brise, reçu le chèque, demandé la carte d'identité, empoché le pourboire. Puis il m'a dit : « Viens! »

Nous sommes allés dans la maisonnette-réception. Il a tout de suite rangé le chèque dans la caisse qu'il a fermée à clef et pendant qu'il se lavait les mains j'ai appelé *La Marette*.

C'est évidemment Cécile qui a répondu. Elle m'a dit qu'elle restait assise à côté de l'appareil à cause de maman qui dormait comme un plomb dans son transat. Elle avait des tas de choses à me raconter. Je l'ai avertie que je ne serais pas là pour déjeuner. Elle ne m'a posé aucune question sur Bernadette.

Stéphane avait pris deux boissons dans le distributeur et, dans un autre, de ces cakes enveloppés de papier crissant qu'on ne peut ouvrir qu'avec les dents. Nous nous sommes assis de part et d'autre du bureau en fer gris. Lui, de façon à pouvoir surveiller la piste, moi, face à un paysage d'essuie-glaces, de phares, de gadgets et de publicité. Je ne savais comment commencer. J'ai fixé un phare antibrouillard, c'était de circonstance, et je me suis lancée.

« Elle ne veut plus te revoir ! »

Il a posé son cake qu'il venait juste de sortir du papier. Il n'avait pas l'air étonné.

« Qu'est-ce qu'elle t'a dit d'autre ?

— Que ce qui lui est arrivé, c'est de ta faute.

— Et puis ? »

J'ai ri, mais c'était pour atténuer, pas pour me moquer. « Tu ne trouves pas que ça suffit ? »

Il a étendu ses mains devant lui et il les a regardées. Malgré la brosse et le savon, ce n'étaient déjà plus les mains de Stéphane et il ne portait pas sa chevalière.

« C'est peut-être en effet de ma faute. »

Il a levé les yeux et il y avait tant de détresse, un tel appel dans son regard, que cela a été plus fort que moi. Je me suis penchée sur ces mains et je les ai embrassées. Elles sentaient l'essence.

Il les a retirées précipitamment et cachées sous la table. Lui qui baise toutes les mains qui y ont droit, ça devait être la première fois ! Il était écarlate. Moi, cela me brûlait jusqu'aux oreilles.

« Je sais que tu n'y es pour rien ! »

Sur cette phrase profonde que je m'étais efforcée de dire avec la plus grande conviction, une camionnette d'épicerie a bloqué son klaxon sur des airs de soixante-huit et Stéphane a galopé.

J'ai mangé une partie de mon cake. Machinalement ! Je n'ai plus faim depuis l'avion. Dans l'avion, j'ai vidé tous les plateaux qui passaient, plus ceux de maman que je partageais avec Cécile. Nous buvions aussi le vin. Peut-être est-ce pour cela que nous avons beaucoup dormi.

Stéphane est revenu. La cérémonie de l'argent dans la caisse et du nettoyage de mains a recommencé. Puis il s'est assis en face de moi et il m'a tout raconté.

L'affaire avait commencé avec un coup de téléphone de sa mère. Elle venait de rentrer de Saint-Tropez et passait quelques jours à Paris avec son mari. Stéphane lui avait beaucoup manqué là-bas. M. de Saint-Aimond n'est pas facile à vivre; il a un caractère de chien et sa femme aime en parler à Stéphane qui lui prêche la patience, c'est bien lui! Comme elle avait l'air plutôt démoralisée, Stéphane lui avait affirmé que tout s'arrangerait et qu'elle devait cesser de se faire du souci pour Bernadette et pour lui. Bernadette était entrée au salon à ce moment-là. Après qu'il eut raccroché, elle ne fit aucun commentaire. C'est mauvais signe. Je me serais méfiée.

Il est possible que durant le dîner il ait été un peu songeur, distrait. Mais fatigué surtout. Entre ses études de droit et son travail de pompiste, il n'avait pris aucunes vacances! Bernadette avait interprété son silence comme de l'ennui, ou du regret. Et c'était parti!

« Si c'est pour faire cette tête-là, tu n'as qu'à aller la rejoindre, ta maman! »

Stéphane a l'air doux comme ça, mais il sait ce qu'il veut et il est extrêmement susceptible. Il a répondu à ma sœur qu'il était fort bien à *La Marette* mais qu'il aurait souhaité qu'elle montre un peu plus de compréhension en ce qui concernait ses parents. A chaque fois qu'ils en parlaient, elle sortait immédiatement les griffes.

Cela n'a pas manqué ce coup-là non plus. Elle a demandé ce qu'il entendait par « compréhension » et déclaré sans attendre la réponse qu'elle ne changerait jamais de peau pour faire plaisir à des aristocrates bornés. Stéphane a rétorqué que, dans la vie, les choses ne sont pas si tranchées et que, bien qu'elle se complaise à le penser, ses parents étaient plus intelligents que bornés. Mais avant même de les connaître, elle les avait déjà classés. Tout cela parce que, craignant de leur déplaire, elle avait préféré prendre les devants. Inutile de dire que, douée comme elle l'était, elle avait parfaitement réussi.

Il paraît que Bernadette a ri. Je l'entends! Peur de leur déplaire? Mais pourquoi leur plaire, d'abord? « Parce que ce sont mes parents », a rétorqué avec juste raison Stéphane. Et parce qu'il avait espéré, oui, « espéré », que sans l'obliger à renier sa très importante

164

petite personne, il arriverait un jour à la faire accepter par sa famille!

Bernadette est follement orgueilleuse. Finalement, Crève-cœur a raison : elle a des tas de défauts. « Arriver à la faire accepter », ça n'a pas passé. Et quoi encore ? On l'acceptait tout de suite ou pas. Telle quelle ou non. Ça a duré toute la nuit!

« Au fond, dit Stéphane, c'est un vieux problème. A la fois elle ne veut pas me brouiller avec ma famille et elle se refuse à toute concession pour s'en faire accepter! »

Je demande : « Où cela se passait-il?

— En bas! Dans sa chambre.

— Et Antoine?

— On ne l'a même pas entendu rentrer.

— Alors? »

Alors cela commence par des faits précis et finalement pas trop graves que l'on se reproche. Mais si aucun n'accepte de faire la paix on en arrive au douloureux. On en vient à dire à l'autre, « l'autre »... qu'il ne vous a jamais vraiment aimé, ou accepté, ou compris. L'autre répond qu'un tel égoïsme, c'est vraiment rarissime! Saisissant! Et qu'au cas où on l'aurait oublié, il existe aussi, lui! Et que lui aussi peut parfois avoir envie d'être compris et accepté avec ses différences. On lui rétorque alors que les différences sont vraiment trop grandes, des gouffres, deux façons totalement opposées de voir la vie et que dans ce cas, on en convient, c'est sans doute sans espoir.

Elle a dit « sans doute ». Il ne retient que le « sans espoir ». Il saute dessus. Il veut aller jusqu'au bout, au fond. Que voulait-elle dire par son « sans espoir »?

Elle lui disait qu'il était mou, parfumé, petit jeune homme trop bien élevé, petite bête à études de droit qui finirait comme son papa en lisant le journal à l'arrière d'une voiture conduite par un esclave à casquette. Il lui disait que pour le parfum, s'il s'en souvenait bien, c'était elle qui le lui avait offert et qu'il préférait être bien élevé que grossier, têtu et dépourvu d'humour, comme elle qui ressemblait à s'y méprendre au capitaine Hadock, barbe en moins, quand elle fumait son horrible pipe qu'il détestait. Inutile de lui rappeler que c'était lui qui la lui avait offerte; il reconnaissait son erreur.

Hier, dans cette chambre, ils avaient été heureux ensemble. Il riait de la voir faire des ronds de caporal bleu avec sa pipe. Elle respirait son parfum. Il la prenait dans ses bras. Les cloches de Mareuil sonnaient toutes sortes d'heures pour eux. Ils étaient les seigneurs incontestés de *La Marette*.

C'est par désespoir qu'on en rajoute, qu'on devient vraiment méchant. Ils s'étaient dit le pire. Il avait fini par monter dormir sur le canapé du salon. Au matin, elle lui ordonnait d'aller rejoindre ses parents pour leur annoncer de sa part à elle, elle y tenait, l'excellente nouvelle. Eux deux c'était fini, terminé. Ils allaient pouvoir lui faire épouser n'importe quelle évaporée bronzée.

Alors il en avait vraiment eu assez. Il bouclait son sac et avant de passer la grille il se retournait et lui disait un bon, gros et sonore mot de Cambronne.

Pour Stéphane, dire « merde », c'est commer lancer une grenade. C'est vraiment couper les ponts et cela avait dû secouer Bernadette.

Il paraît qu'elle était là, sur le perron, dressée sur ses jambes écartées, le visage mauvais. Mais je suis sûre qu'en elle une voix criait à Stéphane de rester. La preuve, c'est que plus tard elle a mis la chemise cow-boy qu'il lui avait donnée et pas une autre. Mais elle était trop fière et elle s'est tue. Je pense que lui, ses mains ne tremblaient pas seulement de colère sur le volant de sa voiture et qu'il attendait le cri. Mais il était trop fier aussi. Sans doute beaucoup d'histoires d'amour finissent-elles ainsi : par excès de fierté!

En attendant, klaxon! C'est une 2 CV. Stéphane se lève, sert, nettoie, encaisse, dit merci à la dame, se lave les mains, s'assoit et entame son cake.

Cela a l'air d'aller mieux. Il semble même avoir faim maintenant. Après tout, il n'a pas eu droit aux tagliatelles à la Crève-cœur, hier. Il n'a peut-être même pas dîné.

« Il faut que tu viennes ce soir à *La Marette*, dis-je. Tu prendras la chambre de Cécile.

— Non! Pas tant que Bernadette ne m'y aura pas autorisé elle-même. »

Et il ajoute : « Ton père est au courant. C'est pour lui expliquer que je suis venu le chercher. »

C'était ça, son air coupable! Je remarque : « En tout cas, tu n'y es pas retourné, chez tes parents... »

Il a un sourire.

« Je m'étais engagé ici.

— Est-ce que tu l'aimes... malgré tout? »

Je pense au sale caractère de ma sœur mais aussi à sa tête. Hadock sans barbe, soit! Mais Hadock sans barbe et rasé au double zéro.

« Toujours, dit-il simplement.

— Tu es allé la voir?

— Dès que j'ai appris. »

Il a passé une sale journée après la dispute! Mais le soir, il est revenu à *La Marette* avec son sac, décidé à se réconcilier. Bernadette n'était pas encore là. Il a commencé à arroser en l'attendant. « Tu sais, c'est un peu devenu ma maison. Le plus bête, c'est que je pense vraiment que cela pourrait s'arranger avec mes parents. Il y a eu malentendu au départ. Bernadette est arrivée pour le réveillon pipe au bec et en bottes. »

Pour la première fois, je pense que Bernadette a peut-être exagéré pour les Saint-Aimond. Et le yacht? Et le chauffeur? Je dois avouer que cela me décevrait qu'elle les ait inventés!

Stéphane avait à peine ouvert l'eau que Grosso-modo arrivait avec une drôle de tête et lui apprenait ce qui s'était passé. Il courait à l'hôpital. Bernadette dormait.

« Elle avait encore ses cheveux?

— Une grande partie. »

J'avertis : « Eh bien, tu peux t'y préparer : ce n'est plus Hadock, c'est Yul Bruner! »

Il s'est assis près d'elle. Elle a ouvert les yeux et s'est mise à hurler. Comme s'il lui faisait une peur effroyable. On lui a conseillé de ne plus revenir.

« S'il n'y avait pas eu Antoine », soupire-t-il.

Le docteur Delaunay a été parfait. Après avoir pris Bernadette en main, il s'est occupé de Stéphane qui ne valait guère mieux. Il lui a expliqué que c'était une question de choc. Son « merde » avait dû impressionner si fort Bernadette qu'elle l'avait raccordé à sa chute. Et oublié tout ce qui s'était passé entre les deux. Ce sont des phénomènes fréquents en cas d'hématome crânien. A la limite, elle pouvait très bien imaginer que c'était Stéphane qui avait provoqué l'accident.

Il a pris une chambre à Pontoise. La nuit n'a pas été fameuse pour elle et le lendemain ils ont décidé de nous avertir.

La suite, je connais. Par cœur ! Une belle soirée californienne. Une piscine éclairée et des fleurs. Un père, cuisinier d'occasion qui fait rire tout le monde. Une odeur d'agneau grillé aux herbes. Une sonnerie de téléphone...

« Et voilà ! » dit Stéphane.

Et voilà !

CHAPITRE XXII

UNE CARTE POUR SE SOUVENIR

J'ai toujours eu besoin d'une certaine solitude. Toute petite, en Bourgogne, je me souviens d'après-midi entiers dans un coin de jardin, au sommet d'un arbre ou au bord du canal où glissaient encore des péniches et dans lequel, une nuit, un oncle de grand-mère, ayant pris l'eau que faisait briller la lune pour la route toute neuve, avait trouvé la mort au volant de sa belle voiture.

« Que faisais-tu » ? demandait grand-mère lorsque je réapparaissais avant le repas, à l'heure où les enfants, mains lavées, rejoignaient les adultes au salon. Et j'étais honteuse de répondre « rien » parce que je voyais bien que ça l'inquiétait.

« Pauline rêve trop », faisait-elle remarquer à maman. « Il faudrait l'occuper davantage ! » Mais pourquoi ? Sa solitude et son rêve, ne les avait-elle pas elle aussi, chaque matin, lorsqu'elle allait garnir de fleurs fraîches le pied d'un Sacré-Cœur au fond du jardin, pour le remercier d'avoir tiré un cousin d'une mauvaise maladie ?

Ce que je cherche, c'est le moment où l'on sent que vous rejoint sans hâte, apprivoisé, comme un autre soi-même avec lequel on est d'accord et bien. En quelque sorte, ce moment où l'on peut enfin se poser dans son ombre. Et d'ailleurs, ne dit-on pas « se rassembler », se « retrouver », tous ces mots que j'adore parce que c'est un peu comme se prendre dans ses propres bras. « On n'adore que Dieu », disait grand-mère, sourcils froncés.

J'ai fait un détour avant de rentrer à *La Marette*. J'ai pris le chemin que nous appelons le « chemin des branches » parce que les arbres s'y penchent et vous effleurent quand vous passez ce qui, à mobylette, fait toujours battre un peu le cœur. Ce chemin conduit à une maison dont les propriétaires ne sont pas là l'été. Les volets étaient clos; il y avait une chaîne au portail; la maison semblait repousser le soleil qui écrasait les pauvres massifs déjà saturés.

J'ai escaladé le portail et je suis venue m'asseoir contre le mur de pierres chaudes, dos aux pièces vides, en attente de joie, de gaieté j'espère.

J'ai remarqué que lorsqu'on regarde longtemps et vraiment sérieusement une nature intacte, je ne veux pas dire nécessairement sans laideur, mais avec ses couleurs innombrables qui tremblent devant les yeux, bientôt quelque chose vous saisit, vous soulève et les ennuis d'en bas deviennent sans importance.

C'était sans doute ce moment que j'étais venue chercher mais le visage de Bernadette était partout. Il faisait écran entre le paysage et moi. Il me barrait le chemin de la paix. J'avais l'impression qu'elle m'ordonnait de ne pas l'abandonner, et même d'agir pour elle.

Le soleil frappait fort, semblant, à travers moi, vouloir forcer la maison. J'ai relevé ma jupe, pas trop parce que ce n'était vraiment pas le moment d'avoir, en plus, envie de faire l'amour. Mais il a suffi que j'y pense et c'est tout de suite devenu très difficile et je me suis relevée tant que j'en étais encore capable, les tempes brûlantes et le cœur battant, tout emmêlée de sentiments. C'était raté! J'étais encore bien plus mal dans ma peau qu'avant.

J'ai réenfourché ma mobylette et roulé à toute allure vers *La Marette*.

La grille du jardin est encadrée de deux hauts pitons de pierre qui se terminent en pomme de pin. Cécile était juchée sur l'une d'elles, guettant mon arrivée et dès qu'elle m'a vue au bout du chemin, elle a dégringolé si vite qu'elle m'a fait peur.

Son heure pour voir Bernadette avait été reculée à cause d'une visite d'un docteur : le professeur Bernard!

C'était bon signe, ça, n'est-ce pas ? Bernard et Bernadette !

Je ne lui ai rien dit pour l'opération mais j'ai
annoncé que Bernadette avait une tête impossible et
déraillait pas mal afin qu'elle soit plutôt surprise en
bien. Oui, cela m'avait fait un coup mais il fallait se dire
que c'était classique dans les chocs crâniens, voilà que
je parlais comme papa. Mais c'était inutile ! J'avais l'impression qu'elle m'écoutait à peine. Ou qu'elle ne voulait pas m'écouter.

« Je suis allée voir Crève-cœur, a-t-elle annoncé. Je
voulais savoir à quel point Bernadette s'était cassé la
figure.

— Et alors ?

Un chemin qui tournait court. Une grosse branche
qui le barrait, paraît-il. A gauche un petit bois, à droite
un champ pierreux.

« Il m'a dit qu'elle était arrivée comme si elle voulait
tout casser et que Prince était rentré trempé. Qu'elle
avait dû le faire courir à mort... Il a dû se passer quelque chose ! »

Je n'ai rien raconté pour Stéphane et nous sommes
allées à la cuisine parce qu'avec ce soleil, ce mur
brûlant, ma course, je mourais de soif. Là, elle m'a
montré la carte postale.

C'était la carte géante que nous avions envoyée à Bernadette du quartier chinois, à San Francisco. Elle était
seulement arrivée ce matin.

Quand j'ai vu toutes nos signatures, là, pour rien,
moi qui étais parvenue à m'empêcher de pleurer jusque-là, j'ai eu tout de suite les larmes aux yeux. C'est
parce que, lorsque nous avions écrit cette carte, nous
étions si heureux, si loin de ce qui nous attendait; innocents, en quelque sorte, d'une injustice.

« Cela m'a fait un sale coup à moi aussi, m'a dit
Cécile, consolante. Comme quelque chose de mort. »

En la voyant, elle avait eu envie, tellement envie de se
retrouver là-bas, avant. Comme c'était bien, vraiment,
quand on entrait tout habillé dans le Pacifique. Vous
avancez et il vous faut un moment avant de sentir l'eau.
On dirait que vous n'osez pas. Elle vous prend par sur-

prise à travers le vêtement et vous éprouvez alors quelque chose d'immense, de défendu, de volé, comment expliquer ? Et même un jour, elle avait fait une chose épouvantable et merveilleuse que je ne devais jusqu'à ma mort jamais raconter à personne. Elle était en bermuda dans l'eau jusqu'à la taille... Je devinais, n'est-ce pas ? Comme ça, en marchant, avec Gary...

« Tu ne peux pas savoir... m'a-t-elle dit gravement. Tu ne pourras jamais savoir. »

Si ! J'imaginais. Nous avons pris de la limonade fraîche dans le réfrigérateur et ouvert une bière pour nous faire deux demi-panachés, tant pis !

« En tout cas, a-t-elle fait remarquer, le Capitaine se porte bien !

— Le Capitaine ? »

Elle m'a regardé avec reproche.

« Tu devines bien, voyons ! »

J'ignorais qu'elle avait appelé comme ça son serpent. On n'en a pas un automatiquement à l'esprit et pourquoi : « Le Capitaine » ? Ce n'est que plus tard que j'ai appris, en même temps que toute la famille, que c'était là un hommage qu'elle avait rendu à Fouroux, son joueur de rugby favori.

En attendant, elle s'exerçait à le prendre autour de son cou mais il était un peu court et son contact la faisait frissonner.

Claire est passée, interrompant cette passionnante conversation, et j'ai rejoint maman dans le jardin.

Elle faisait semblant de lire derrière ses lunettes de soleil mais tout le monde sait que maman n'a jamais su lire une ligne avec des verres teintés.

Je me suis assise près d'elle et je lui ai raconté ma visite à Bernadette. J'aurais voulu lui dire cette peine que j'avais éprouvée mais elle me regardait avec tant d'anxiété que j'ai embrayé sur Stéphane.

Voilà donc que je la protégeais ! Et protéger ma mère, moi, cela ne me plaisait pas du tout. C'était encore à elle, bon sang ! Je me suis souvenue de ce que nous avait dit le professeur de français : un jour, les rôles se renversent et l'accepter c'est devenir adulte. Il arrive qu'on ne le devienne jamais. Elle avait connu ainsi un

172

bébé de quatre-vingts ans, ce qui n'était pas un spectacle réjouissant du tout.

J'étais donc assise près de ma mère, une fois de plus, mais cette fois je la protégeais. Sur l'herbe, la couverture étalée, c'était signe que Claire avait pris son bain de soleil malgré tout. Je me suis aperçue que je tenais toujours à la main la carte de San Francisco.

« Montre », a demandé maman.

Elle l'a prise. Au fond, on voit le Golden Gate. Vous avez aussi un gratte-ciel parmi les très beaux, auquel une minuscule maison ancienne semble s'appuyer. Le ciel n'est pas d'un bleu tout à fait franc. On y sent un brouillard possible. Tout y est.

Maman l'a regardée et il y a eu dans son regard un soupçon de lumière de là-bas.

« Tu te rappelles ?

— Ce tas de crabes !

— Et le *Drive-in Café* !

— Et quand Cécile est entrée dans la boutique porno, la tête des types ! »

Et comme nous étions heureux sans le savoir !

« On la lui garde ? » a demandé maman.

Alors je l'ai prise et je l'ai déchirée. Et tant mieux si ce n'était pas un geste d'adulte. Elle n'avait plus de sens, cette carte ! Avec Cécile qui recommandait : « Cavale bien ! » Et maman : « C'est un merveilleux voyage ! » Et moi : « Tu nous manques ! » La seule chose bonne à garder aurait été le T de Tracy attaché au E de mon prénom.

J'ai demandé : « On va l'opérer, n'est-ce pas ? C'est sûr maintenant ! »

Maman a à peine hésité.

« C'est probable. La décision doit être prise aujourd'hui.

— Le professeur Bernard ?

— C'est cela. »

Et elle a ajouté : « C'est une opération classique. On vide simplement la poche de sang qui s'est formée sous la peau. »

Simplement !

« Et après ?

— Il paraît que le mieux est très vite sensible !

— Elle récupérera complètement ?

Maman a posé la main sur ma tête.

« Nous l'y aiderons tous. Je compte beaucoup sur toi. Vous vous entendez si bien. »

Je n'ai pas pu répondre. Maman m'a tendu son mouchoir sans parler. J'étais tournée vers le bassin qui, entre parenthèses, aurait un sacré besoin d'être passé à l'eau de javel. A force de vase on y élèvera bientôt des grenouilles. Avis aux amateurs.

Un peu plus tard : le soleil était en haut de la colline où se trouve une rangée de pins qui me font penser à la montagne, j'ai raconté ma visite à Stéphane.

Elle était au courant de la dispute. Papa n'a pas de secrets pour maman qui n'en a aucun pour lui. Ajoutez à cela qu'ils ont presque tous les mêmes goûts ! C'est sans issue.

« Admettons que tout se passe au mieux, ai-je dit, qu'elle redevienne exactement comme avant, son problème avec Stéphane ne sera pas réglé pour autant.

— Chaque chose en son temps, a dit maman. Laisse-la guérir. »

J'ai revu Stéphane, son visage si triste. Chaque chose en son temps ? J'ai été heureuse d'avoir embrassé ses mains. Comme il les avait vite retirées !

J'ai dit à maman : « Repose-toi » Elle a mis ses lunettes de soleil et ouvert son livre à l'envers.

Je suis revenue doucement vers la maison. Ainsi, il faudrait aider Bernadette ! Mais Bernadette, cette chute, Stéphane, sa guérison, c'était une même histoire urgente et je me sentais à la fois lourde et emplie de hâte.

Je savais que pour une fois, moi, j'allais agir !

CHAPITRE XXIII

UN HÔTEL PARTICULIER À NEUILLY

JE suis partie tôt le matin sans avertir personne. J'avais mis la robe achetée pour San Francisco et, en mobylette, avec seulement un cardigan, il ne faisait pas chaud du tout.

J'ai retrouvé mon R.E.R. Il m'a semblé que, lui aussi, avait un air de vacances; moins de voyageurs et un certain nombre d'entre eux bronzés et le visage plus détendu.

Lorsqu'on prend le métro tous les jours, deux fois par jour, on finit par s'y sentir chez soi. L'odeur vous en devient familière; on y a ses habitudes, ses visages. Sauf durant les heures de pointe, je ne déteste pas et ce matin, sans cartable ni leçon à réviser, sans la gorge serrée d'avant les interrogations, je m'y sentais comme en sécurité.

Les affiches de publicité avaient toutes été changées. Elles me tiendraient compagnie à la rentrée du lycée. Je ne pouvais m'empêcher de chercher, dans le regard de ceux qui posaient, un encouragement, une complicité, enfin quelque chose. Il me semble que si je devais avoir mon visage sur les murs du métro, je tenterais de faire passer un message important. De plus en plus souvent, je me sens emplie de ces messages, mais j'ai du mal à les déchiffrer.

J'ai changé deux fois et je suis arrivée à « Sablons ». Je connais très mal Neuilly. Cela m'a paru vert, avec un air léger de ne pas s'en faire. Il était à peu près neuf heures, les rues étaient presque vides et la plupart des appartements avaient leurs volets fermés.

L'avenue se trouvait au bord du Bois de Boulogne. Je l'avais repérée sur un plan. Elle était spacieuse, bordée d'hôtels particuliers dont on sentait la masse mystérieuse derrière les grilles.

Un peu avant d'arriver au mien, j'ai profité de la vitre d'une voiture pour me recoiffer. Je me sentais calme; pourtant, je n'avais presque pas dormi cette nuit. La nuit, on s'exagère tout!

Sur la grille, il y avait un écriteau : « Attention à la peinture. » Elle était d'un très joli vert profond, presque noir. J'y ai appuyé le doigt et mon empreinte s'y est inscrite. Elle y restera toujours. Voilà!

Il y avait seulement le numéro sur la porte, pas de nom, rien. J'ai sonné en tirant sur une poignée de cuivre et il m'a semblé déclencher un bruit formidable. Tout à coup, j'avais peur qu'ils ne soient pas là. Stéphane avait dit : « Rentrés pour quelques jours! » Et s'ils étaient déjà repartis?

Il y a eu un bruit de gravier comme chez nous et la porte s'est ouverte. Un vieux monsieur souriant, en grand tablier bleu, me regardait comme si je m'étais trompée d'adresse. Je suppose que c'était le jardinier; d'ailleurs, il portait une grosse paire de gants.

« Mademoiselle?

— Je voudrais voir M. ou Mme de Saint-Aimond?

— Monsieur est absent, mais Madame est là. Vous allez jusqu'à la maison et vous sonnez une nouvelle fois. »

Son visage était complètement cuit par le soleil, très ridé mais transformé par des yeux heureux. Je lui ai souri. J'avais envie de rester avec lui, de lui raconter notre jardin à nous, de m'en faire un allié, mais il m'a montré la maison et il s'est éloigné. Alors seulement je me suis rendu compte combien cela sentait bon l'herbe coupée.

Presque tout le jardin était en gazon et la tondeuse avait déjà tracé une longue bande bien régulière. Au centre, il y avait un massif arrondi fait d'un mélange de fleurs. Exactement le genre de plantations que voudrait réussir papa : un massif qui se renouvelle toute l'année mais il commence à reconnaître qu'il y faudrait un spécialiste. Au bout de la pelouse, au pied d'un saule, il y avait une table blanche entourée de fauteuils recouverts de coussins de couleur.

J'ai suivi l'allée de gravier et je montais les marches du perron lorsque la porte de la maison s'est ouverte et une femme est apparue.

Cela ne pouvait être Mme de Saint-Aimond. Elle avait une cinquantaine d'années et portait une blouse comme maman en met pour les gros travaux. Elle n'avait pas l'air aimable et ne se gênait nullement pour m'examiner de la tête aux pieds comme si j'étais venue quêter; et après tout, c'était un peu ce que j'avais l'intention de faire.

« Je voudrais voir Mme de Saint-Aimond.

— De la part de qui ?

— Pauline Moreau. »

Il m'a semblé que le nom : Moreau, lui disait quelque chose.

« Avez-vous téléphoné ?

— Non.

— Je ne sais pas si Madame pourra vous recevoir à cette heure-ci. Entrez et attendez. »

Je suis entrée et elle s'est engagée dans l'escalier. C'était un large escalier de pierre qui montait en pente douce et en tournant. Je me trouvais dans un hall sensationnel, les pieds sur de grands carreaux de marbre veiné de beige. Chez nous, quand vous entrez, c'est l'odeur du bois et, il faut bien le dire, du vieux qui vous accueille : on peut appeler ça l'odeur du passé, si on préfère. Ici, cela sentait le neuf, le beau, l'espace. Il y avait très peu de meubles : une console avec un téléphone blanc, une autre où était posé un bouquet formidable de grandes marguerites jaunes. Aux murs étaient suspendus des portraits d'aïeux dans des cadres dorés comme chez grand-mère.

J'ai fait quelques pas par-ci, par-là. Les aïeux m'ont suivi des yeux. Il paraît que c'est le signe d'une peinture de qualité. Où que vous vous placiez, même sous le piano, leur regard est posé sur vous.

J'imaginais Stéphane montant et descendant cet escalier; cela lui allait comme un gant. Il devait trouver cela plutôt minable, *La Marette!* Je ne sais pas comment j'avais fait mon compte mais j'avais laissé un peu de boue sur le carrelage. J'oublie toujours de m'essuyer les pieds avant d'entrer dans la maison. J'essayais de pousser la boue sous une console quand la femme en blouse est réapparue en haut de l'escalier.

« Vous pouvez monter, mademoiselle. »

C'est à ce moment que j'ai remarqué, près du bouquet de marguerites, le portrait du père de Stéphane.

Ce ne pouvait être que lui! il était en habit avec une sorte de large ruban qui lui barrait la poitrine. Il m'a paru très grand, très brun. Stéphane ne lui ressemblait pas du tout.

J'ai rejoint la femme en haut. Les marches étaient crème plutôt que blanches, et arrondies. Elles devaient être lavées chaque jour. Je m'étonnais de ne pas avoir peur. Ce que je ressentais, c'était la surprise de me trouver là. Je me disais : « Que d'endroits on pourrait connaître si on osait » et je pensais aux millions de gens qui ne monteraient jamais ce bel escalier. Mais je me suis reprise; nous n'étions quand même pas à Versailles!

La femme a frappé à une porte. Une voix a dit : « Entrez », alors elle s'est effacée et nous a laissées.

Toute la nuit, j'avais imaginé ce moment. Je l'avais vécu. Mais c'était dans le salon que cela se passait. Comme à l'instant, quelqu'un m'y introduisait et refermait sans bruit la porte derrière moi. Dans mon rêve, ils étaient tous les deux là. Lui ressemblait au portrait que je venais de voir, moins le ruban. Elle, portait des bijoux et avait l'air dédaigneux. Je les regardais sans ciller, du pas de la porte, et je disais simplement : « Ma sœur est très malade. » Ils se consultaient du regard, déjà légèrement ébranlés par le ton de ma voix, la dignité de mon attitude. J'ajoutais fermement : « A cause de vous! » Ils me pressaient de m'expliquer; ce que je faisais de façon brève mais éblouissante. Ils comprenaient qu'ils avaient affaire à une famille très bien et s'étaient trompés sur toute la ligne. M. de Saint-Aimond prononçait alors ces mots : « Que pouvons-nous faire mademoiselle? »

M. de Saint-Aimond n'était donc pas là. Sa femme m'a paru très belle. Stéphane lui ressemblait. Il avait ses cheveux blonds et son air transparent et fragile. Elle était assise à une table ronde devant un plateau de petit déjeuner. J'ai remarqué tout de suite la haute cafetière en argent où le soleil se reflétait, comme un signe. La fenêtre était grande ouverte et on entendait le bruit d'un râteau sur le gravier. J'aurais adoré avoir une chambre comme celle-là et entendre le matin quelqu'un préparer les allées pour moi. La princesse n'en parlons pas ! Elle en serait morte d'envie.

Mme de Saint-Aimond m'a tendu la main et, comme la manche de son déshabillé se répandait sur son épaule, j'ai senti son parfum. Je suis venue serrer cette main, fort mais sans la secouer comme si on voulait la décrocher ainsi que maman nous l'a appris et en la regardant droit dans les yeux. Elle ne m'a pas souri. Moi si !

« Vous êtes la sœur de Bernadette ?

— Oui. »

Elle m'a désigné le siège, de l'autre côté de la table ; peut-être celui où s'asseyait son mari pour déjeuner avec elle. J'y ai pris place. Elle m'a montré la cafetière.

« Voulez-vous une tasse de café ?

— Non merci.

— Un croissant alors ? »

J'ai accepté. Je ne pouvais pas tout refuser. Elle a soulevé la serviette blanche sur la corbeille argentée et plusieurs croissants au beurre sont apparus. Celui que j'ai pris était chaud. Je pensais à nos petits déjeuners dans la cuisine. Cette foire ! C'était autre chose ici, mais c'était bien quand même.

Elle me regardait sans rien dire et j'ai réalisé qu'en un sens, avec ma robe bien sage, mes sandalettes, j'étais venue trahir Bernadette. Je m'étais même lavé les cheveux exprès hier soir. Ils étaient humides dans mon lit et c'était l'une des choses qui m'avaient empêchée de dormir, me rappelant la décision que j'avais prise.

Elle a demandé : « Que se passe-t-il ? Vous vouliez me parler ? »

Alors je me suis lancée.

J'ai dit que Bernadette, j'étais d'accord, était l'orgueil même et qu'elle vous ferait plier un mur à force d'entêtement. On ne l'avait jamais vu céder sur quoi que ce soit si elle pensait avoir raison ce qui était souvent le cas. Mais de nous quatre, mon père le disait lui-même, c'était la meilleure affaire, la plus sûre, la plus solide, courageuse, énergique, intègre et profondément bonne sous ses dehors capitaine Hadock.

J'ai raconté comment elle était allée, l'hiver dernier, récupérer Claire qui avait voulu vivre sa vie et nous l'avait ramenée, évitant le pire. J'avais commencé hésitant, les mots me venaient maintenant sans effort. Et la façon dont elle avait jeté un jour à la porte un ivrogne deux fois grand comme elle qui s'était introduit dans la maison et voulait faire valser maman. Et chez grand-mère, pour le nid de frelons...

J'avais remarqué un crucifix au-dessus du lit, avec une branche de buis bénit, et cela m'encourageait car c'était comme chez grand-mère, en Bourgogne. Elle savait écouter, aussi! Quand j'hésitais au bord d'une phrase, elle avait un air interrogateur, un « oui » qui me relançait. Comme maman un peu. Moins le déshabillé et la cafetière en argent.

Je lui ai dit que je connaissais ma sœur. Avec elle, il y a toujours un moyen d'arranger les choses. Elle vous sort les pires avanies mais il suffit que vous lui tendiez la main et tout est effacé. Et il ne fallait pas oublier qu'elle aimait Stéphane et que Stéphane l'aimait. Mais elle ne ferait jamais le premier pas.

J'avais pensé que je parlerais tout de suite de l'accident. J'étais même venue pour ça. Mais je n'en avais plus envie maintenant. J'avais envie de parler de Bernadette « avant ». Cela me faisait du bien. Elle revivait tout à coup. Elle ne pouvait plus ne pas revivre! Je comprenais maintenant pourquoi Cécile en parlait à tout Mareuil comme si elle allait rentrer le soir même et regaloper; prenant presque des rendez-vous pour elle. Je n'avais même pas envie de parler de la dispute avec Stéphane. Cela faisait partie de l'accident.

Quand j'ai eu fini, elle s'est mise à parler avec douceur, mais fermement, comme si elle avait déjà réfléchi à tout ce qu'elle disait.

Elle n'avait jamais été contre Bernadette. Elle pensait que Stéphane était libre de choisir ses amies et qu'il en avait l'âge. Elle se fiait d'ailleurs à ses goûts. Mais Bernadette était venue au réveillon où il la leur avait présentée, pipe au bec et en bottes de cheval, alors que « tenue de soirée » était indiqué sur l'invitation.

Tandis qu'elle parlait je fixais ses mains. Elles étaient belles, blanches et longues comme une preuve d'intelligence.

« Elle a été grossière, a-t-elle dit sans colère, mais froidement. Nous nous sommes demandé pourquoi elle avait accepté de venir ! »

Je connais ma sœur et Stéphane a raison. Bernadette avait dû penser que de toute façon elle ne serait pas à la hauteur. A la hauteur de l'élégance des invités, avec sa jupe cousue par elle et ses chaussures de l'an dernier; à la hauteur du fric, du nom, des études, des sports. Alors elle avait accentué son personnage. Elle en avait remis. Mais tout cela je ne l'ai pas dit pour ne pas la trahir davantage.

Le lendemain, M. de Saint-Aimond — quel nom ! — avait déclaré à Stéphane qu'il pouvait voir Bernadette s'il le désirait mais plus jamais dans sa maison. Stéphane avait pris la défense de ma sœur et pour la première fois ils s'étaient heurtés, Stéphane reprochant à son père de juger trop superficiellement. Le ton avait monté et, pour finir, il paraît que Stéphane avait annoncé son intention d'épouser ma sœur.

Quand elle a dit cela, j'ai tressailli de fierté et de joie.

M. de Saint-Aimond n'est pas habitué, paraît-il, à ce qu'on lui résiste. Le fait que Stéphane se dresse contre lui à cause de Bernadette l'a confirmé dans ce qu'il pensait : très mauvaise fréquentation ! Ils n'en ont pas reparlé mais quand il a appris que Stéphane ne passerait pas ses vacances, comme chaque été, avec eux, cela a explosé. Ils aiment beaucoup partir tous les deux sur leur bateau. Avec cette vie de fou qu'il mène, paraît-il, le seul moment de l'année où ils se voient réellement, c'est sur la mer. Entre parenthèses, c'est bien la peine d'avoir un fils ! Il avait été tellement désolé qu'il l'avait mis à la porte.

Mme de Saint-Aimond s'est interrompue. Elle avait l'air triste elle aussi. Ses yeux m'ont semblé d'un bleu plus profond comme elle se tournait vers un portrait, près du grand lit défait.

« J'ai passé un très mauvais mois de juillet », a-t-elle dit.

Si maman avait été là, je suis sûre qu'elle aurait trouvé moyen de lui remonter le moral. J'ai regardé à mon tour le portrait et j'ai reconnu son mari. Il était en tenue de tennis cette fois, une raquette à la main, souriant mais toujours l'air important.

« Vous dites que votre sœur ne fera pas le premier pas ? Attendez-vous que mon mari le fasse ? »

Non ! Je ne l'attendais pas. C'était fichu. Et je n'étais même pas en colère. J'étais seulement triste. J'aurais voulu pouvoir crier comme Bernadette que ce n'étaient que des aristocrates bornés. C'était certainement des aristocrates, mais bornés, je n'étais plus si sûre. Bernadette l'est tout autant dans son genre. Ils étaient simplement trop différents de nous, trop loin, trop tout.

On a frappé. La porte s'est ouverte aussitôt et un autre Stéphane est entré, plus jeune, plus beau peut-être parce que très bronzé. Il s'est arrêté en me voyant.

« C'est Eric », m'a dit Mme de Saint-Aimond.

Et à lui : « La sœur de Bernadette Moreau. »

Le « Moreau » m'a glacée. Il nous tenait à distance. Le garçon m'a serré la main avec un grand sourire puis il a embrassé sa mère, pris un croissant dans la corbeille d'argent et dit : « Je vous laisse ! » Légèrement, gaiement ; et il est sorti.

Alors seulement, à cause de cette gaieté, de toute cette insouciance qui soudain a fait déborder quelque chose en moi, j'ai dit que ma sœur avait eu un terrible accident. Cela s'était produit à la suite de son coup de téléphone. Parce qu'elle avait voulu leur rendre Stéphane qui était malheureux sans eux mais ne voulait pas non plus la quitter. Et Bernadette connaît l'importance de la famille même si parfois c'est vraiment dur à supporter.

182

J'ai bien senti qu'elle le prenait pour elle mais tant pis. C'est pour toutes les familles d'ailleurs! Moches, bien ou exemplaires. Ça lie, ça tire, ça donne aussi son avis, ça croit pouvoir vivre pour vous. J'ai dit qu'après avoir rompu à cause d'eux, elle était partie au galop sur Prince et s'était fendu le crâne près du petit bois. Et maintenant elle déraille! Même mon père est inquiet sous ses airs de ne pas s'en faire. Il ne change plus de chaussures en rentrant ce qui est un signe. Il va directement à son fauteuil, à nous, à maman surtout et il commence à sourire faux, à parler faux, de ce qui n'intéresse personne. Et son Stéphane ne valait pas mieux d'ailleurs parce que lui, en plus, il se sentait responsable. Il ne voulait plus coucher à la maison. Il dormait dans sa station d'essence, derrière les accessoires, les bidons d'huile, sur un lit de camp, sans douche ni rien, tout habillé, le désastre complet sur tous les fronts, si j'ai exagéré, tant mieux!

Elle avait changé de visage. Elle m'écoutait, très grave, penchée vers moi comme si je lui racontais une histoire différente. Elle a même tendu la main.

Mais je n'étais pas du tout disposée à me laisser attendrir. Et pourquoi pas chialer devant elle et la laisser essuyer mes larmes? Alors, quand j'ai eu terminé mon couplet, je me suis tout de suite levée, j'ai dit au revoir très poliment et j'ai quitté la pièce.

Elle n'a pas cherché à me retenir. Elle ne m'a pas rappelée et elle a bien fait parce que c'était quand même à cause d'eux ce qui s'était passé. A cause de cette maison, de cette cafetière en argent, ce jardinier qu'on entendait siffler en égalisant le gravier pour les pieds de Madame comme s'il était au paradis. A cause de leur nom à tiroir, de tout ce qui avait fait craindre à la meilleure d'entre nous de n'être pas à la hauteur. A la hauteur de quoi, je vous le demande?

J'ai descendu l'escalier sans pouvoir respirer convenablement. Si je croisais Eric, ce serait le bouquet!

Dans le hall, je me suis arrêtée devant le portrait de M. de Saint-Aimond. Je l'ai regardé en face, lui aussi. La femme à la blouse a surgi. Elle doit écouter aux portes celle-là! A moins qu'on la sonne! Elle ne me faisait plus peur. Et puisque je ne reviendrais jamais ici, autant savoir.

J'ai montré l'écharpe qui barrait la poitrine du type et j'ai demandé : « Qu'est-ce que c'est que ça ? »

Elle m'a dit : « Monsieur est grand commandeur de la Légion d'honneur ! »

Cela a été le bouquet final ! Je me suis sentie vraiment écrasée. Qu'est-ce qu'on pouvait attendre, nous, à *La Mārette*, d'un commandeur ? Je crois que je l'associais un peu à celui de Don Juan qui m'a toujours fait une peur atroce quand il sort de son tombeau pour envoyer son ennemi dans le sien.

J'ai repris l'allée bien ratissée entre les pelouses fraîchement tondues. Beaucoup mieux organisé qu'à la maison, le jardin ! Bourré de pois de senteurs qui ont des couleurs si délicates qu'ils font voler le regard.

Le jardinier était loin et me tournait le dos. Il devait être sourd comme tous les vieux jardiniers, tant pis !

C'est seulement dans le métro que je me suis rendu compte que, finalement, je n'avais pas mangé le croissant et qu'il formait une bouillie beurrée dans la poche de mon cardigan neuf.

CHAPITRE XXIV

LA TANTE ÉCOLOGIQUE

NICOLE, la sœur aînée de maman, qu'on appelle la
« tante écologique » pour la faire enrager mais c'est
vrai, a débarqué sans crier gare à midi. C'est grand-
mère qui nous l'envoie. Grand-mère aurait aimé venir
en personne mais on le lui a interdit. Elle a tenu à nous
le dire dans une lettre coléreuse dont les dernières
lignes étaient illisibles comme toujours parce que, par
économie de papier, quand elle a terminé sa page, elle
la retourne dans l'autre sens et écrit en travers. Mais de
toute façon, on sait ! Ses fins, c'est toujours : « Je vous
aime, je pense à vous, je prie pour vous. » Je voudrais
barrer les jamais, mais les toujours... les toujours...

A côté de la date, en haut et à droite, la petite croix
habituelle était là et elle signait de ses deux prénoms :
Charlotte, Marie. Quand grand-mère est née, on l'a
vouée à la Sainte Vierge. Jusqu'à cinq ans, elle n'a porté
que du bleu et du blanc et, au cou, une médaille pour
qu'on reconnaisse, en elle, une enfant de Marie.

On peut rire si l'on veut mais après avoir lu la lettre,
maman avait le sourire.

Elle a décidé de loger Nicole chez Cécile et Nicole a
tenu à monter tout de suite sa valise. Elle l'a attrapée
au corps parce qu'elle seule connaît les faiblesses de ses
serrures et s'est élancée dans l'escalier. Cécile était là-
haut avec le Capitaine peut-être en liberté. J'étais terri-
fiée. Personne ne s'attend à trouver un serpent californien au second étage d'une maison dans le Val d'Oise et
cela risquait de lui porter un coup terrible. Je parlais

fort pour avertir Cécile et quand nous sommes rentrées tout paraissait normal sauf, sur le lit, un tas inquiétant de vêtements sur lequel elle était à demi-étendue : « vautrée... » a observé maman, mécontente.

Cécile a promis de tout ranger immédiatement. D'ailleurs, ne devait-elle pas déménager dans mon grenier ? Et j'ai seulement réalisé, avec un frisson, qu'elle ne comptait sûrement pas venir seule !

Nicole a quarante-six ans. Elle ne s'est jamais mariée par fidélité à un jeune homme de vingt ans, mort alors qu'il en avait dix-neuf. C'est elle, la tante qui fait froncer le sourcil à papa et dire que nous avons de qui tenir quand nous lui en faisons trop voir, surtout Cécile.

Ce qui frappe en elle, c'est son amour de la vie. Rien ne l'en a jamais découragée. Quand une journée agréable l'attend, elle fait sonner son réveil à cinq heures et reste couchée, les yeux ouverts sur les moments à venir, les savourant d'avance. Elle est toute ronde et ravie de l'être puisqu'elle ne tient plus, dit-elle, à séduire personne et qu'elle est opposée au nudisme étant de tout son cœur pour le mystère : ce qu'elle choisit toujours au restaurant, comme dessert, mais est à chaque fois déçue car c'est toujours la même glace à la vanille enrobée de meringue.

A propos de restaurant, Charles dit que sa gourmandise tient de la boulimie. Un jour, ils l'ont emmenée, maman et lui, au Carrefour des Mers, un très bon restaurant de Pontoise. Elle a hésité une heure entre la soupe de poisson du pêcheur et les praires farcies maison. Elle a finalement opté pour les praires, dévoré tout le menu plus le fromage de papa et la tarte aux pommes de maman qui n'en pouvait plus. Après le café, elle est devenue toute rose de timidité et elle a demandé aux parents l'autorisation de faire une folie.

Papa était épouvanté mais maman s'est empressée de dire oui. Alors Nicole a appelé le maître d'hôtel très stylé et elle a commandé une soupe de poisson du pêcheur. Il paraît qu'elle est allée jusqu'au fond de la soupière, croûtons aillés et tout.

Nous déjeunons dans le jardin. Un vrai déjeuner en l'honneur de notre hôte alors que depuis le retour d'Amérique chacun y va au petit bonheur dans le réfrigérateur et pique-nique sur ses genoux.

Papa est là. Hier soir, il nous a annoncé que Bernadette serait opérée lundi à Paris : par le professeur Bernard ! On l'y transportera dimanche, en ambulance. Cécile n'a pratiquement pas desserré les dents depuis la nouvelle, mais ce matin elle est allée chercher Germain et l'a attaché au fond du jardin, pas loin du saule dont il semble se régaler. Même papa n'ose rien dire. Claire est calme. On dirait « absente ». Mais absente autrement. Pas comme elle l'est d'habitude. Avec quelqu'un ! Bernadette ?

Hier soir, elle a été la dernière à passer. Quand papa a voulu la ramener, stupéfaction ! Elle avait fait dresser un lit de camp dans la chambre. Elle a déclaré qu'elle veillerait sa sœur au cas où le cauchemar reviendrait. Charles l'a laissée. En rentrant, il nous a annoncé la nouvelle avec une certaine fierté. Je me souviens de cette nuit que j'ai passée, dans son lit, à Kentfield ! Et si Claire, Claire la princesse, notre belle indifférente, rêvait au contraire que l'on ait besoin d'elle ?

Nicole se prépare une bouchée de pâté de foie au poivre, spécialité du boucher que maman m'a envoyée chercher chez M. Samson dès qu'elle a vu poindre sa sœur. La bouchée en suspens, elle se tourne vers Cécile, toujours silencieuse.

« Alors, poulette, raconte-moi un peu San Francisco. »

Cécile lève le nez.

« Qu'est-ce que tu eus le mieux aimé, demande-t-elle abruptement. Une demi-sœur ou pas de sœur du tout ! »

Nicole est assistante sociale et en entend de toutes les couleurs. Elle ne s'étonne donc pas du tout, pose simplement sa bouchée de pâté sur le bord de son assiette.

« Une ″ demi-sœur ″ ?
— En quelque sorte, une infirme du cerveau », dit Cécile négligemment.

Charmant ! Je regarde les parents. Maman fait signe à Claire, indignée, de ne pas intervenir. C'est la première fois que la poison, cette pauvre petite, ouvre la bouche depuis hier ! Treize ans. Juste ses règles. Ménageons-la !

« Ce qui compte », dit Nicole calmement et comme si nous ne parlions que de ça depuis des heures et que nous étions dans un bureau plastique complètement fermé, entre spécialistes glacés du cerveau, « ce n'est pas ce que j'aimerais le mieux, moi, c'est ce que préférerait l'intéressée !

— L'intéressée perd les pédales, dit Cécile d'une voix sourde. Inutile d'espérer en tirer quoi que ce soit. On l'interroge, elle répond à côté. On lui dit qu'on l'aime et tout, qu'on veut qu'elle revienne vite et qu'on en a marre de tout ce cirque et elle ne vous engueule même pas comme avant. Elle vous regarde avec des yeux de poisson frit comme si elle était en Amérique, c'est le cas de le dire. »

Les parents retiennent leur souffle. Claire se venge sur son pâté qu'elle transforme en charpie. Cécile ne regarde que Nicole. Nous ne sommes pas là. Nous n'existons plus.

Mais si ! Justement !

« On vous dit d'abord que ça se remettra tout seul, gronde-t-elle. Alors on ne s'en fait pas ! On mène sa petite vie. Après, on vous parle d'opération, mais pas de problèmes, mes chéries, la routine ! C'est toutes les dix minutes qu'on ouvre des têtes. Alors je demande pourquoi ça s'arrêterait et je dis que dans les dictionnaires des médecins ils sont pas du tout optimistes comme ça et qu'il faudrait quand même savoir !

— Les choses n'évoluent pas toujours comme on s'y attend, dit Nicole.

« Et les médecins ne sont pas des devins, ajoute-t-elle avec un regard d'excuse vers papa.

— J'ajouterai que les dictionnaires médicaux sont destinés aux seuls spécialistes, dit Charles. Des spécialistes qui ont dix fois conseillé aux enfants de ne pas les regarder. »

Je remarque qu'il pèle un peu, en haut du front, là où il avait attrapé un coup de soleil. Lors de la promenade des séquoias. Je revois le séquoia de deux mille ans. Deux mille ans ! Pauvre Bernadette !

« Et moi j'ajouterai aussi une chose, conclut Cécile. La vie est une saloperie d'injustice. »

Nicole considère sa bouchée de pâté avec un certain regret, il me semble. C'est vrai! Complètement injuste, imprévisible, stupide et vache. Pardon d'être égoïste mais vous tombéz miraculeusement sur le type fait pour vous et c'est trop tard. Il est pris! »

Il y a quelque chose de suspendu dans l'air.

« Je crois qu'il faut attendre, dit Nicole. Attendre, espérer et prier bien sûr! »

La poison relève le nez.

« Prier, râle-t-elle! Prier... Encore faudrait-il qu'on vous écoute!

— " On " vous écoute toujours, dit Nicole fermement. Même si parfois " on " semble être plutôt dur d'oreille. »

Cécile lance au ciel un regard rancunier.

« Alors qu'est-ce qu'il faut faire?

— Ne pas renoncer. Enfoncer le clou. Avec foi. »

Cécile semble un peu rassérénée.

« Je demanderai aussi qu'elle puisse refaire du cheval!

— Ah! non, dit Claire sourdement. Surtout pas ça!

— Alors arrêtons les frais, dit Cécile, enterrons-la tout de suite. Vous la voyez sans ses canassons? »

Elle se taille une tranche de pâté comme ça, la glisse entre deux tartines, se tourne vers maman. Maman me fait tant de peine, vraiment!

« Puis-je sortir de table?

— Va! »

Cécile s'éloigne. Elle n'a peut-être jamais si bien mérité son nom. Et pourtant! Je suis d'accord avec tout ce qu'elle a dit mais moi je me serais tue. Je ne suis pas sûre d'avoir raison!

Quand elle est trop loin pour entendre, maman se tourne vers Nicole.

« Ce qui est sûr, avec elle, c'est qu'elle garde tout à l'intérieur. On ne sait jamais quand ça va sortir. On n'est jamais prêt. Elle a énormément de cran. »

Nicole approuve. Elle regarde avec beaucoup de tendresse Cécile qui s'éloigne dans le bermuda trop grand de Gary.

« Et si je la ramenais à Montbard avec moi ? Tous ses cousins y sont. Cela lui ferait du bien.

— Ça en ferait à tout le monde, renchérit Claire.

— Je serais dans la joie, dit maman, mais je ne suis pas sûre qu'elle accepte. »

Papa retire ses lunettes, les remet, les retire.

« Peut-être pourrait-on, pour une fois, l'obliger à faire quelque chose, s'insurge-t-il. Croyez-vous qu'à son âge on me demandait mon avis ? »

Maman et Nicole se sont tournées vers lui.

« Si on l'éloigne de force, elle aura l'impression que nous lui cachons quelque chose, comment veux-tu ? »

Comment veux-tu ? Papa se tait. Tous les trois ont l'air indécis, troublés. Je regarde ailleurs. Il n'y a pas si longtemps, je croyais que les parents avaient toujours raison, étaient sûrs de tout. A l'âge où les autres contestent, je dis, je crie, que j'aurais voulu qu'il en soit ainsi. On aurait au-dessus de soi des êtres solides et infaillibles qui vous guideraient dans le meilleur chemin. On n'aurait plus qu'à suivre.

Nicole a entamé son pâté. Il faut la voir rattraper le temps perdu ! Là-bas, dans le verger, toute petite à côté de ce bon gros Germain, Cécile lui râcle le dos à grands gestes. Je sais ce qu'elle fait : la cueillette des mouches. Il paraît que le Capitaine avec qui j'aurai la frayeur de dormir cette nuit n'est jamais rassasié d'insectes. Le dos de Germain va servir de terrain de chasse. Et j'ai une idée ! Pour aller plus vite, pourquoi ne pas l'arroser de sucre ? Ou de miel ? Pour que Bernadette vive ! Enfin, Bernadette entière ! Tous les moyens ne sont-ils pas bons ?

« S'il vit, Bernadette vit ! S'il meurt... » A propos, nous n'avons pas le droit de la voir aujourd'hui !

CHAPITRE XXV

PROUVE-LE !

Alors, à six heures du soir, quand les cloches de l'église ont appelé, Nicole, maman et moi sommes allées à la messe.

Il y a trois ans, nous avions encore un curé à Mareuil. Il était âgé et portait la soutane. Lorsqu'il venait déjeuner à la maison, on n'osait pas parler aussi fort que d'habitude. Avant le repas, il récitait le bénédicité. Je me souviens que j'étais étonnée de le voir apprécier le bon vin. Je ne me lassais pas de le regarder en boire : j'aurais voulu remplir sans cesse son verre. Mais ce qui m'émouvait le plus, c'était d'apercevoir, dépassant de la longue robe noire, le bas du pantalon et les chaussures montantes : de bonnes grosses chaussures qui racontaient des marches à travers la campagne et disaient qu'un prêtre aussi pouvait être fatigué.

A la fois c'était bien qu'il vienne chez nous et dès qu'il avait repassé la grille ont se sentait libéré.

Le curé de Mareuil est mort. Il n'y a plus de vocations. Celui qui l'a remplacé, l'abbé Cottard, dessert plusieurs paroisses et la messe, au lieu d'être célébrée le dimanche matin, l'est maintenant le samedi soir, ce que je regrette.

J'aimais bien, au sortir du sommeil, y accompagner maman. J'achevais de me réveiller à la lumière tremblante des cierges et aux chants. A la sortie, nous allions nous bourrer de croissants. « Tant que tu veux », disait maman à qui trois d'affilée ne faisaient aucune peur. Je n'en ai jamais retrouvé qui aient ce goût-là : de vie ressaisie au vol, de légèreté !

De la maison, pour aller à l'église, vous devez traverser le village. Vous passez devant la boucherie, l'épicerie, le tabac-restaurant qui fournit aussi les bonbonnes de Butagaz. Vous montez une petite côte et vous vous trouvez sur la place où l'on voit toujours quelques jeunes chevauchant leurs deux roues et vous sifflant quand vous passez.

Nicole disait bonjour à tout le monde. Finalement, à part les enfants, le plus souvent partis en colonie, les adultes étaient restés là. De son étal, M. Samson nous a saluées. Nicole s'est arrêtée pour lui demander s'il n'aurait pas par hasard un morceau de rond. Le rond est une succulente partie du bœuf.

M. Samson a ri. Il a dit qu'il défiait Nicole de distinguer le rond de l'aiguillette baronne. « Eh bien, nous verrons ça tout à l'heure », a dit Nicole vexée et ils se sont donné rendez-vous après la messe.

Le boucher est incroyant. Il dit qu'il laisse ça aux femmes. Alors tant pis pour lui.

Cela sentait fort le cœur de l'été. Au cœur de l'été, on dirait que quelque chose s'arrête, profite et se dilate alors que printemps et automne ne cessent pas de courir. On entendait, au loin, un bruit de moteurs emballés. Des jeunes ont ouvert une piste de moto-cross sauvage. Les gens voudraient que mon père signe une pétition en demandant l'interdiction mais il hésite. Il pense que la moto, la vitesse et peut-être le risque sont un besoin des jeunes à qui on n'offre plus d'aventure.

Notre église date du XVIe siècle. L'ancien curé qui s'en occupait depuis cinquante ans a vendu peu à peu aux antiquaires tout ce qu'il y avait de bien dedans afin d'en donner le fruit aux pauvres. Il y a eu un scandale à ce propos lorsque les autorités s'en sont aperçu, mais c'était trop tard : tout était déjà mangé au vrai sens du terme. Il reste l'essentiel : une somme de pierre, de lumière, d'espace et de ferveur.

L'église était à demi pleine. Les habitués et quelques vacanciers qui admiraient les chapiteaux, l'une des rares choses que le vieux curé n'avait pu vendre. On repérait tout de suite Mme Grosso-modo avec ses cheveux-évêques. Elle s'est retournée pour nous saluer d'un sourire. Tout compte fait, cette couleur mauve était adoucissante pour le visage. Elle ne le rajeunissait pas mais lui donnait une sorte de résignation.

L'abbé Cottard est entré suivi d'un enfant de chœur en robe vraiment mini; une de ses chaussures de basket était délacée. L'abbé Cottard est un prêtre de la nouvelle vague et il y a eu un tas d'histoires à son sujet au début de son mandat. Il tient à ce que tout le monde participe aux prières, il veut qu'on s'embrasse lorsqu'il dit : « Recevez la paix du Christ. » Il prend des gens à tour de rôle pour lire l'Evangile.

La messe a commencé. Le plus magnifique, c'était, par la porte grande ouverte, le soleil qui entrait à flots tandis que de l'autre côté, la lumière semblait mystérieusement retenue par les saints des vitraux.

Nicole participait aux prières avec enthousiasme. Au début, les gens lui avaient lancé des regards de côté, maintenant ils se laissaient entraîner. Je me suis promis d'être comme elle un jour. Etre moi. Sans honte !

Maman priait moins fort que sa sœur mais d'une voix plus grave qu'à la maison. A l'église, j'ai souvent l'impression qu'elle s'éloigne de moi.

C'est juste avant l'Evangile, en m'asseyant, que je me suis aperçue que Cécile était là. Elle se tenait debout au fond de l'église, près d'une colonne et elle ne bougeait pas. Derrière elle, sur la place, on pouvait apercevoir les jeunes toujours assis sur leurs deux roues mais ils avaient arrêté les moteurs.

Cécile s'était changée. Elle portait une jupe, ce qui est rare, et un corsage propre avec tous ses boutons, ce qui l'est encore plus. Son visage m'a impressionnée. Elle avait l'air en colère, l'air d'être venue demander des comptes à quelqu'un et, finalement, c'était exactement ça.

Ni maman, ni Nicole ne l'avaient vue. J'ai hésité à la leur signaler. Sans bien comprendre pourquoi j'étais inquiète. Pourquoi ne venait-elle pas s'asseoir près de nous ?

A gauche de l'autel, il y a un harmonium qui date de

Mathusalem et auquel est incrustée depuis toujours la mère Legris avec le même chapeau noir comme une cloche à fromage. On l'appelle « la mère » alors qu'elle est vieille fille, ce qui ne lui fait sûrement aucun plaisir. Il est certain que quand elle mourra, on sera obligé de faire les frais d'un magnétophone, comme dans la plupart des églises du coin.

Elle a commencé à jouer en se balançant avec ferveur de droite à gauche et l'abbé Cottard a entonné un chant. Il a une belle voix forte et enthousiaste qui dit que même un jeune peut croire en quelque chose d'aussi extraordinaire que la vie éternelle. Tout le monde suivait tant bien que mal. J'ai regardé à nouveau Cécile. Alors que d'habitude il n'est pas question que sa voix ne dépasse pas les autres, surtout lorsqu'il y a des touristes qui n'ont pas encore eu l'honneur d'en apprécier le timbre, elle gardait les lèvres fermées, soudées.

Le sermon était sur l'amour de Dieu qui souvent emprunte des voies étranges. Certains ont l'impression d'avoir affaire à un Dieu cruel, vengeur, mais pas du tout. C'est pour notre bien car la souffrance, en quelque sorte, purifie l'âme, l'affine, la débarrasse de tout ce qui la rattachait trop fort à la terre. Il ne faut donc pas se révolter contre elle mais l'accepter, l'offrir à Dieu. Facile à dire !

Cécile s'était reculée dans l'ombre. Je ne pouvais plus voir son visage. Je me demandais si, comme moi, elle pensait à Bernadette. C'était à peu près ce qu'avait dit Nicole tout à l'heure.

Après le sermon, il y a eu le « Je crois en Dieu », puis l'abbé Cottard a dit que nous allions maintenant prier pour les vivants, nos ennemis et nos amis. Il met toujours les ennemis en premier car on a tendance à les oublier ! Il s'est tourné vers l'assemblée et il a demandé si quelqu'un désirait exprimer une intention particulière pour laquelle tout le monde s'unirait pour prier.

« Moi ! » a dit Cécile.

Elle avait eu beau le dire d'une voix étouffée, tout le monde l'a entendue parce que généralement personne n'ose répondre à cette question et que règne alors le plus épais silence.

Toute l'église s'est retournée. L'abbé Cottard regardait la poison. Il la connaît. Elle n'est pas du tout régulière à la messe mais il l'a prise plusieurs fois en stop. Je dirai entre parenthèses que Cécile a l'interdiction absolue de faire du stop sauf avec lui. Et comme il a une 2 CV vert pomme et asthmatique, elle se repère de loin.

Cécile s'était écartée de la colonne et avancée jusqu'aux dernières rangées de chaises mais pas plus près. Elle avait toujours son air d'en vouloir à quelqu'un.

Nicole a posé la main sur le bras de maman comme pour l'empêcher d'intervenir. Le visage de maman était pareil à un appel.

« Pour Bernadette », a dit Cécile.

Elle ne s'adressait pas à l'abbé Cottard mais au grand Christ en croix, à gauche de l'autel, qui, en principe, n'a nul besoin qu'on lui dise le nom de famille pour comprendre de qui on lui parle.

Il y a eu comme un frisson dans l'église. A la fois une gêne et une joie.

Cécile a empoigné le dossier d'une chaise.

« Je veux bien pour la souffrance, a-t-elle poursuivi. Je veux bien pour les malheurs quoique la guerre, les bombes et tout, on ne me fera pas croire que c'était inscrit au programme. Mais pour Bernadette, il faut que l'opération réussisse. »

Il arrive que Cécile cherche à se faire remarquer ce qui met tout le monde en boule; mais pas là! Au contraire. Depuis notre retour, elle avait tellement claironné partout que tout allait bien, que Bernadette n'avait rien de grave et s'apprêtait à revenir en pleine forme, bientôt, demain! Elle avait tellement fait la bravache, l'optimiste, qu'il lui fallait sûrement un courage formidable pour dire ça. C'était comme avouer sa défaite.

Les gens avaient commencé par la regarder; mais maintenant, comme elle, ils fixaient le Christ, sauf deux gamins que j'avais envie de tuer, qui ricanaient en se mettant en plus toute la main dans le nez. On attendait que l'abbé Cottard commence la prière mais il voulait je suppose être sûr que Cécile avait terminé la sienne. Ce qui n'était pas le cas!

« Si tu es celui qu'on dit, a-t-elle repris, si tu es celui qui nous entend et qu'on espère, alors prouve-le! »

Elle n'avait pas du tout dit ça sur un ton de prière. C'était même, plutôt, un ton de menace. Nicole tenait toujours le poignet de maman mais je peux affirmer une chose : elle était folle de bonheur. Cécile a répété : « Prouve-le » et, cette fois, cela a été fini.

L'abbé Cottard a encore attendu quelques secondes pour être certain puis, avec tout le monde, mais vraiment tout le monde, il a récité la prière : « Protège ta servante », et il a prononcé deux fois le nom de Bernadette.

Nous n'en menions pas large dans la rangée. Mme Grosso-modo avait sorti son mouchoir. Mme Cadillac aussi, deux rangs devant. Maman, je ne sais pas : elle avait la tête dans ses mains.

Je ne prie pas dans les églises. J'y suis bien, entourée, accordée à une présence qui à la fois m'emplit et me dépasse. Au moment où, dit-on, le Christ descend parmi nous et où chacun baisse la tête avec humilité et crainte, j'ai gardé la mienne haute et je lui ai ordonné moi aussi : « Prouve-le! Pour Bernadette. Pour Sally. »

Quand nous avons quitté l'église, bien entendu, Cécile n'y était plus.

CHAPITRE XXVI

DES SAUCES « MARETTE »

« Peoline, dit la voix lointaine de Tracy. Peoline, je pense à toi... »

Je reste sans mots. C'est merveilleux, cette voix ! Et qu'il m'ait appelée ; malgré tout !

« Si j'avais su, dit-il. Je te demande pardon. »

Pardon ? Mais de quoi ? Il est fou ! C'est moi. Moi qui n'ai pas su voir comme, sous les gestes, peut se cacher la tendresse, comme le frère est parfois tout près de celui qui désire votre corps. Mais comment lui dire tout cela alors que maman et Claire me regardent et que, de toute façon, les mots et moi...

« Tu es là ? » demande-t-il.

Bien sûr, je suis là ! Je tourne mon visage vers le mur et, la bouche contre l'appareil, je dis : « Viens ! » C'est tout ce que je trouve. J'entends son rire. Je répète « Viens ! » « Viens ! » Comme ce premier matin de Californie où, alors que je croyais t'avoir déçu, tu as plongé pour venir me rejoindre et mouiller ma jupe en t'asseyant près de moi.

Il dit : « *I like you very much, you know, very much.* » L'idiote ne sait répondre que « moi aussi ! » Et il faut déjà passer l'appareil à nos mères.

J'emporte la voix, les mots de Tracy dans un coin du salon. Je me sens légère, pardonnée, aimée en Californie. Je peux jurer qu'en cette seconde, mes pensées et celles d'un garçon de là-bas se confondent. C'est formidable, le téléphone ! La vie !

« Eux, au moins, ils n'économisent pas les bouts de chandelle ! » approuve la princesse qui n'apprécie pas de se voir rappeler à l'ordre lorsqu'elle téléphone trop longuement à Paris.

« *I like you very much...* » Le jardin est en attente, souffle coupé, comme moi. Tout est meilleur et plus doré, suspendu à la joie. Même l'affreuse pendule en forme de taureau, relique sacrée de la famille et qui trouve le moyen de sonner les heures à l'envers, m'attendrit. Je ne savais pas que j'attendais cet appel. Mais au fond, on attend toujours que quelqu'un vous dise qu'il vous aime ! Et maintenant, en réponse, toute une partie de moi se tend vers Tracy, le rejoint au bord du Pacifique où des couples marchent à fleur d'eau et quand les couples sont passés ce sont de minuscules oiseaux. La mer, pour les empreintes, c'est fatal ! Mais je garderai toujours dans ma paume la fraîcheur du sable, là-bas.

Je ferme les yeux. Tout ce que je demande c'est que Tracy sente, maintenant, le besoin que j'ai de lui et qu'il en ait mal aussi. Et pour que Sally guérisse, je donnerais des jours de ma vie, comme ça, en vrac, sans compter, c'est vrai, prenez !

« Une aide ! » crie Nicole de la cuisine.

J'y vole. Cécile y est déjà, le nez sur un morceau de viande qu'elle taille en dés. On ne l'avait pas revue depuis la messe. Elle a réintégré son bermuda — je veux dire celui de Gary — et le tee-shirt rapporté de là-bas où l'on peut lire : « Personne ne m'aime et me comprend. »

Enveloppée dans le tablier qu'on réserve au nettoyage du bassin, Nicole s'affaire avec l'essentiel de la pièce de bœuf. Il fallait la voir, après la messe, pénétrer religieusement dans la chambre froide à la suite de M. Samson et en ressortir la première, en triomphe, portant le fameux « rond » qu'elle avait distingué du premier coup d'œil entre vingt morceaux différents ! Le boucher voulait l'embaucher. Il lui a fait un prix dans l'espoir qu'elle dise oui. Et maintenant, parce que les soucis ça se nourrit et que la nourriture est fête, Nicole nous mijote une fondue bourguignonne.

« Toi, Pauline, pile-nous donc un peu d'ail, ordonne-t-elle, et fais-moi ça très fin! »

Je m'y mets. Ce que j'aime, dans une table en bois, c'est que ça répond à la main. Cécile me lance un regard, un peu intimidé, semble-t-il. Large sourire de ma part. Elle a l'air apaisée; l'air de compter sur Dieu.

« Et un petit remontant pour les travailleurs! » dit Nicole en remplissant ras bord un verre de Pommard et, après y avoir goûté, le plantant au milieu de la table à l'intention de celles qui en éprouveraient le besoin.

A son arrivée, quand elle a ouvert son coffre pour y prendre sa valise, on y a découvert une caisse de Pommard 1973. Par contre, la brosse à dents, elle l'avait oubliée.

Répondant à l'appel avec un train de retard, la princesse apparaît, se bouche le nez pour l'ail mais jette un regard d'anthropophage sur la viande.

« Papa vient de rentrer, annonce-t-elle. Il est monté avec maman.

— Nous sommes ravis de l'apprendre, dit Nicole, mais si tu nous dégotais le safran ça nous rendrait rudement service! »

Antoine passe à son tour le nez. On fait les présentations. Il aimerait aider.

« Vous ne m'entendez jamais répondre " non " à une question pareille, déclare Nicole. Si vous nous inventiez une sauce? »

Il a déjà retroussé ses manches et se lave les mains à grande eau. Ce qui fait du bien lorsqu'on voit un médecin se laver les mains, c'est que c'est sa première façon de s'occuper de vous. En ce qui concerne la cuisine, voilà la théorie de Nicole. En tournant une sauce, par exemple, il faut se mettre tout entier dedans! Et allez-y avec un mouvement régulier, en pensant aux ingrédients que vous y avez mis et à ceux grâce à qui ils sont dans la casserole! Et sans hésiter le bout de la langue ou du doigt pour goûter. Une sauve faite avec joie, en pensant au plaisir que l'on va en tirer, pour soi et pour les autres, prendra toute sa saveur. Une sauce doit avoir un goût de « Maison! »

Antoine est bien d'accord. Pour la sienne, il lui faut

trois échalotes, deux feuilles de laurier du jardin, farine et beurre; plus un verre de pommard pour le palais du cuisinier et une bonne âme pour tourner.

Claire se propose et, au début, tout se passe sans encombre. C'est au cœur de l'opération qu'elle est prise d'un hoquet terrifiant qui, plus elle le retient, plus sort en chant triomphant du coq. Pour une princesse, c'est le déshonneur; elle en a les larmes aux yeux.

Alors Antoine la prend par la main, l'emmène dans le salon, la fait étendre sur le tapis, bras et jambes écartées, paumes vers le plafond et respirez-moi tranquillement, Mademoiselle : une deux trois quatre cinq ! Une deux ! Et c'est dans cette position que les parents, redescendant, la trouvent ce qui leur fait un coup forcément, d'autant qu'Antoine, à genoux près d'elle, lui explique où se trouvent le diaphragme et le plexus solaire.

En attendant, le hoquet est vaincu et Claire toute rose.

Maman a été autorisée à mettre le couvert, Charles à s'occuper de l'huile et du poêlon, dangereuse opération ! Quand tout a été sur la table, la viande, les quatre sauces, le pain et le vin, on a mis la cuisinière à la place d'honneur entre nos deux hommes. Pas de serviettes en papier. Maman n'aime pas ça. Cela veut dire : ne revenez pas !

« Et Stéphane ? a demandé Cécile. Si on allait le chercher ? »

Elle était prête à enfourcher sa bicyclette. Papa l'en a dissuadée. Il a vu Stéphane ce soir. Le samedi, dans les stations-service, c'est le grand jour et il a choisi de travailler de nuit.

Je l'ai revu, encaissant et merci pour le pourboire. J'avais le cœur serré. Il y a deux jours seulement j'étais en face de Mme de Saint-Aimond et le soleil semblait me désigner sa théière en argent. Vous venez au monde ici plutôt que là et tout est changé. Je n'aurais pas dû aller à Neuilly. Qu'est-ce que j'espérais ? Bouleverser l'ordre des choses ?

La viande est fameuse. La sauce la plus réussie, c'est la mienne. Quel parfum ! Le fait de devoir aller tous ensemble au fond du poêlon suffit à alimenter la conversation. Maman raconte le boucher à Charles. Je me demande si, dans leur chambre, elle lui a déjà parlé de la messe. Moi aussi, je m'en remets au Christ en croix.

Demain, à neuf heures, l'ambulance emmènera Bernadette à Paris. Maman sera avec elle. Papa suivra dans la voiture. Inutile que nous assistions au départ, cela ne servirait à rien. Il paraît que nous ne la verrions même pas.

Je ne sais si c'est le vin mais Nicole et Antoine se plaisent bien. Ils ont mis sa sauce entre eux et y vont avec des mouillettes. Il l'a baptisé « Sauce Marette ».

« Votre recette ? » interroge maman.

Antoine cite les ingrédients puis se tourne vers la princesse.

« L'essentiel, c'est la façon de tourner », dit-il.

Du coup, Claire en laisse tomber son morceau de viande dans l'huile.

« Un gage ! crie Cécile.

— Oui, un gage, approuve maman dont Nicole remplit à nouveau le verre.

— Plutôt mourir », dit simplement Claire.

Même Antoine est étonné du ton. Il n'a pas l'habitude. Non, c'est non ! Il ne sait pas qu'on ne l'a jamais vu jouer. Même le grand jeu du froid, sur nos lits, c'était sérieux. Bien entendu, c'est moi qui vais récupérer la viande au fond du poêlon.

« Pourquoi on n'a pas laissé venir grand-mère ? proteste Cécile.

— Le médecin n'aime pas trop la voir se déplacer, dit Nicole. Elle a quand même quatre-vingts ans.

— Et nous irons tous à Noël », promet maman.

Nicole se tourne vers Antoine.

« Vous êtes invité ! Avec votre sauce !

— Tout est possible », dit Antoine.

Tout est possible ! Personne ne comprend pourquoi, soudain, je suis prise de fou rire. Mais c'est tellement vrai que « tout est possible ! » Ce soir, je vais partager ma chambre avec un serpent nommé « Le Capitaine ».

Il se passe encore deux événements du plus haut comique.

D'abord, l'arrivée de Mme Grosso-modo! Elle débarque vers dix heures, directement dans la cuisine. Voyant de la lumière, elle passait nous dire que son mari et elle, en cette triste soirée...

Nous faisons tant de bruit que nous n'avons pas entendu la sonnette. Quand elle ouvre la porte, Cécile qui, elle, s'acquitte de ses gages, court partout à quatre pattes en aboyant. Papa a retiré sa veste pour rire plus confortablement. Même la princesse est emportée par l'hilarité générale.

Notre pauvre voisine s'est arrêtée au milieu de sa phrase. Elle ne comprend pas ce qui se passe et ne sait comment passer de la tête d'enterrement à celle de gaîté. C'est tout juste si elle ne cherche pas Bernadette à la table. Mais non!

Papa remet sa veste. Cécile réintègre sa place. Nicole a l'œil brillant. Maman tente de rattraper les choses.

« Pardonnez-nous, madame Grosso-modo, mais nous prenons des forces pour être à la hauteur demain! »

Mais oui! Elle a bien dit : « Madame Grosso-modo! » Heureusement, on peut penser qu'il y avait une virgule bien placée. « Pardonnez-nous madame, grosso-modo nous prenons des forces! » Mais notre voisine n'accepte pas le verre que lui propose Nicole ce qui est mauvais signe.

Le second événement s'est déroulé tout seul pendant que nous dînions. On le découvre avant d'aller se coucher. Le cri de maman qui est allée vider la machine à laver le linge nous attire tous dans le coin de la cave baptisé « buanderie ».

La totalité des slips neufs de papa, sa belle chemise aile de cygne, ses tee-shirts neige, ne sont plus blancs mais rose bonbon. Dans l'émotion, maman s'est trompée de programme. Elle a appuyé sur les mauvais boutons et tout s'est mélangé : la couleur et le blanc, le chaud et le tiède, le rire et les pleurs, la souffrance et le bonheur.

CHAPITRE XXVII

LES ADIEUX DE GERMAIN

Je me suis réveillée à huit heures passées. Cécile n'était plus dans son lit. Je ne l'avais pas entendu se lever; elle avait dû prendre mille précautions. Pourquoi?

En vacances, c'est le soleil qui me donne l'heure. Il est au moins huit heures quand il éclaire la grosse poutre qui sépare la chambre en deux. Et certainement neuf, lorsqu'il fait danser la poussière entre celles, plus petites, qui forment comme la mâture d'un bateau. Décidément, je suis vouée à la mer!

Le soleil était absent ce matin et lorsque j'ai poussé le volet, des gouttes sont tombées dans ma main. Il avait dû pleuvoir une grande partie de la nuit. Une respiration mouillée s'exhalait du jardin et faisait autour des buissons une sorte d'auréole. Bonne surprise pour papa! Lorsqu'on aime un jardin et qu'il pleut, on boit pour lui.

J'ai enfilé des vêtements chauds sans trop regarder du côté du placard. J'avais obtenu que Cécile y mette la cage du Capitaine mais elle avait refusé de fermer complètement à cause de l'oxygène et toute la nuit j'avais imaginé qu'il rampait vers mon lit. La différence entre Claire, Bernadette, mes parents et moi est que je suis la seule à être assez bête pour accepter de dormir avec un serpent!

Nicole était en train de ranger la cuisine, en plein courant d'air pour chasser l'odeur d'ail. La vigne vierge enroulée autour de la balustrade ployait sous l'eau. Charles assure que si on cesse de la tailler, elle nous chassera de la maison. On a beau surveiller, de petites poussées trouvent moyen de se glisser par les interstices. Même si c'est la mort des peintures, j'adore ça !

Nicole m'a dit que les parents étaient partis très tôt, qu'ils nous embrassaient toutes les trois et que maman avait pris avec elle le cahier de poésies que j'avais, hier, glissé sous son oreiller.

Je lui ai demandé si elle avait vu Cécile. Elle a eu l'air étonné.

« Mais non ! Je dois faire le pain avec elle. Elle m'a fait promettre de l'attendre. »

J'ai seulement remarqué le dôme de farine sur la table. J'ai souri à la « tante écologique » et je suis allée voir dans l'entrée. Les bottes de la poison n'étaient plus là. Celles de Claire, oui.

Nous avons pris un café ensemble. Enfin, pour moi, appelons ça un « lait au café ». Nicole, elle, en boit toute la journée. Cela fait partie du métier, m'a-t-elle expliqué. « Le p'tit café... » c'est souvent la clé des confidences. Mais elle a dû renoncer au sucre à cause du diabète. C'est d'ailleurs pratique, ça aussi ! Refuser du sucre met tout de suite le sujet sur la santé et, de la santé, on passe sans mal au reste.

J'ai laissé la moitié de ma tasse. Je ne pouvais pas avaler. Le gros réveil marquait huit heures et demie déjà, et je me demandais si Paris lui aussi serait mouillé pour accueillir Bernadette.

« Tu n'as pas faim ? » a demandé Nicole.

J'ai secoué la tête.

« Un peu mal au cœur. La gueule de bois !

— Un Pommard 1973 n'a jamais donné la gueule de bois à personne ! »

Elle jouait les indignées; cependant son regard me disait que je pouvais parler, qu'elle serait heureuse de m'entendre. Si j'avais eu le temps, peut-être ! Mais justement, j'étais en train de me mettre en retard. Je ne savais pas trop comment lui dire que je devais la laisser. Je ne pouvais pas lui révéler où j'allais, alors je suis venue l'embrasser, j'ai dit : « Attends-moi pour le pain, je veux apprendre aussi », et j'ai filé.

Elle n'a pas essayé de me retenir. Voilà une des choses que j'aime en Nicole. Elle vous laisse libre. Elle l'est!

En traversant le jardin, je sentais sur mes lèvres le contact de sa joue, un peu molle, même très, alors qu'elle aime tant les choses fraîches et belles et c'était mélancolique comme le temps.

Le vélo de Cécile n'était pas dans le garage : je m'y attendais. J'ai roulé vite. Le dimanche, heureusement, la circulation était nulle. Je n'avais pas le sentiment d'injustice en pensant à ceux qui dormaient au seuil d'une journée de repos et de plaisir. J'étais contente pour eux. Ce n'est pas dans ma nature de chercher à comprendre. Quand tout va bien, je pense plutôt que j'ai de la chance.

C'est un peu avant d'arriver à Pontoise, au moment où la route traverse les quelques champs qu'ils nous ont laissés, que le bonheur est venu, comme d'habitude, sans avertir!

J'étais seule sur la route : je roulais en plein milieu, les yeux mi-clos et le vent faisait autour de moi un bruit de monde renversé comme au bord de la mer. Je me sentais au cœur de quelque chose et j'ai eu soudain la certitude que pour venir ainsi frapper mon visage et me dire que j'étais vivante, ce vent était remonté du fond des âges. Cela aurait dû m'angoisser, tous ces êtres à qui il l'avait déjà dit de la même façon, et toux ceux à qui il le dirait encore après ma disparition, cela m'a rendue forte.

Je suis arrivée à l'hôpital à neuf heures moins le quart. La voiture de papa était au parking, à sa place habituelle. C'était préférable qu'il ne me voie pas mais si je ne pouvais l'éviter, tant pis! Je ne savais qu'une chose : je ne manquerais pas le visage de Bernadette! Encore une fois!

Je m'étais attendue à trouver le vélo de Cécile là. Mais non! Quand Stéphane a posé la main sur mon épaule, mon sursaut a été tel qu'il n'a pu s'empêcher de rire : « En voilà une qui n'a pas la conscience tranquille! » C'était vrai. Mais qui l'a en entrant dans un hôpital?

Il a dit simplement : « Je ne pouvais pas la laisser partir comme ça ! »

C'était de nouveau Stéphane de Saint-Aimond, avec une veste de bon tailleur je suppose, avec une cravate et une chemise impeccables. La seule chose de lui qui appartenait à la famille, c'était ses yeux cernés comme s'il avait fait la noce toute la nuit.

Nous avons traversé le hall, l'air si sûrs de nous que personne ne nous a rien demandé, et nous sommes montés comme deux vieux habitués à l'étage de Bernadette.

Il n'était pas question d'aller la voir dans sa chambre; les parents devaient y être, l'infirmière, le brancardier peut-être. Mais je savais par où on descendait les malades et c'est là que nous nous sommes placés.

Stéphane a murmuré : « Il ne faudra pas qu'elle me voie. » J'ai approuvé. Un moment, j'ai songé à lui dire que j'avais été chez lui, à Neuilly, et que je connaissais maintenant sa mère et Eric, son frère. Il me semblait que je le comprenais mieux qu'avant. Et d'un autre côté, il s'était éloigné. Il n'y pouvait rien mais il appartenait à cette très belle maison et il appelait « maman » la femme à la théière d'argent.

De toute façon, ça s'était plutôt mal terminé et il le saurait toujours assez tôt.

A neuf heures moins cinq, on a entendu une porte s'ouvrir, un glissement de roues et la voix de papa, très près, disant au brancardier qu'il le retrouverait en bas.

Stéphane s'est reculé. Je pensais très vite. Il y a quinze jours même pas, j'étais venue dans une grande maison comme celle-là voir une jeune fille malade de l'âge de Bernadette. Ce jour-là aussi, j'étais avec un garçon au visage bouleversé. Le monde de Sally, comme celui de ma sœur, étaient des mondes où je ne pouvais les suivre. Mais Bernadette avait abîmé son cerveau en tombant et Sally en l'empoisonnant. Je me suis sentie vieille et presque expérimentée. Il ne me restait rien du bonheur ressenti tout à l'heure. Il était parti avec le vent.

Les yeux de Bernadette étaient fermés, ses mains faisaient une bosse sous le drap. Il n'y avait que la tête qui dépassait et si elle avait été morte, un seul geste aurait suffi pour la faire disparaître tout à fait.

Je ne l'avais vue qu'une seule fois depuis mon retour. Je l'ai trouvée encore changée. Elle avait maigri. Son visage m'a semblé plus uniforme maintenant que les égratignures, les plaies sans importance étaient à peu près effacées.

Le brancardier s'est arrêté et m'a regardée d'un air interrogateur. C'était un Noir. Sa veste était très blanche et les plis du repassage nettement marqués. Je lui ai souri. C'est bête, mais j'étais heureuse que ce soit lui qui transporte ma sœur. Je n'éprouvais rien d'autre. Absolument rien.

Au moment où il a poussé le lit dans l'ascenseur profond, Stéphane s'est avancé. Il a pu la regarder juste avant que les battants de la porte se rejoignent. Moi j'avais fermé les yeux pour ne pas voir son regard.

Nous sommes descendus par l'escalier. Deux étages. Nous avons à nouveau traversé le hall où des malades en robe de chambre parlaient à des gens habillés en dimanche. Dans la cour, nous avons retrouvé Claire.

Elle ne cherchait absolument pas à se cacher et je l'ai admirée. Elle avait juste enfilé un chandail sur sa robe d'été et ne semblait pas réchauffée. Il commençait d'ailleurs à pleuvoir : une pluie fine et dense qui prenait tout dans un même voile gris.

Stéphane est venu lui serrer la main. Elle nous a demandé si nous avions déjà vu Bernadette. J'ai dit « oui » et qu'elle avait l'air bien.

Les parents sont sortis à ce moment-là et, en nous voyant tous les trois, ils ont marqué un arrêt avant de nous rejoindre. Maman m'a semblée plus petite et mon père plus âgé, c'est gai ! Il n'y a pas eu de commentaires. Après tout, on ne nous avait pas formellement interdit de venir. Charles avait simplement dit : « C'est inutile. » Il devait penser que cela nous serait pénible. Mais non ! Ce qui était pénible, c'était l'attente. J'ai remarqué que lors des mariages ou des enterrements, il y a ainsi, quand le héros de la cérémonie n'est pas encore arrivé, des moments de vide où on ne sait que faire de soi.

Maman a remonté le col de ma veste pour qu'il ne

pleuve plus dans mon cou; cela m'a fait du bien. L'ambulance remontait du sous-sol. Elle s'est arrêtée près de nous. Papa nous a regardées.

« Puisque vous êtes là, vous pouvez lui dire au revoir! »

Il a ouvert lui-même la double porte à l'arrière, avec une grande habitude et, tout de suite, comme si elle avait senti l'air, l'odeur de pluie qu'elle aime tant, Bernadette s'est redressée.

Stéphane s'était évaporé. Elle nous a souri, à Claire et à moi comme s'il était normal que nous soyons là. Mais tout à fait normal, alors! Je me demandais ce qu'elle pensait. Si elle savait pourquoi et où on l'emmenait. En tout cas, se laisser, sans protester, trimbaler comme un paquet, ça ne lui ressemblait pas du tout! Et si tout ce qu'on est, ce qui est « soi », ce qu'on appelle sa personnalité, bonne ou mauvaise, ce n'est pas la question, peut être effacé d'un seul coup par un cassage de gueule, j'ai envie de ne plus croire à rien!

Maman est montée dans l'ambulance et s'est installée près d'elle. C'était bien fini les collections de coquillages et de bouts de chiffon. Fini ce visage si particulier, éclairé, que nous lui avions découvert en Californie. Elle n'était plus que la mère d'une fille qu'on allait opérer et j'avais hâte que la porte se referme et qu'on m'embarque tout ça.

A la sortie de l'hôpital, il y a un feu de signalisation. Même les ambulances y marquent l'arrêt et c'est seulement après que, toute musique déployée, elles peuvent filer.

Au feu, se trouvait Cécile! Elle n'était pas seule. Il y avait avec elle Crève-cœur et Germain.

Personne n'osera jamais avouer à Crève-cœur l'énorme mensonge qu'elle lui avait fait. Elle était allée lui raconter que Bernadette avait réclamé de voir son cheval avant de partir et que les parents seraient si reconnaissants qu'il le lui amène.

Il avait revêtu sa plus belle tenue et se tenait au garde-à-vous. Il ne manquait que le clairon, le drapeau et le gris de l'aube.

L'ambulance s'est arrêtée au feu. Il m'a semblé voir

frémir la robe de Germain mais, quand on est loin et que la pluie salope le paysage, on ne peut être sûr de rien.

L'ambulance est repartie très vite. Et ça y était pour la musique! Je ne sais pas si Bernadette a vu son cheval. J'espère!

CHAPITRE XXVIII

DU PAIN MAISON

« LE moment émouvant, dit Nicole, c'est celui où tu mélanges le levain à ta pâte. Celui, en somme, où tu lui donnes la vie.

— Où je la féconde », dit Cécile.

Nicole sourit.

« Si tu veux.

— Ça me rappelle, dit la poison, quand les garçons sont venus au cours d'éducation sexuelle déguisés en spermatozoïdes !

— Je donnerais cher pour avoir vu le déguisement, dit Nicole.

— Une sorte de fantôme qui s'effilochait, explique Cécile. Sans vouloir te choquer.

— On en est au pain, tranche Claire, pas aux leçons de sciences naturelles. »

Nicole a pris la pâte dans ses mains et la lève devant ses yeux pour la contempler, comme son enfant. Il a fallu du beurre, de la farine, du lait et de l'eau, du sel et du sucre et le levain. Il a fallu aller dans l'ordre, sans hâte : verser, lier, mêler, donner la forme.

« Je peux pétrir ? demande Cécile.

— Vas-y ! »

La poison plonge des dix doigts : religieusement. Je comprends. Faire son pain, c'est un peu faire sa vie. Si on sait, on se dit qu'on s'en tirera toujours. Nicole déguste son troisième « p'tit café » ! C'est bien simple : la cafetière est maintenant au bain-marie sur la cuisinière. Il n'y a plus qu'à se servir.

Il est midi déjà. Deux heures que nous sommes là, autour de la table, à écouter, regarder, savourer notre tante. Arrivées trempées les unes après les autres, nous avons trouvé allumées toutes les lumières de la cuisine et même celle du perron : le phare de *La Marette*. « Aujourd'hui, au diable les économies d'énergie », a déclaré Nicole. Et elle a employé toute la sienne à nous frictionner le crâne sans tenir compte de nos cris de douleur. « Si vous croyez que je n'ai pas deviné où vous filiez toutes ! Aller souhaiter bonne chance à sa sœur, ça n'implique pas de se coller une angine ! Et celles du mois d'août sont les pires ! »

Elle arrête les mains de la poison.

« Ça va comme ça sinon tu retrouveras ton pain au plafond. Trop pétrir, c'est faire du vent ! »

Elle montre à Cécile comment partager la pâte en deux, l'arrondir, la lisser; elle place chaque œuvre d'art sur un coin du buffet : « Et maintenant, levez mes bons ! » Cécile dévore des yeux le moindre de ses mouvements.

« Faire le pain, le pétrir, tout ça, finalement, c'est très important, remarque-t-elle.

— Et comment ! renchérit Nicole. Et bêcher ton jardin, donc ! Et coudre ta robe ! Les gens sont fous ! Ils ne savent même pas qu'une partie de leur cerveau est rattachée à leurs doigts et que s'ils les laissent s'ankyloser, ils ont la moitié du ciboulot en friche. Ce que tu construis, ce que tu façonnes, ça passe aussi par là-haut et ça t'en apprend autant sur l'Univers et ta petite personne que ce que tu lis dans tes livres, odeurs, et couleurs en plus !

— Alors, un peintre, dis-je, il utilise tout son cerveau ? »

Nicole acquiesce : « Comme tous les véritables artistes. Il est à la fois tout là-haut et bien en bas ! J'en ai connus. Je les jugeais autant à leur cuisine qu'à leurs tableaux ! »

Voilà qui n'étonne personne !

« Reste avec nous, supplie la poison. Tu feras le pain, la fondue et l'assistante sociale à Pontoise.

— Et c'est ta grand-mère qui sera contente, répond

Nicole! Et puis, dis-moi, qui s'occupera de mon potager ? »

Elle sourit à Cécile : « Mais si tu veux, je t'emmène à Montbard jusqu'à ce que Bernadette revienne. On pique-niquera sur la route.

— Des sandwiches aux guêpes ? » demande Cécile.

C'est un vieux souvenir ! Elles avaient installé la nappe sur un nid.

« On essaiera de trouver mieux, dit Nicole. En tout cas, j'ai besoin de bras pour mes confitures de quetsches !

Il a suffi qu'elle les évoque et elles sont là : dorées, onctueuses avec leurs reflets d'été. Elles fondent dans ma bouche. Si le cerveau envoie de tels messages au palais on peut bien penser en effet que les mains en adressent au cerveau !

« Alors ? demande Nicole.

— Est-ce que je pourrai en rapporter un pot pour la maison ? » interroge Cécile.

Les journées ne se déroulent jamais comme on les avait prévues. J'imaginais des heures mortelles d'attente. Elles ont passé vite finalement. Et pourtant, la pluie n'a pas arrêté.

Après le déjeuner, habillées en pêcheurs, nous sommes allées marcher au bord de l'Oise. Cela sentait fort l'herbe mouillée, la terre, la vase. Un matin, il n'y avait pas si longtemps, j'avais retrouvé mon père sur ce même chemin. Cette fois-là aussi il s'agissait de Bernadette ! Je ne me faisais pas à l'idée de la perdre. Et voilà qu'aujourd'hui j'étais prête à tout pour la réconcilier avec celui qui nous la prendrait. Tout est mêlé. Comme dans ce flot que nous suivions et qui charriait à la fois des ordures, des poisons argentés, des péniches et des nuages.

Lorsque nous sommes rentrées, la pâte avait déjà changé d'aspect. Elle s'étalait. « Elle prend ses aises », a dit Claire, approbatrice. J'ai compris pourquoi Nicole avait laissé un si grand espace entre les deux portions. Mais il faudrait attendre encore plusieurs heures avant de mettre les pains au four. Ils seraient chauds pour le dîner.

Je suis montée prendre un bain. Un bain moussant et parfumé, au cœur de la journée, si ce n'est pas ça, les vacances ! Cécile n'a pas tardé à me rejoindre dans la baignoire. Elle avait l'air très ennuyée : Claire venait de lui demander son aide pour transporter son matelas dans mon grenier. La princesse ne voulait pas dormir seule cette nuit. Apercevant la cage dans l'armoire, elle s'était inquiétée de ce que faisait là ce vieux truc à rats qui sentait la moule pourrie. Cécile avait réservé sa réponse mais ne pensait pas que nous ayons le droit moral de laisser Claire dormir, sans l'avertir, avec nous trois !

« Et qu'est-ce qui se passe pour Stéphane, a-t-elle demandé. J'ai bien vu qu'il ne voulait plus venir à la maison. Il trouve Bernadette trop moche ou quoi ? »

Alors je lui ai tout raconté : le capitaine Hadock et sa sale pipe, leur dispute, la chute, le « ne me parle plus de ce salaud ». Je lui ai expliqué que dans l'esprit de Bernadette c'était Stéphane qui l'avait flanquée par terre. J'ai parlé de son chagrin à lui et du fait qu'il ne se croyait plus permis, ni de venir à *la Marette,* ni de rentrer chez lui parce que des deux côtés cela sonnait comme une trahison. Et après lui avoir fait jurer le secret, j'ai raconté ma visite aux Saint-Aimond.

La photo du commandeur l'a énormément intéressée : en second est passé le jardinier. Il a fallu que je donne tous les détails sur la maison. Elle aurait aimé voir Eric et, des croissants, elle en aurait mangé plusieurs !

« Mais alors, a-t-elle conclu. Quand Bernadette sera guérie rien ne sera arrangé pour autant ? »

C'était bien là le problème ! Et de quoi se souviendrait-elle ? Continuerait-elle à accuser Stéphane ? Accepterait-elle de le revoir ?

Nous avons discuté de cela, de l'amour et de l'oubli, jusqu'à ce que nos doigts soient roses et fripés comme ceux de noyées.

Nicole et Claire étaient toujours à la cuisine. La princesse, installée en face de la pâte qu'elle regardait vivre avec admiration. Elle avait triplé de volume. Que ceux qui ne sont pas capables d'admirer un pain au travail sachent qu'ils n'ont que la moitié du cerveau qui fonctionne ! Encore une heure et ce serait le moment d'enfourner ! « Honneur à la plus jeune », à déclaré Cécile. « Honneur à l'aînée », a protesté Claire qui, pour une fois, semblait désireuse de mettre la main à la pâte.

Je les ai laissé régler leurs comptes et je suis descendue dans la chambre de Bernadette.

Elle était déjà dans l'obscurité. Bernadette est la seule de plain-pied avec le jardin puisque pour arriver à l'entrée il faut monter les huit marches du perron. J'ai refermé la porte. Je ne pouvais m'empêcher de retenir mon souffle. Il me semblait que ma sœur allait surgir et que j'étais en train de faire quelque chose d'interdit. Et aussi je prenais toute la place ! Trop de place ! Depuis ce matin, d'ailleurs, c'était comme ça. Comme si le monde, c'était moi.

J'ai regardé les photos de chevaux, la rangée de bottes. J'ai pris dans ma main la bombe que Crève-cœur nous avait rapportée. Je l'ai mise sur ma tête. Elle était trop grande. J'y ai plongé le nez pour sentir l'odeur de ses cheveux. Du moins quand elle en avait ! Je me disais : « Plus jamais ! Plus jamais elle ne la mettra ! » Pour voir ! Je l'ai répété à haute voix. « Plus jamais. » J'avais honte mais je ne pouvais m'empêcher. Plus jamais ! Et je n'avais même pas envie de pleurer.

Je suis venue m'asseoir sur le lit. Il n'était pas très large mais pour Stéphane et elle je suppose que cela devait suffire. Ici, la veille de l'accident, ils s'étaient disputés et tout le reste avait suivi. Et pour Sally, même chose ! A partir d'une rencontre.

J'ai appelé Tracy. « Je pense à toi. Je t'aime beaucoup ! » Je me souvenais de ses cheveux surtout, retenus par les oreilles; et cette mousse blonde sur ses jambes ! Et son regard ! Mais si j'essayais de l'imaginer tout entier, d'une seule pièce, j'éprouvais une sorte de vertige. Impossible ! J'aurais voulu qu'il soit là. Chez lui aussi il y avait une chambre soi-disant vide, si pleine d'absence ! Peut-être, un soir, était-il venu s'asseoir comme moi sur le lit de sa sœur pour essayer d'ouvrir le mot « destin ».

Sally aurait pu ne jamais rencontrer le salaud qui lui

avait montré le chemin de la drogue et Bernadette était tombée des dizaines de fois sans se fendre le crâne pour autant. Qui les avait menées, l'une à son salaud, l'autre à son crâne fêlé? Le hasard? Ou bien ce qu'elles portaient en elles? Ce qui faisait que Sally avait suivi plutôt qu'un autre l'homme qui allait la détruire; ce qui avait fait que Bernadette avait choisi Prince après avoir chassé Stéphane de la maison.

J'ai ouvert le tiroir de sa table et j'ai fouillé dans les papiers, tant pis! Il y avait des photos, des lettres, de ces objets sans importance qu'on jette automatiquement quand les gens meurent d'une fracture du crâne ou d'autre chose parce qu'ils n'avaient d'intérêt que pour eux.

Je n'ai pas lu les lettres. Pourtant, c'était l'écriture de Stéphane! Je tentais juste de m'oublier; de souffrir peut-être.

La valise d'Antoine était sous la fenêtre. Il avait pris peu de place avec ses affaires. J'ai apprécié. Il n'avait même pas utilisé le tiroir de la commode que maman avait vidé pour lui.

Un camion est passé et le sol a tremblé. Je sais que les chevaux ne montent pas deux étages pour aller se coucher mais, moi, je préfère mon grenier!

Le lit était dur comme du bois. Elle met une planche sous son matelas; pauvre Antoine! Et pauvre Stéphane! Cela sentait comme sur le canapé de Pierre, je ne peux pas dire, autre chose que moi! J'ai glissé ma main sous l'oreiller et j'ai découvert le pyjama. Je l'ai serré. Je serrais le pyjama d'un homme que je ne connaissais presque pas. C'était comme entrer dans une maison inconnue. Il est beau, mystérieux mais capable de rire toute une soirée, comme hier, pour rien. A moins que ce ne soit pour nous. On croit vivre ensemble, on ne fait que se manquer. Et à part ça, on s'occupe de lits masseurs, de banana-split ou d'essuie-glace six vitesses et un jour on se retrouve sur un lit, accrochée au pyjama d'un inconnu et pleine de cris en soi.

C'est lui qui m'a réveillée en allumant. Il était debout à l'entrée de la chambre et me regardait sans surprise. Il s'est approché et il a ramassé, à côté du lit, la bombe de Bernadette. Je ne savais pas quoi dire. J'étais complètement abrutie! J'avais bavé sur l'oreiller!

Il s'est assis près de moi. A la fois j'aurais voulu me trouver à cent kilomètres de là et je me retenais de poser la tête sur son épaule et de fermer les yeux.

Il a mis sa main sur mon genou comme sur celui d'une petite fille qui n'aurait jamais aimé un homme encore plus vieux que lui. Il m'a dit de sa voix calme que mes parents étaient rentrés. Tout allait bien pour Bernadette. Elle était calme. En d'excellentes mains. Dans quelques jours, ce serait de l'histoire passée.

CHAPITRE XXIX

A PROPOS DE SOUVENIRS

Dès que Cécile entre au salon je flaire quelque chose!
De grave! Nous sommes tous là! Moins Antoine qui, ce
soir, avait rendez-vous à Paris. Fenêtres et rideaux sont
fermés à cause de l'humidité. Il ne pleut plus mais le
jardin s'égoutte et *La Marette*, ce soir, porte bien son
nom. Autant de miroirs!

Il est presque huit heures. Bientôt l'heure du dîner.
Le pain commande! D'après Nicole, il lui faut encore
une vingtaine de minutes.

Elle et maman bavardent sur le canapé. Claire rêve,
installée à égale distance des haut-parleurs du pick-up.
Wagner! Les adieux de Wotan à sa fille. On ne pouvait
mieux choisir. Maman a déjà dû la supplier deux fois de
baisser le son. Papa tente de lire son journal. Il s'est
changé; première fois depuis le retour. Il n'a pas résisté
à aller voir comme la pluie avait ragaillardi son jardin
et rehaussé le satin des roses.

Cécile entre et son regard balaie le sol du salon. Il est
rare qu'elle pénètre dans une pièce sans crier quelque
chose, généralement « maman », introduction à tout.
Elle ne dit rien. Elle fait lentement le tour de la pièce,
s'arrêtant près des meubles, l'air nonchalant mais marchant de façon bizarre, comme quelqu'un qui apprendrait une danse et ne saurait exactement où poser le
pied. A plusieurs reprises, elle se baisse, ramasse je ne
sais quoi et le met dans sa poche. J'essaie en vain de
capter son regard. La voilà derrière les rideaux. Elle
reparaît.

« Tu rentres ou tu sors, dit Claire, mais si tu as besoin de te dégourdir les jambes, je te rappelle qu'il y a le jardin !

— As-tu perdu quelque chose ? » interroge maman.

Cécile s'arrête. Sourire faux à souhait.

« Mais non ! Pourquoi ?

— Alors viens un peu là, dit Nicole en lui faisant une place sur le canapé.

— On vient... dit Cécile. Mais personne ne prend l'apéritif ce soir ? »

Sa voix aussi est étrange. Entrain forcé. Papa a écarté son journal et l'observe par-dessous ses lunettes.

« Voilà une bonne idée ! Ce sera un whisky eau plate pour ton père.

— Je m'occupe de tout, dit-elle. Que personne ne bouge. »

Elle disparaît dans la cuisine. Les parents échangent un regard : cette nervosité, c'est à cause de Bernadette, sûrement ! En raison de ce qui se passera demain, à sept heures quarante-cinq très exactement. Mais j'ai soudain peur d'autre chose. Je me sens mal à l'aise.

Je m'apprête à aller, mine de rien, lui demander des explications à la cuisine lorsque déjà elle reparaît, poussant la table roulante sur laquelle elle a tout préparé.

Toujours de cette même démarche bizarre, regard au sol, elle apporte à papa son scotch, à maman et Nicole qui n'aiment pas faire de mélange la bouteille de vin du dîner, à Claire et à moi une menthe à l'eau. Rien pour elle !

Le disque s'arrête. Elle est déjà près du pick-up.

« Ne te dérange pas, je le tourne », dit-elle à Claire qui n'en revient pas de cette subite complaisance.

Wagner reparti, elle ramasse une nouvelle fois quelque chose sur le tapis et vient enfin s'asseoir près de Nicole. Court silence.

« Je t'ai peut-être raconté, entame-t-elle, que Gary faisait des collections ?

— Je ne m'en souviens pas, dit Nicole. Des collections de quoi ?

— Mouchoirs et monstres, grommelle Claire dans

218

son coin. Les uns pour les manger, les autres pour en être dévoré.

— Serpents aussi ! ajoute Cécile.

— Certains préfèrent collectionner les fleurs ou les papillons, remarque papa en baissant son journal. Tout dépend des goûts, évidemment !

— En ce qui concerne les reptiles, s'empresse de dire Cécile, Gary ne choisit que les non venimeux. Il avait pensé à faire aussi les scorpions mais c'était trop dangereux. C'est ainsi que l'idée lui naquit des serpents. »

J'essaie de capter son regard. Si elle veut annoncer le Capitaine, pourquoi ne le fait-elle pas franchement ? Ce sera sûrement très mal pris mais je préférerais ça. Ras-le-bol de l'omerta !

« Moi, dit maman, venimeux ou pas, les serpents me font tous le même effet !

— C'est-à-dire ? interroge la poison, une pointe d'inquiétude dans la voix.

— Abominable ! »

La poison se rembrunit.

« Préjugés, dit-elle ! Un peu plus de vin ?

— Ma parole, mais elle veut nous soûler ! remarque Nicole. Elle ne nous laisse même pas finir nos verres.

— Tant qu'à faire, dit maman, je préférerais encore me trouver en face d'un bon gros ours ! Au moins, on sait par où le prendre pour se battre. Ce qu'il y a avec les serpents, c'est qu'ils n'ont pas d'épaules.

— Qui a parlé de se battre ? proteste Cécile. Je croyais avoir dit qu'il s'agissait de serpents inoffensifs ! »

Je me sens soudain très mal à l'aise. Je me demande... Son regard fait à nouveau le tour du salon puis se pose sur maman.

« Suppose que tu en voies un apparaître...

— Dans le salon ? s'étonne maman.

— Par exemple !

— Les pompiers, tout de suite ! tranche Claire.

— Mais ils le tueraient avec leurs lances et tout, proteste Cécile indignée. Et les rideaux, les meubles, ton cher fauteuil, prendraient un coup aussi, soyez tranquilles.

— Tu permettras, tranche la princesse avec hauteur, qu'entre les rideaux et une piqûre, je choisisse ma personne. »

Cécile lève les yeux au ciel.

« Erreur classique! Les serpents ne piquent pas. Ils mordent! Tout le monde a peur de leur langue fourchue alors qu'elle leur sert simplement de radar.

— A l'occasion je m'en souviendrai, dit Claire. Maintenant, s'il est permis d'écouter Wagner... »

Il y a un silence. Charles regarde la mine préoccupée de Cécile.

« Puisque tu sembles t'intéresser à la vie des reptiles, nous pourrons nous procurer un livre les concernant.

— Je te remercie, dit la poison. Mais certains préfèrent étudier sur le vif!

— Le vif n'est pas toujours à portée de main, fait remarquer Nicole en riant.

— Parfois plus qu'on ne croit », dit Cécile d'un ton pénétré.

La princesse frissonne. La poison se tourne vers elle, rassurante.

« On se fait toutes sortes d'idées sur les serpents! On dit qu'ils sont visqueux par exemple. Si tu en touches un, tu verras que c'est complètement faux. Ils sont même particulièrement secs parce qu'ils n'ont pas de glandes, les pauvres!

— Les pauvres », ricane Claire.

Nicole et maman échangent des sourires amusés. J'en ai assez! Omerta ou non, j'ai envie de mettre les pieds dans le plat. Ce petit jeu me porte sur les nerfs. Cécile elle-même ne semble y trouver aucun plaisir. Alors pourquoi? Ce n'est pas dans ses habitudes de temporiser! Et ce n'est pas fini!

« On prétend aussi qu'ils vous fascinent, reprend-elle. C'est seulement parce que les malheureux n'ont pas de paupières.

— Les malheureux! dit Claire. Les pauvres, les infortunés, les misérables, les innocents... »

Cécile la foudroie.

« Je te trouve bien savante », admire papa.

La poison se tourne vers lui.

« Toi qui t'occupes de la circulation, je suis sûre que cela t'intéressera d'en étudier un de plus près ! Leur cœur est divisé en trois et ils n'ont qu'un seul poumon, allongé naturellement.

— Voici qui est en effet très intéressant, dit papa qui a renoncé définitivement à lire son journal.

— Enfin, tout cela ce sont de bons souvenirs de Californie, n'est-ce pas ? » constate maman tendrement.

C'est alors que Cécile me regarde et je comprends qu'elle va foncer.

« A propos de bons souvenirs, dit-elle joyeusement, Gary m'en a offert un ! »

Il y a un silence. Wagnérien ! La phrase était obscure. On peut espérer n'avoir pas bien compris.

« Un... souvenir ? interroge papa avec précaution.

— Inoffensif ! s'empresse Cécile. Ça, je peux vous le garantir. »

Un froid passe. Ecailleux ! Nicole me regarde comme si elle avait deviné que je suis dans le secret. Je me détourne lâchement.

« Tu ne veux quand même pas dire... murmure Charles.

— Un tout petit, dit Cécile. Presque inexistant ! »

Claire regarde tour à tour chaque adulte, entre l'épouvante, la stupeur, l'incrédulité. J'ai l'impression qu'elle ne respire plus.

« Un Serpent ? » ose prononcer Nicole.

Cécile acquiesce.

« Mais où est-il ? interroge papa.

— Eh bien, voilà ! se lance Cécile, justement, je ne sais pas où il est passé. Je l'avais descendu dans l'entrée. La cage a dû s'ouvrir. J'ai regardé partout. Je ne le trouve plus ! »

Claire pousse un hurlement et monte sur son fauteuil en secouant sa jupe.

D'ailleurs, tout le monde est debout.

« Au début, ça fait un peu d'effet, plaide Cécile en courant de l'un à l'autre. Après, on s'habitue, vous verrez ! Qui veut une goutte d'alcool ?

— Elle est folle ! hurle Claire. Complètement folle, maboule, irrécupérable !

— Avec Bernadette, ça ne fera jamais que deux dans la famille », réplique Cécile, les larmes aux yeux.

Les trois adultes parcourent le salon, enfin, marchent comme elle, tout à l'heure, en faisant très attention. Claire, toujours sur sa chaise, demande à grands cris qu'on lui passe le tisonnier. Charles prend la poison par un poignet. Je l'ai rarement vu si en colère. Cette fois, je crois qu'il en a vraiment assez de ses filles. Je plonge sous le canapé.

« S'il s'agit d'une plaisanterie, fait-il entre ses dents, autant le dire toute de suite !

— Tu peux demander à Pauline, hoquette Cécile. Elle le connaît ! »

Je réémerge pour voir tous les regards fixés sur ma personne. Je ne peux qu'avouer. Sans fierté !

« Comment est-il ? interroge papa d'une voix d'outre-tombe.

— Blanc et noir, décrit la poison, pointu d'un bout et plat de l'autre. Plutôt beau.

— Et quand l'as-tu vu pour la dernière fois ?

— Voilà, dit Cécile. Il habitait là-haut avec Pauline et moi, mais comme Claire a monté son matelas je l'ai descendu lui, discrètement, dans le placard de l'entrée pour éviter de lui faire peur. »

Claire pousse un nouveau cri. « J'ai touché cette cage... Je l'ai touchée.

— Et on t'entend encore, preuve que tu n'es pas morte ! coupe Nicole.

— J'ai fouillé toute l'entrée, poursuit Cécile, et à moins qu'un serpent sache monter les étages, ce qui m'épaterait même s'il est bien doué, il ne peut être qu'ici. Ne pas siffler quand on le voit il pense qu'on lui apporte ses mouches. »

Elle sort quelque chose de sa poche et le montre à papa.

« Voici des indices, soupire-t-elle. C'est la mue. Il sème des écailles partout. Ils disent dans l'encyclopédie qu'ils ont besoin de se gratter et profitent de la moindre occasion, les pauvres !

« Des écailles, hurle Claire. Des écailles de serpent au salon... »

Papa se tourne vers elle. Wagner bat son plein.

« Arrêtez un peu, ordonna-t-il, toi et cette musique. »

Maman s'approche.

« On regardera mieux demain en faisant le ménage, mais apparemment il n'est pas là !

— Il a pu aussi bien filer dans le jardin, dit Nicole. En principe, c'est là que se plaisent les serpents.

— Qu'est-ce qui te permet de dire qu'il est inoffensif ? demande Charles à Cécile.

— D'abord, je ne suis ni morte ni enterrée. Ensuite, il n'a pas de crochet à venin. »

Papa retombe sur son fauteuil et achève avidement son scotch. Libérée, Cécile file dans l'entrée et revient avec la cage. En voyant celle-ci, Claire pousse un cri supplémentaire. Elle a réussi par un tour de force à arrêter le disque sans descendre de son siège.

« Je ne resterai pas une minute de plus dans la même maison qu'un être pareil ! déclare-t-elle en foudroyant Cécile.

— Alors adieu », dit la poison sans bouger.

Papa intervient. Il est plus calme.

« Mais qu'est-ce qui t'a pris ? demande-t-il. Qu'est-ce qui t'a pris de ramener un serpent ? Et la douane ? Te rends-tu compte de ce qui se serait passé à la douane s'ils t'avaient pincée ? »

Nicole ne peut réprimer un rire. Maman tente de résister. Sa jupe serrée autour de ses jambes, Claire reste de marbre sur son fauteuil.

« C'est à cause de Bernadette, explique Cécile. Gary a dit que c'était un porte-bonheur. On a bien des hamsters, des souris blanches, des cochons d'Inde, alors pourquoi pas le Capitaine ?

Le Capitaine ? Les parents se regardent. Cette fois, tout le monde la croit devenue folle. On commence à me viser d'un sale œil. J'aurais dû avertir.

Et c'est à ce moment-là qu'on sonne à la porte d'entrée. J'y vais !

CHAPITRE XXX

UNE AFFAIRE DE FAMILLE

ELLE se tient bien droite sur le perron. Je ne la reconnais pas tout de suite. Peut-être à cause des vêtements. Sa coiffure aussi. Quant je l'ai vue la première fois, ses cheveux tombaient sur ses épaules.

Derrière elle il y a un homme : très grand, massif, l'air important. Je ne l'avais vu qu'en photo, lui, mais je le reconnais tout de suite. Et je reste paralysée. Tout le reste est effacé. Au diable le Capitaine ! Ils sont là ! Ils sont venus. Je ne peux y croire. Cela voudrait dire que les rêves, quelquefois, se réalisent : en plus éblouissants encore.

« Pauline ! » dit-elle.

Elle me tend la main et se tourne vers son mari.

« C'est elle qui est venue à la maison ! »

Il ne sourit pas. Comme il est grand ! Je suis sûre que ses pieds dépassent du lit. J'aurais peur de l'avoir pour père. J'ai l'impression qu'il me juge. Sévèrement.

« Pouvons-nous voir vos parents ? »

Je fais « oui » de la tête. Ma gorge est complètement nouée. Et je les laisse là, sur le perron ! Je leur fais signe de me suivre. J'allume. Il y a une montagne de bottes dans l'entrée et au moins trois cirés sur la même patère, qui flanche naturellement ! Il ne manque que l'apparition d'un serpent. Pourquoi n'ont-ils pas averti ? On aurait fait le grand ménage et mis des fleurs partout. La princesse se serait astiquée durant des heures. Cécile aurait eu droit à un sermon, un de plus. Les parents...

La porte du salon s'ouvre et la tête de Cécile apparaît, coiffée à la Gorgone.

« Papa demande qui c'est ?

— Les parents de Stéphane, dis-je. Les Saint-Aimond ! »

Maman m'a souvent parlé de ce qu'elle appelle « les grâces d'état ». Une grâce d'état, c'est la force inattendue qu'on trouve en soi en certaines circonstances pour surmonter l'épreuve. En quelques secondes, la grâce d'état a effacé la grande émotion du serpent. Tapis et coussins ont repris leur place, les visages retrouvé leur calme. Ce n'était pas une comédie. Voir entrer les parents de Stéphane. Voir sa mère venir vers maman, mains tendues, l'expression si réellement bouleversée. Et lui, l'entendre dire gravement que c'était seulement aujourd'hui qu'ils avaient appris pour l'opération et tenaient à ce que nous sachions qu'ils étaient de tout cœur avec nous et que s'ils pouvaient faire quoi que ce soit...

J'ai pu lire sur son visage l'émotion de maman. Voici un geste qu'elle aurait fait. Nicole s'est discrètement écartée. Sans qu'on le lui demande, Claire est allée chercher les verres des grandes occasions et a offert l'apéritif en donnant à chacun une petite serviette comme en Amérique.

Maintenant, lui est assis à côté de mon père ! Il porte un costume sombre, ruban compliqué à la boutonnière : décoration de commandeur, je suppose, gilet, cravate. Papa : pull avachi, comme ruban un fil du tapis, babouches africaines offertes il y a six ans par Cécile pour la fête des pères, pantalon vert-de-gris. La seule chose qu'ils ont en commun c'est leur verre de whisky : eau plate pour tous les deux !

Mme de Saint-Aimond, tailleur, chemisier ailé, perles, gants, est près de maman sur le canapé. Maman, ça peut aller.

M. de Saint-Aimond explique ce qui s'est passé. En voyage à Genève, il n'est revenu que ce matin. Sa femme lui a aussitôt raconté ma visite.

Lorsqu'elle parle de ma visite, tout le monde me regarde et je ne sais qui est la plus fière : Cécile ou moi.

Après le déjeuner, Stéphane a appelé sa mère et il lui a appris qu'on opérait Bernadette. Alors, ce soir, ils ont décidé de venir.

Excuses des deux côtés : eux pour l'avoir fait sans avertir. Maman pour l'état du salon.

Je regarde ailleurs. En moi, un mélange de peine profonde et de bonheur. Par leur présence ici, ils m'ont, en quelque sorte, rendu ma sœur. J'ai peur enfin ! J'ai mal enfin ! Mais je voudrais comprendre. Un jour de grosse chaleur et de déjeuner important puisque c'était dimanche, la vague a jeté un noyé sur le sable d'Houlgate. Quand un homme, à cheval sur lui, a posé sans dégoût ses lèvres sur les lèvres bleuies, j'ai ressenti le même mélange de souffrance et de joie, la même intense impression de partage. Partage. Partager la douleur devient joie. Voilà !

Ils en ont terminé avec la chute de Bernadette, notre retour de Californie, l'hôpital et la décision d'opérer. Les Saint-Aimond connaissent le professeur Bernard. Il paraît qu'il est très bien. Je les regarde tous les quatre : les quatre parents bien élevés. On dirait qu'ils font tout pour ne pas aborder le problème. Le vrai. La raison de la présence des Saint-Aimond ici : Stéphane. Stéphane et Bernadette !

Assise devant la cheminée, sur mon tabouret, Cécile ne les quitte des yeux que pour faire, à ras du sol, un rapide tour d'horizon. C'est surtout le père de Stéphane qui l'intéresse. On dirait qu'elle prend ses mesures. Elle n'a pas encore prononcé un mot. Inquiétant !

« Nous pensions peut-être trouver Stéphane ici, dit enfin Mme de Saint-Aimond.

— Il a pris un service de nuit dans son poste à essence », risque maman d'un ton prudent.

Il y a un silence.

« Stéphane ne se croit plus autorisé à venir à la maison », dit Claire.

Les regards se tournent vers elle. Elle est encore toute rose de l'émotion du Capitaine. Elle est belle. Pourquoi est-elle intervenue, elle qui déteste parler en public ? Un jour, elle était perdue, et Bernadette est allée la chercher. Paie-t-elle sa dette ?

« Vous savez peut-être que juste avant l'accident ma sœur et lui ont eu une grave dispute.

— Plus exactement, intervient Cécile, poursuivant le travail de sincérité, Bernadette flanqua Stéphane à la porte. »

Les parents se regardent, dépassés par les événements. Merci Claire! Cécile fixe M. de Saint-Aimond droit dans les yeux.

« Elle le fit à cause de vous », dit-elle.

Le père de Stéphane considère avec étonnement ce moustique assis à ses pieds. Cécile soutient son regard, parfaitement paisible. Et je réalise quelque chose qui me remplit de force. Sauf lorsqu'elle veut séduire un garçon et alors c'est une superposition de Marylin Monroë, Elisabeth Taylor et Brigitte Bardot, elle est la même avec tout le monde. Vous lui amèneriez le pape, elle lui offrirait un verre de vin. En tout cas, je peux certifier une chose : le père de Stéphane ne lui fait pas la moindre peur. Et c'est bien pour ça, je suppose, que les parents paraissent épouvantés!

Maman fait signe à Nicole. Nicole se lève avec un grand naturel et tend la main à Cécile.

« Nous allons peut-être laisser parler les parents », propose-t-elle.

La poison ne bouge pas. Elle regarde toujours M. de Saint-Aimond.

« Je ne voulus attaquer personne, dit-elle. Je voulus simplement expliquer pourquoi Stéphane n'était pas là. D'autant qu'il n'est pas prêt de revenir ce qui ne fera l'affaire de personne. »

Cette fois, Nicole s'empare d'autorité de la main de Cécile qui se lève. M. de Saint-Aimond l'arrête. Il se tourne vers les parents.

« Si vous n'y voyez pas d'inconvénients, j'ai toujours pensé que les affaires de famille devaient se régler... en famille.

— C'est aussi l'avis de grand-mère, dit la poison en se rasseyant. Et à propos d'affaires de famille, si vous voyez passer quelque chose qui ressemble à un serpent, ne vous inquiétez pas; il est à moi et ne mord pas. Vous pouvez me tutoyer, ça sera plus simple. »

Les Saint-Aimond se regardent et il passe un vent d'interrogation et d'inquiétude. Papa le rompt avec son rire.

« Figurez-vous que notre fille a parfois de drôles d'idées », dit-il en enveloppant Cécile, clouée d'admiration devant un tel naturel, d'un regard indulgent. « Ce... serpent est en fait une mascotte !

— Tout à fait inoffensive, renchérit maman.

— Certains collectionnent bien les souris, les hamsters et les cochons d'Inde, enchaîne Nicole, en Californie c'était la mode des reptiles.

— Et des tarentules, paraît-il, dit Mme de Saint-Aimond.

— Entre un serpent et une araignée, quelle femme hésiterait ? » rit Nicole.

C'est au tour des Saint-Aimond de scruter le tapis. Ils n'ont pas l'air si fiers - mais n'en montent pas pour autant sur le canapé, à bon entendeur, salut !

Ne voyant rien ramper et rassurés par l'attitude hilare de toute la famille y compris Claire qui est allée jusqu'à poser ses deux pieds sur le sol, ils se tournent à nouveau vers Cécile.

« Tu as dit que ta sœur et Stéphane s'étaient disputés à cause de nous ?

— Entre l'amour et la famille, dit la poison, les gens choisissent généralement l'amour, du moins dans les histoires. Bernadette pas du tout. Elle décida de vous rendre votre fils.

— Et pourquoi, selon toi, le décida-t-elle, interroge M. de Saint-Aimond.

— A cause des différences », répond sombrement Cécile.

Les parents se regardent. Claire est au martyre. Nicole s'est placée de façon à pouvoir capter le regard de la poison mais celle-ci n'a d'yeux que pour son interlocuteur qui n'en a d'ailleurs que pour elle. Dans le visage sévère, il me semble avoir vu un sourire.

« Les différences ? demanda-t-il.

— Le château par exemple, le yacht, les tableaux, le chauffeur, le jardinier, les filles qui jouent au golf, la lutte des classes, quoi ! »

Elle n'a rien oublié. Et ne nous a rien épargné. Je ne sais pas si je suis plus gênée pour nous ou pour les Saint-Aimond. Que peuvent-ils répondre à cela ? Les différences, c'est vrai ! Je les ai vues, touchées, et je me suis dit : « C'est fichu. »

D'ailleurs, Mme de Saint-Aimond semble K.O. Elle n'ose plus regarder du côté de maman. On dirait que Claire va pleurer. Et soudain, il se passe une chose formidable : le père de Stéphane éclate de rire. Il rit tellement que sa décoration tressaute. En voyant l'air ahuri, inquiet, interrogateur de Cécile, il recommence. Et un tout petit espoir vient en moi. Bernadette aime les personnes qui savent rire. Elle pourra donc l'aimer.

Il pose la main sur la tête de notre sœur.

« Ecoute-moi, dit-il. Le château de Saint-Aimond, ou plutôt ce qu'il en reste, abrite en effet des hôtes de marque : des vaches ! Trente-cinq exactement. Mon grand-père était fermier, comme son père. Leur golf, c'était leur champ de betteraves et il n'a jamais su conduire que son tracteur ! Ni mon père, ni moi n'avions le goût de la terre sinon je serais là-bas. C'est un cousin qui a repris l'exploitation. Le bateau, c'est exact ! Nous en avons un parce que lorsque tu es enfermé toute l'année dans un bureau, la mer, c'est le plus beau des rendez-vous. Pour le chauffeur, c'est vrai aussi ! J'étudie mes dossiers dans mon auto. Et maintenant, que ta sœur joue au golf ou non, cela nous est complètement égal, mais... »

Il s'interrompt. Il regarde les parents à présent. Soudain, tout le monde se rappelle où, en ce moment, est cette sœur-là !

« La seule fois où nous avons vu Bernadette, disons qu'elle nous a... terriblement snobés ! »

Maman est penchée en avant. Elle veut convaincre mais elle reste digne.

« Elle a eu peur ! Il faut la comprendre. Elle aime Stéphane. Elle craignait de ne pas vous plaire.

— Alors elle s'est dit : « Autant y aller à fond », répond M. de Saint-Aimond en souriant à maman. Je me demande vraiment quel portrait notre fils avait tracé de nous. »

Ce qu'a dit maman, je voulais le dire à Neuilly. Je me suis tue parce que j'aurais eu l'impression de trahir ma sœur. Ils auraient pu ne pas venir... Maman a raison. Il faut tout dire et tant pis pour ceux qui ne savent pas encaisser. C'est avec ces craintes de trahir, de déplaire ou de choquer qu'on reste à l'extérieur des choses. Si Cécile n'avait pas parlé du yacht et de la lutte des classes, ce qui, sur le moment, nous a tous submergés de honte, on n'aurait jamais su que le grand-père de Stéphane conduisait un tracteur et que des vaches occupaient le château.

Cécile a le sifflet coupé. Bien fait pour elle! Elle regarde le père de Stéphane des pieds à la tête comme si elle n'y croyait pas encore et lui cherchait une paire de sabots. Maintenant, qu'elle dise tout ce qu'elle veut; qu'elle lui demande son tour de tête et sa pointure, on s'en fout.

« Une maison avec des filles, dit-il à papa, cela n'est-il pas formidablement vivant?

— Cela n'arrête guère, en effet », convient Charles. Et après un regard noir à Cécile :

« Parfois, le rythme est un peu dur à supporter. » Saint-Aimond fixe de nouveau la poison.

« Alors toi, tu es la dernière!

— En quelque sorte le post-scriptum », soupire-t-elle. Le regard de son interlocuteur brille.

« Me permets-tu de dire que j'aurais aimé avoir des filles?

— C'est ce que disait Stéphane pour les sœurs, fait remarquer Cécile. Et aussi qu'à *La Marette*, il en avait trouvé trois d'un coup. Je ne compte pas Bernadette, vous comprenez pourquoi! »

C'est après cette phrase que les choses se précipitent. Sortant des bûches près de la cheminée, un éclair noir et blanc traverse le salon et disparaît sous la table recouverte d'un tapis ancien qui tombe jusqu'à terre.

A nous aussi, c'était notre cachette favorite, autrefois. Mon cœur a bondi. Je ne pense pas que Claire l'ait vu. Elle est fascinée par le bracelet perles et or de Mme de Saint-Aimond.

Cécile me fait signe, se lève très calmement et, d'une

démarche égale, va prendre la cage. Nous nous rapprochons de la table.

Papa aussi est debout. D'une drôle de voix, il propose à nos hôtes un peu plus de whisky. Nicole nous a rejointes.

Tout se passe vite et bien. Tandis qu'elle et moi tenons le tapis, Cécile disparaît sous la table et, quand elle en ressort, plus ébouriffée que jamais, la cage est habitée.

« Le Capitaine est rentré au port ! » annonce-t-elle.

De la même démarche posée, elle se dirige vers la porte.

« Tu ne nous montres pas ta mascotte ? » interroge M. de Saint-Aimond.

Cécile fait demi-tour et vient poser la cage sur le tabouret. Le serpent a la tête dressée. Claire est pétrifiée. Les parents sourient à côté. Mme de Saint-Aimond s'est un peu reculée.

« A damier ! remarque-t-elle. Je ne savais pas que cela existait !

— Il y a sur terre deux mille trois cents espèces de serpents, nous apprend Cécile, et aucun ne se ressemble ! Cela fait réfléchir, n'est-ce pas ?

— Chez mon grand-père, raconte Saint-Aimond, nous placions des bols de lait à la sortie des nids de vipères et nous les attendions des journées entières. Mais il ne nous était jamais venu à l'idée de les apprivoiser. Nos parents, je suppose, étaient moins indulgents que les tiens.

— Mes parents sont formidables, dit Cécile avec un regard candide vers papa. Désirez-vous le prendre un peu, il ne vous fera rien ?

— Non merci ! » dit Saint-Aimond.

Mais il trouve le courage de passer son doigt entre les barreaux. Recul du serpent. Souffle coupé de la famille.

« Ce qui fait croire qu'ils sont gluants, explique Cécile, c'est que leurs écailles brillent.

— Comment l'as-tu appelé tout à l'heure ? » interroge Saint-Aimond.

Je crois que la poison rougit.

« Le Capitaine », explique-t-elle. Et Fouroux, lui, je

l'appelle « le Serpent ». Il faut le voir se glisser hors de la mêlée avec le ballon. Et c'est quand même le roi du rugby !

— Ça, nous en reparlerons toi et moi », dit le père de Stéphane.

Nicole s'est levée et on ne comprend son expression que lorsqu'elle ouvre la porte de la cuisine et que la fumée se répand. Ce ne sera pas ce soir que nous mangerons du pain maison !

« Je te propose une chose, dit Cécile à M. de Saint-Aimond. Si nous allions faire une surprise à Stéphane ? »

CHAPITRE XXXI

UN POISSON NOMMÉ « LE CŒUR »

Quand ils sont arrivés, Stéphane était dans la petite maison attenante à la station. Ils ont reconnu son visage derrière la fenêtre éclairée. Il lisait.

Il s'est levé au premier coup de klaxon; il est venu vers la voiture et, comme s'il ne faisait que cela depuis cent ans, il a ouvert le réservoir et embranché le tuyau. Puis, seulement, il s'est présenté à la portière.

« Mon garçon », a dit M. de Saint-Aimond en relevant le chapeau sous lequel Cécile l'avait suppliée de se cacher, « on ne sert pas le client avant de s'être assuré qu'il désirait bien du super ! »

Lorsqu'il a reconnu son père, Stéphane a, paraît-il, lâché la brosse-éponge avec laquelle il s'apprêtait à laver le pare-brise. « J'ai compris, m'a raconté Cécile, ce que voulait dire "les yeux hors de la tête". J'ai quasiment tendu la main pour les recevoir. »

M. de Saint-Aimond attendait en souriant que ça se passe. La mère de Stéphane n'a pas résisté : elle est sortie de la voiture et s'est jetée dans les bras de son fils.

Le plus étonné, c'était le routier qui attendait son gas-oil derrière. Du haut de son poids lourd, il regardait ce pompiste graisseux serrer dans ses bras la femme à perles et il en oubliait de s'impatienter.

Cécile est allée lui expliquer la situation et lui a demandé de ne pas klaxonner pour éviter de briser un rêve. Il lui a offert un cigare. En de telles circonstances, elle s'est crue autorisée à l'accepter et l'a mis dans sa poche pour papa.

Stéphane n'avait pas revu ses parents depuis plusieurs semaines. Une fois le plein fait et le poids lourd abreuvé de gas-oil, il les a emmenés dans la maison où il leur a offert une boisson. Cécile avait proposé de tenir la pompe afin que les Saint-Aimond puissent aller discuter dans un endroit plus confortable, mais sa proposition a été rejetée.

Ce qu'ils se sont dit, elle n'a pu nous le répéter. Discrètement et sous prétexte d'être folle de musique, elle était restée dans la Mercedes.

Il paraît qu'ils ont un magnétophone-stéréo et que tout l'avant de la voiture est quasiment tapissé de cassettes. Classiques malheureusement! Elle se propose d'y remédier.

La nuit, cette dernière nuit avant l'opération, a donc été très douce et tendre finalement. Claire trônait dans mon lit, Cécile et moi de chaque côté, sur les matelas. La princesse, qui couche à plat à cause du port de tête, nous avait laissé oreiller et traversin. Le Capitaine avait été enfermé dans le garage.

Nous avons beaucoup parlé. Après une telle journée, dormir nous semblait impossible et il y avait entre nous une complicité particulière que l'on n'avait pas envie de laisser briser par le sommeil.

Nous parlions encore, à trois voix, quand la nuit a pâli et qu'au-dessus de nos têtes, à la grande frayeur de Claire, les oiseaux se sont éveillés. Je ne sais combien de nids ils se sont faits là-haut, mais lorsqu'ils battent des ailes, on peut penser que le toit va s'envoler.

Ce que nous nous sommes dit, je ne m'en souviens pas. La fatigue, sans doute : nous éprouvions comme une ivresse. Il ne s'est pas tout le temps agi de Bernadette! Je suppose que lorsqu'on veille un malade, ou un mort, je ne dis pas ça pour elle, c'est ainsi! Il est sans cesse présent à votre esprit. Il est tout près avec son passé, tout ce qu'il était, ce qu'on voudrait avoir fait pour lui et que l'on se promet, s'il en est encore temps, de faire, sans se douter qu'on oubliera; mais on peut, malgré tout, très bien penser à autre chose : une ancienne promenade, ce vieil arbre en bouquet surgissant au milieu d'un champ pour l'ombre du troupeau, un de ces moments de joie partagée où la mort et la souffrance ne sont à l'horizon qu'une épée plutôt belle que fait scintiller le soleil.

Les parents sont partis vers six heures. Bien qu'ils aient fait l'impossible pour ne réveiller personne, j'ai entendu bruire le gravier et je suis descendue dans la cuisine.

Cela sentait encore le pain brûlé. Peut-être, en effet, est-ce important le travail des mains mais cela se rate comme le reste !

Sur le jardin, plus petit me semblait-il, le jour se levait à peine. Le chemin vers l'automne était donc déjà commencé. Comme c'est court, un été !

Je mettais l'eau à chauffer pour le café quand Antoine est monté.

Il portait ce pyjama que j'avais, hier, serré entre mes doigts. Il m'a retiré la casserole des mains.

« Assieds-toi ! Ce sont les hommes qui font le café ! »

Je ne voyais pas du tout pourquoi mais je lui ai obéi. Cela me faisait du bien d'obéir à un homme qui n'était pas mon père. Je l'ai regardé mettre la poudre dans le filtre avec des gestes délicats et précis qui me donnaient envie d'être touchée par lui. Je l'ai regardé verser peu à peu l'eau sur la poudre et j'aurais voulu que cela dure toujours, que la vie soit ce mouvement calme, lent et sans surprise. Alors, pour prolonger un peu, je l'ai laissé aussi mettre notre couvert.

Il était sept heures et quart et je suppose que Bernadette avait eu droit aux premières piqûres. On ne pouvait plus rien empêcher à présent. L'homme qui la transporterait jusqu'à la salle d'opérations devait se préparer. Le professeur aussi. Blancs ! Blanc ! Les parents allaient arriver. Papa avait demandé à assister à l'opération. Est-ce possible ? Maman attendrait. Je suppose qu'elle prierait. Soyez tranquille, elle garderait confiance !

Antoine a rempli nos tasses en commençant par la mienne. Il m'a demandé combien de sucres je voulais et j'ai répondu : « Trois, comme d'habitude, et un peu de lait s'il vous plaît ! » Il m'a servie. J'ai commencé tout de suite à boire. Ça, il ne pouvait le faire pour moi !

« Tu n'as pas l'air d'avoir tellement dormi ! » a-t-il dit.

J'ai répliqué : « Même pas du tout ! Et je l'ai dit avec mauvaise humeur bien que cette nuit, en un sens, ait été de fête ! Mais je n'en sentais plus que les cendres.

Il m'a dit encore : « Sais-tu ce que j'ai remarqué ? Tu n'as pas l'air contente de toi ! »

Alors tout est venu à la fois. C'était ce pyjama, je pense, et ce déjeuner qu'il avait préparé pour moi, et toute ces choses que j'accumule au lieu, comme tout le monde, de les raconter à tout le monde. Pas l'air contente de moi, peut-être ! Mais des autres non plus et de la vie encore moins. Sally ! Bernadette ! De plus en plus souvent quelque chose se soulève dans ma poitrine et demande : « pourquoi ? » et répond : « Non ! » sans attendre la réponse. L'hiver dernier, j'étais douce, disponible et j'aimais tout. Je me sens devenir dure, presque méchante parfois. J'ai envie d'attaquer, de ruer dans les brancards. En tout cas, certainement pas envie de rentrer dans l'attelage. Peur, un jour, de m'y retrouver malgré moi.

Antoine n'a pas souri une seule fois. Il me regardait comme s'il regardait, un peu plus loin, quelqu'un que je ne connaîtrais pas encore. Il a dit : « C'est bien ! C'est très bien ! Tu te cherches ! » La petite fille qui aimait tout le monde, c'était toi, enveloppée du cocon de tendresse où tu as été élevée. La jeune fille qui se révolte et a envie de mordre, c'est toi également, devant ta découverte d'un monde pas toujours si gentil que ça ! Nous passons tous par un même chemin. D'abord on ne voit pas ; ensuite on refuse de voir et cela dure parfois toute la vie. Enfin, certains acceptent, ce qui ne veut pas dire qu'ils se résignent.

J'en étais donc au refus. Et comptais bien y rester ! L'acceptation, jamais ! Ce sont les vieux qui disent que ce n'est pas vieillir !

Antoine a rempli une seconde fois ma tasse, la sienne, puis il a remis l'eau à chauffer pour les suivants. Il était presque huit heures maintenant.

« Sais-tu, m'a-t-il raconté, qu'il y avait autrefois, en Méditerrannée, un poisson appelé "le cœur" ? Le cœur vivait près de la côte, sous les rochers. Il sortait rarement. Il n'était pas méfiant. Quand on le harponnait, il ne se défendait pas. Il ne tentait pas de s'enfuir. La race est en train de disparaître. L'enfant heureux est comme "le cœur". Il ne voit pas le pêcheur. S'il reste sous son rocher, il risque d'être mangé. »

Il a vu mon regard sur le réveil et sa main, par-dessus la table, est venue prendre ma main.

« Oui, a-t-il dit! C'est commencé pour Bernadette. Enfin, elle va être soulagée! »

Nicole, puis Cécile et Claire sont venues nous rejoindre et tout le monde a bu du café. A neuf heures, Charles a appelé. Tout s'était passé admirablement. Nous n'avions plus qu'à nous préparer à récupérer notre sœur.

CHAPITRE XXXII

LE GRAND SOMMEIL

Cécile est partie avec Nicole le lendemain de l'opération, lorsqu'il a été certain que, pour Bernadette, les choses ne pourraient aller que de mieux en mieux.

Elle semblait plutôt contente. Nicole a accepté de mettre le Capitaine dans le coffre de la voiture et tout le monde a dit au revoir au cher petit. Même Claire ! Bien la peine de faire tant d'histoires ! Papa a quand même suggéré à la poison d'oublier sa mascotte à Montbard puisque pour Bernadette elle avait rempli son office. Cécile n'a pris aucun engagement. Juste avant le départ, elle a reçu un paquet « express » : un beau livre sur les serpents de la part de M. de Saint-Aimond. Elle l'a emporté.

C'est après avoir refermé la grille que j'ai commencé à ressentir une grande fatigue. Je revenais vers la maison et tout en moi était lourd et me tirait vers le sol. J'avais envie de m'y laisser tomber, de m'y enfoncer, loin du bruit, des histoires ; loin de tout ce que nous venions de vivre.

J'ai demandé à Claire de ne pas me déranger ; j'ai fermé les volets de ma chambre, je me suis cachée sous l'édredon et j'ai commencé à dormir.

Pendant trois jours, je n'ai presque pas arrêté. Le matin, j'entendais les parents descendre. J'entendais le bruit du petit déjeuner et les odeurs de pain grillé montaient jusqu'à ma chambre, à moins que ce ne soit mon imagination. Puis, sur le gravier, le bruit de la voiture qui les emmenait à Paris — ils passaient presque tout leur temps auprès de Bernadette — enfin, le bruit de la grille refermée.

Alors, j'étendais tout à fait mes jambes. Je pouvais me rendormir. Jusqu'au soir, personne ne viendrait me troubler.

Je ne dormais pas tout le temps. Parfois, j'allumais, mais, en tout cas, je n'ouvrais jamais les volets. Je ne voulais pas savoir quel temps il faisait ni quelle lumière éclairait le jardin. Il m'arrivait de prendre un livre ou d'écouter la radio : n'importe quel livre, n'importe quelle chanson. Je quittais ma chambre vers six heures pour préparer le dîner. J'étais dans le salon quand les parents rentraient. Le reste du temps, je ne sortais pas de mon lit.

Il me semblait que toute la maison m'accompagnait dans mon sommeil. Sans Bernadette, sans Cécile et sans Nicole, elle y était tombée elle aussi. Tombée ! C'était bien le mot. Après des journées si pleines, on ne pouvait que tomber dans le vide. Je n'avais pas envie d'en sortir. La sonnerie du téléphone nous hérissait, *La Marette* et moi ; et le bruit des camions qui fait trembler les murs. Celui des péniches, cela allait à cause du long sillon d'eau qu'elles ouvrent derrière elles et dont les lèvres viennent en dégradé s'appuyer sur les berges. Le soir où Charles a annoncé que bientôt nous pourrions aller voir Bernadette, cela ne m'a pas fait plaisir. Au contraire !

Claire était montée plusieurs fois pour voir ce qui m'arrivait. Me trouvant dans mon lit, je suppose, qu'inquiète, elle a raconté aux parents comment je passais mes journées puisque le troisième soir, après le dîner, ils m'ont demandé si je me sentais bien. Je ne savais que leur répondre sinon cette fatigue. Non ! Je n'étais pas malade : ni fièvre, ni souci particulier ; seulement ce besoin d'obscurité, de silence : cette nécessité, en plein hiver, d'hiberner.

Antoine était là. Je lui ai dit que j'étais comme son poisson : « le cœur ». « On ne sort pas du rocher du premier coup », a-t-il répondu. Les parents n'ont pas compris. Il a fallu recommencer toute l'histoire pour eux.

Le lendemain, après leur départ, la grille refermée, j'ai étendu mes jambes ainsi que chaque matin pour, en quelque sorte, me transporter vers le repos. Mais ce n'était plus pareil : comme si j'avais entendu à nouveau le bruit de la mer.

J'ai gardé les yeux ouverts. Et si le monde était ce silence, cette obscurité ? Si le soleil n'existait pas, ni le vent, ni ces oiseaux qui, le soir, s'abattent en pluie aux creux des branches ? Le monde aurait pu être cette immobilité, sans tempêtes pour le faire changer de couleurs, pris dans une même teinte qui serait celle de l'indifférence.

Je me suis levée et je suis allée ouvrir les volets. C'était toujours l'été, des odeurs de feuilles chaudes, un crépitement de lumière, quelque chose d'intense qui m'a donné envie de m'y jeter, les yeux fermés. Je me sentais faible, avec l'impression de planer comme après mon opération de l'appendicite, quand je ne marchais qu'en m'accrochant au bras de maman.

J'ai retrouvé Claire près du bassin. Elle prenait le soleil de tout son corps. Elle faisait partie du jardin. Elle ne se cachait sous aucun rocher, elle !

Elle a ouvert les yeux et vu comme je la regardais.

« Qu'est-ce que j'ai ? Des boutons ? »

J'ai répondu « rien », évidemment ! Elle avait l'air contente que je sois descendue. Aurais-je la gentillesse puisque j'étais là de nous préparer une salade de tomates avec des œufs durs et si possible quelques olives.

Tandis que nous la dégustions sur l'herbe, elle m'a appris que durant mon sommeil Béatrice avait appelé.

Béatrice, Béa, est ma meilleure amie. Presque la seule d'ailleurs et c'est elle qui m'a choisie. Sa vie est à l'opposé de la mienne : tout à fait indépendante. Ses parents ont divorcé. Elle est restée dans l'appartement qu'ils occupaient tous les trois à l'époque où ils s'entendaient. Lui, est diplomate et presque toujours ailleurs. Elle, a suivi un autre amour. Béa emploie son temps comme elle veut. Elle ne semble pas en souffrir. Je suppose qu'à la liberté aussi, on s'habitue. Comme au reste. Toute une histoire au début, puis la routine. A bas la routine! Béa est venue seulement une fois à *La Marette*. Les familles unies, ça la déprime.

Je l'ai rappelée. Elle était à Paris pour deux jours encore et souhaitait beaucoup me voir. Alors, ce même après-midi, j'ai repris ma mobylette, le R.E.R., le métro, et j'ai retrouvé mon quartier Latin.

Je ne l'ai pas reconnu. L'été me l'avait volé. Il y avait plein d'étrangers aux terrasses des cafés. La boutique où j'achète mes stylos avait baissé son rideau de fer et l'avenue était éventrée avec, à l'intérieur, des Africains pleins de poussière qui ressemblaient à Charlie Chaplin mais n'intéressaient personne, eux!

Je suis passée par le Luxembourg. Ses marronniers étaient déjà roussis : par les gaz des voitures, je suppose. Il y avait peu d'enfants et, là aussi, on parlait étranger. Je l'ai quitté tout de suite. Vite l'hiver qui me le rendrait! Tant pis si c'était dans le même sac que la géométrie, l'histoire et les sciences nat. Je dis « A bas la routine », mais décidément, je n'aime pas le changement!

Béa faisait ses valises. Elle a deux penderies remplies de vêtements de clochard qu'elle va choisir chez les fripiers avec beaucoup de soin. Sur le lit trônait une paire de chaussures de ski.

Elle m'a expliqué qu'elle partait ce soir aux sports d'hiver d'été, avec un club. Elle skierait tôt le matin et l'après-midi jouerait au tennis. A part cela, elle se baignerait et danserait. La grande vie!

« Et toi?

— Je reste à *La Marette*.

— Tu vas me raconter ça. »

Nous avons retrouvé nos bonnes vieilles habitudes : salades variées à déguster sur le canapé du salon, les pieds sur la table chinoise, une rareté! Inestimable! Je lui ai tout raconté. Pas de Bourgogne, la Californie! Pas de Normandie, *La Marette*. Quand j'en suis arrivée à Sally, j'ai eu peur de sa réaction. Je n'aurais pas supporté qu'elle rie. Je serais partie dignement malgré ses appels. Je ne l'aurais revue que dans longtemps. Je ne lui aurais jamais pardonné.

Elle n'a pas ri. Elle a tout écouté sans interrompre et, à la fin, elle a seulement dit : « Les salauds. » Je l'ai répété avec elle. « Les salauds ! » J'espère que nous parlions des mêmes.

J'ai aussi raconté Bernadette. Cela faisait du bien, quand même, une amie ! Lorsque nous avons eu tout terminé, le maïs, l'avocat, les cœurs de palmier, le jambon, les œufs, le fromage, les boîtes de crème et le récit de ces dernières semaines, elle m'a regardée et m'a dit : « Toi ma vieille, tu as changé ! »

J'ai demandé : « Est-ce que j'ai l'air dur ? »

Elle a ri.

« C'est ton regard ! Tu ne regardes plus pareil ! »

Je me suis souvenue de ce que m'avait dit Antoine : le cocon de tendresse. Elle, cela faisait longtemps qu'elle en était sortie ! Si elle l'avait jamais connu ! Je ne savais plus que penser vraiment. Vaut-il mieux devenir dure tout de suite ? De toute façon personne n'a le choix : on est bien obligé, enfant, de prendre ce qui vous vient. C'est dégueulasse.

Elle m'a dit aussi : « Tu as le droit de changer, mais pas trop ! » Elle n'a pas compris pourquoi je l'embrassais. Moi non plus d'ailleurs. Et comme je recommençais elle a poussé des cris pour la forme : j'étais peut-être déçue par les hommes mais elle, elle ne mangeait pas de ce pain-là ! C'est malin ! En tout cas, cela m'a réconciliée avec la vie.

En rentrant à la maison, j'ai dit à maman que j'avais décidé de repeindre la grille. Voici longtemps qu'elle en a besoin, la pauvre. Par endroits, il y a des morceaux rongés par la rouille qui s'effritent lorsqu'on la claque et, là où Bernadette la referme à coup de bottes, elle a l'air de saigner. Je voulais un vert profond comme chez les Saint-Aimond.

Nous sommes allés, papa et moi, acheter le nécessaire à Pontoise : du minium, des pinceaux variés et une peinture spéciale résistant aux intempéries et que, vu son prix, on n'aurait pas intérêt à répandre sur le gravier. Le grattoir, nous l'avions.

« Alors docteur, a dit le marchand de couleurs, c'est la maison que vous allez soigner, cette fois ?

— C'est ma fille », a répondu papa en posant la main sur ma tête; et cela voulait tout dire.

Il ne conduisait pas vite en rentrant. Il semblait, lui aussi, profiter d'être seulement nous deux. Moi, je n'étais pas sûre d'avoir tellement changé depuis l'époque où je le demandais en mariage en cachette de maman.

Je lui ai demandé ce qui se passait pour Stéphane et si Bernadette en avait parlé. Il n'a pas répondu tout de suite ce qui prouvait bien qu'il y avait un problème. Il a ralenti pour regarder, sur le bord de la route, un trou rempli d'eau dans lequel quelqu'un avait jeté un vieux pneu. Puis il a parlé.

Physiquement, Bernadette récupérait bien. Plus d'absences, la mémoire apparemment revenue, quelques maux de tête mais c'était normal. Enfin, Bernadette était toujours Bernadette. Et même trop Bernadette!

Là, il y a eu un peu de colère dans la voix de papa. Parce que si ma sœur avait pu laisser un peu de son orgueil en route, cela aurait arrangé tout le monde!

C'est ici qu'il m'a raconté l'histoire du bouquet. Après l'opération, les Saint-Aimond avaient envoyé un bouquet extraordinaire avec un petit mot. Juste ce qu'il fallait. Rien de trop! Affectueux. Bernadette n'avait pas réagi. Mais le lendemain, lorsque les parents étaient revenus, le bouquet avait disparu et l'infirmière leur avait appris qu'il était passé dans la chambre voisine, chez une jeune accouchée qui n'avait jamais rien vu d'aussi beau.

« Alors nous lui avons parlé de Stéphane, a dit papa. Nous lui avons dit qu'il désirait la voir. Elle a répondu non.

— Non?

— Et pas un mot de plus.

— Alors rien n'est changé?

— Je ne pense pas que ta sœur accuse encore Stéphane de l'avoir jetée à terre, a dit papa, mais elle en est restée au moment où elle l'a flanqué à la porte.

— Pauvre Stéphane!

— Oui! Pauvre Stéphane... a soupiré papa. Si tu

l'avais vu lorsque je lui ai dit que c'était inutile qu'il vienne à l'hôpital ! »

J'ai senti, à mon tour, de la colère contre ma sœur.

« Mais enfin ! Elle l'aime ou elle ne l'aime pas ? »

Papa m'a regardée. Avec tendresse.

« Je ne pense pas que, pour ta sœur, le problème se pose ainsi. C'est plutôt : « Elle cède ou elle ne cède pas ? » Dire « reviens », pour elle, ce serait faiblir.

— Alors elle est pire que Claire !

— Claire est têtue mais elle n'a pas d'orgueil ! »

Il s'est interrompu. « Le plus stupide, c'est que cette idiote est la première à souffrir de la situation !

— Elle n'a qu'à la dénouer ! »

J'ai senti que papa avait beaucoup réfléchi au problème. Il avait dû en parler souvent avec maman.

« Le jour où Bernadette a décidé de consacrer sa vie à l'équitation, elle a très bien compris que ce serait difficile. Doublement parce qu'elle est femme. Que beaucoup de choses iraient à l'encontre de son projet. Alors, elle fixe son but et tout ce qui lui paraît s'y opposer, elle le balaie : les Saint-Aimond par exemple. Et même Stéphane, peut-être justement parce qu'elle l'aime et craint, un jour, de céder pour lui faire plaisir. »

Il avait raison ! Et au fond, c'était injuste de ne pouvoir concilier ce qu'on aimait le plus et un amour. Un homme aurait pu !

« Est-ce que tu penses qu'elle l'aura son manège ?

— Je le lui souhaite », a dit mon père.

Il ne l'a pas dit avec un visage joyeux. Il l'a dit gravement et j'ai souhaité qu'un jour il l'annonce à tous avec fierté.

Cela m'a rappelé l'histoire de tante Marie. Tante Marie, la sœur de grand-mère, avait épousé un capitaine de vaisseau. Je me souviens de leur photo de mariage. Comme il avait l'air fier dans son uniforme avec son visage respirant la mer ! Mais il était, au goût de tante Marie, trop souvent absent et elle n'avait eu de cesse de lui faire accepter un travail à terre. Alors, il était mort. Je ne veux pas dire « physiquement ». Son corps était là. Il marchait, s'asseyait, buvait son thé de Chine, répondait poliment aux questions. Il jouait même au bridge maintenant. Mais la flamme était éteinte et la main qu'il vous tendait à serrer était, paraît-il, celle d'un fantôme.

En arrivant à *La Marette*, papa m'a montré pour la grille. La partie vraiment ingrate du travail consisterait à gratter la rouille. Il ne faudrait pas bâcler. Faire place nette. L'opération minium serait déjà plus satisfaisante. J'aurais l'impression de panser des plaies. La peinture, j'aimerais! Il faudrait en mettre deux couches. Je me suis engagée à offrir à Bernadette, pour son retour, une grille admirable. Je disposais d'une dizaine de jours.

J'ai commencé le lendemain matin aussitôt après leur départ pour Paris. J'étais éveillée maintenant mais j'éprouvais le besoin de me raccrocher à ma grille. C'était difficile de gratter. Je m'efforçais de ne pas laisser la moindre parcelle de rouille. Si j'en laissais une, je me disais qu'un malheur allait arriver. Malgré les gants, je me suis retourné un ongle.

Bernadette devait, pendant quelques jours, se reposer complètement et nous n'avions pas le droit d'aller la voir. Il y a quand même eu de bons moments! Par exemple, lorsque Claire a décidé de faire un gâteau!

Elle est allée acheter chez Mme Cadillac, trois plaques de chocolat. Je n'ai rien dit lorsque j'ai réalisé qu'elle avait pris du « lait-noisette parfumé au whisky »! Elle est comme ça. Le luxe dans la peau. Elle prendrait volontiers son aspirine avec une coupe de champagne et si on va au restaurant par exemple, au lieu de faire comme tout le monde, vous pouvez être sûr qu'elle choisira les filets de sole poêlés avec champignons rares et, rien qu'avec, elle en a pour plus cher que le menu, service et boisson compris!

Elle n'a pas voulu que je l'aide à faire son mélange. J'avais ma grille, moi! Elle venait toutes les trois minutes me faire goûter en déclarant qu'elle n'avait jamais rien mangé d'aussi bon et que la cuisine, au fond, n'était qu'un jeu d'enfant. Nous nous sommes partagé le plat à nettoyer.

Cela a été une très grande réussite. Même Antoine qui n'aime pas les sucreries en a repris deux fois. Les compliments ont déferlé sur la princesse. J'avais gratté quatre heures la porte de gauche de la grille, j'en avais plein les bras, le cou, le dos, personne ne m'a félicitée.

C'est le lendemain du gâteau — Claire avait été au cinéma avec des amis — que les parents ont eu, à son sujet, une conversation avec Antoine. J'ai eu l'autorisation de rester.

Antoine n'a qu'une trentaine d'années et, finalement, il est plus sur notre versant que sur le leur. Ils lui ont expliqué le refus de notre princesse à envisager tout travail et lui ont demandé son avis.

Antoine a pris son temps pour répondre. Il a dit pour commencer qu'il appréciait beaucoup Claire. Il la trouvait authentique, pure et loyale. Elle savait voir les choses en leur profondeur et il lui pensait un jugement très droit, rien que ça ! En ce qui concernait le travail et puisque nous avions la chance de pouvoir la garder à la maison, selon lui, il ne fallait rien brusquer. Si Claire voulait, pour l'instant, rester ainsi, c'est qu'elle n'était pas prête à agir. Mais quelque chose mûrissait en elle, nous pouvions en être sûrs. Il fallait l'aider à découvrir quoi.

J'aimais la façon dont il parlait et surtout son regard sur mes parents : authentique, pur et loyal, lui aussi. J'ai été tout à fait d'accord lorsqu'il a dit que nous vivions dans une société où il faut choisir vite, trop vite et parfois grimper sur autrui pour arriver avant, ce qui était vraiment dommage ! Il a dit aussi que ce qu'on appelait « l'efficacité », il n'était pas si sûr que ce soit tellement efficace et pas convaincu que ce qu'on baptisait les « motivations » soient toujours les bonnes.

Maman avait mis ses coudes sur ses genoux et sa tête dans ses mains pour l'écouter plus profondément. Je voyais son regard, éclairé un peu comme en Californie ; je la sentais totalement d'accord avec Antoine et heureuse d'entendre quelqu'un exprimer ce qu'elle ressentait.

Pour conclure, Antoine a dit qu'il était persuadé qu'un jour Claire trouverait quelque chose à aimer et qu'alors nous verrions ce que nous verrions !

A un moment, alors qu'il parlait de grimper sur autrui pour arriver avant, il avait détourné son regard comme s'il éprouvait une souffrance et pour la première fois j'ai eu l'impression qu'il livrait un peu de lui-même. Nous ne savions toujours rien de sa vie! En principe, son remplacement prenait fin dans dix jours; il nous quitterait. Cela m'a paru impossible! D'une totale injustice.

Avant d'aller se coucher et quelle que soit l'heure, Antoine fait toujours un tour de jardin pour respirer. Comme Bernadette, il attache une grande importance à la respiration. Il dit que la plupart des gens le font à l'envers. Ils se gorgent d'air et en rendent très peu. Lui, il fait le contraire; il n'arrête pas d'expirer et c'est comme s'il envoyait un peu de son énergie à l'univers.

J'ai attendu son retour dans l'entrée. Il n'a pas eu l'air étonné de me trouver faisant semblant de ranger les bottes ce qui est d'ailleurs impossible, car il y a autant d'orphelines que de couples.

J'ai pris ma voix détachée et je lui ai dit : « Vous reviendrez, n'est-ce pas ? » Ce n'est qu'en le disant que je me suis rendu compte de son importance pour moi.

Il a souri.

« Alors tu imagines qu'on peut connaître *La Marette* et l'oublier comme ça ? J'en parlais justement avec ton père. Paris, je n'aime plus tant ! »

J'ai éprouvé cette joie qui s'installe en vous non comme une tempête mais avec la douceur d'une promesse. Il a dû la voir dans mes yeux. Il s'est penché sur moi et il a posé ses lèvres sur ma joue.

J'en sentais encore la fraîcheur tandis que je montais dans ma chambre. Il a attendu que je sois tout en haut pour éteindre la lumière de l'entrée.

A propos de Paris, c'est demain que nous allons voir Bernadette. Claire d'abord. Ensuite moi.

CHAPITRE XXXIII

DEUX LARMES POUR L'ESPOIR

La chambre est plus grande que celle de Pontoise mais la fenêtre ouverte donne sur une cour sans arbres.

Au début, on ne voit que sa tête. C'était Hadock rasé, c'est Hadock en Turquie! L'énorme pansement descend jusqu'aux sourcils. Ce qui reste de visage paraît plus important et plus fragile aussi. Epargné. Le nez, la bouche, le regard. Et elle profite de la situation. Ça lui plaît de me voir impressionnée.

« Eh oui! dit-elle, une bombe, c'est quand même plus seyant! »

Et elle ajoute : « Tu en as mis du temps pour venir! Qu'est-ce que tu foutais?

— Je dormais. On a dû te le raconter. Et c'est seulement aujourd'hui qu'on a eu le droit de te voir, figure-toi! »

Je l'embrasse. Elle sent le contraire de Bernadette. Elle sent l'immobilité, la réclusion. Il y a un bouquet qui ne veut rien dire sur un meuble, des bonbons, des livres. Appuyée à ses oreillers, elle me fixe en silence. Je ne sais pas si la vieille Bernadette est tout à fait revenue mais le regard, lui, est là! Qui aime sûrement; mais qui jauge, juge!

Sur le drap, un magazine. Une femme à peu près nue, ça va de soi, appuyée à un homme dans le même uniforme. Qui lui a apporté ça? La voisine aux fleurs? Je m'assois. Je suis énorme, immense. Je prends toute la place comme si j'avais fait entrer avec moi tout ce qui n'a pas le droit d'entrer. Et alors que depuis trois semaines on ne pense qu'à elle, on ne parle que d'elle, je ne trouve rien à lui dire. D'abord, ce ne seraient pas des mots à nous : les mots d'une maison où on dort ensemble, se nourrit ensemble, partage tout. Une des pires choses qui soit, je le découvre en ce moment, c'est d'être en visite près de quelqu'un avec qui on a l'habitude de vivre. Les fils sont rompus et vous ligotent chacun de votre côté. C'est comme une trahison. Et moi, je vais repartir. Je trahis Bernadette avec la vie !

Je désigne la revue, le couple et je demande : « Qu'est-ce que c'est ?

— Une connerie », dit-elle.

Et elle se tait. Elle refuse de m'aider. Elle ne transige pas. Je regarde maintenant les draps bien tirés, la bouteille d'eau sur la table de nuit, le pain complet évidemment, le miel garanti pur. Elle a complètement débronzé et sa peau a l'air molle. On ne doit pas la fatiguer. Etre là, l'écouter si elle veut parler, rester calme. « Vingt minutes, a dit papa. Pas plus ! » Cela en fait combien ? Cinq ? Je suis sûre que Claire a été parfaite, elle. Je ne peux quand même pas demander à Bernadette ce qu'elles se sont dit. C'est vrai qu'elle a l'air triste ! Sombre, plutôt ! J'ai envie de me lever et de partir en courant. Fuir. Je ne supporte pas son immobilité, ses lèvres serrées. J'aimerais mieux qu'elle m'engueule. En un sens, avant l'opération, quand elle déraillait, je préférais.

Je désigne le pansement.

« Quand est-ce qu'on t'ôte ça ?

— En principe demain. Si tout va bien. Tant mieux parce que ça chauffe là-dessous ! »

Je m'entends demander :

« Pour l'accident, tu te rappelles bien maintenant ?

— Je me suis toujours bien rappelé ! Il y avait cette sacrée branche en travers du chemin ! Prince a eu peur. On peut dire que j'ai vu la casse arriver.

— Qu'est-ce que ça fait ?

— Je me suis dit : « C'est trop con ! Je vais leur « gâcher leur voyage. »

Elle ferme les yeux. Silence ! Je vois sa chute au ralenti, comme dans un film. Je regarde les fleurs.

« Si tu veux le savoir, ce ne sont pas celles-là qu'ils m'ont envoyées », dit-elle.

« Ils »! Comme elle l'a dit! Avec quelle rancune, quel mépris. Et, à nouveau, elle attend. Que veut-elle que je réponde? « Ma petite chérie? » « Ma pauvre blessée? » Papa a raison pour l'orgueil! Le sien est monstrueux. Elle a vu les fleurs, non le cœur qui y était. Et si elle n'était pas dans ce lit avec sa tête bandée qui donne peur de la blesser davantage, je crois que, pour une fois, je la secouerais.

"Ils" sont très bien, dis-je. "Ils" ont même été formidables.

— Et j'espère que vous vous êtes tous mis en grande tenue pour les recevoir, raille-t-elle. J'espère que papa s'est lavé les mains et que Claire a fait des révérences. »

La colère monte en moi. Je n'ai même pas envie de raconter. En plus, elle est affreuse. De mépris. D'incompréhension.

« Tu te trompes complètement. Personne n'a fait de révérences. Et Cécile leur a dit leurs quatre vérités. »

Elle se redresse. Air de doute.

« J'aurais voulu entendre ça! En attendant, je vais te demander, moi, de répondre franchement à deux questions. »

Je reste muette. Je la connais : je suis battue d'avance. Oui, la vieille Bernadette est là, tout entière. Bernadette-tête-de-bois qui obtient toujours ce qu'elle veut. Ses questions? Je parie qu'elles sont piégées!

« Alors?

— Si tu y tiens.

— J'y tiens! Tu réponds par oui ou par non. Sans commentaires. »

J'acquiesce.

« Primo, si je ne m'étais pas fendu le crâne, est-ce que les Saint-Aimond seraient venus à la maison? »

Je les revois sur le perron, quand j'ai ouvert la porte. Et mon bonheur! Elle gâche tout.

« Non!

— Deuzio, si demain je décide de renoncer au cheval,

est-ce que tout le monde pavoisera? Eux en tête! »

Je ne réponds pas. Je ne veux pas. Les choses ne sont pas si simples. Oui ou non! Noir ou blanc!

« Alors?

— Peut-être, mais...

— Pas de "mais", tranche-t-elle. Tu sais bien que c'est oui. Ils seront ravis. Tous les espoirs leur seront permis. Mais dis-toi une chose ma petite vieille, je referai du cheval! Je ne serai pas admise par pitié par des gens dont je me fous. Et si tu veux savoir, la seule personne que j'ai envie de voir en ce moment, c'est Crève-cœur, parce que lui, c'est parfois un salaud mais, au moins, il ne triche pas! Il ne m'envoie pas de bouquets en espérant me récupérer! »

Je me lève. Cela déferle en moi. Je revois les Saint-Aimond à la maison. La pitié peut-être, mais tellement plus! Bien sûr, c'est à cause de Stéphane qu'ils sont venus et si elle ne s'était pas cassé la gueule ils seraient restés à Neuilly. Mais cela se crée, des liens. Cela se dénoue les situations, et les mots peuvent servir autrement que comme projectiles. Ils ont fait un pas en avant, elle peut bien en faire un elle aussi. Je t'aime bien, Bernadette, mais tu cries trop fort, ma vieille, et Charles a raison : tu voyages tout droit sans regarder autre chose que ta route bien tracée, sans voir, à côté, les fleurs comme la tendresse, les creux comme le doute et de grands champs comme le pardon. Qu'on avance plus vite si on ne regarde que ses pieds, d'accord, mais je préfère l'enfant qui fait la moitié des pas en dansant, quitte à se couronner les genoux.

Je reviens vers elle. Cet endroit est sinistre. Il n'est pas la vie. Dans la cour, marchent des gens gris alors qu'à deux heures d'ici d'autres s'envoient des ballons sur les plages. Il est l'heure de partir. J'ai dépassé le temps permis. ma sœur doit se reposer.

Je reprends mon sac.

« Tu t'en vas?

— Oui. »

« Oui... » « Oui mais... » « Peut-être... » « Si tu veux... » C'est tout ce que j'ai été fichue de lui dire. Et il me semble que j'ai trahi quelqu'un. Pas elle! Je revois le visage de Stéphane. Je le revois servant l'essence et merci monsieur pour le pourboire !

« Toi, dis-je. Tu ne parles que de "toi". Toi ! Toi ! Pas un mot pour Stéphane. Et ces gens dont tu te fous, ce sont ses parents et il les aime. Et son mois d'août pourri, je pense que tu t'en fous aussi. Et est-ce que tu t'es demandé pourquoi il continuait à avaler de l'essence alors qu'il pourrait se consoler dans le Midi avec des filles cent fois plus belles que toi et qui ne l'emmerderaient pas avec leurs histoires de canassons. Tu n'es qu'une sale égoïste. »

Elle me foudroie. Je soutiens son regard. Elle aussi m'a parlé durement, l'hiver dernier. Elle aussi me traitait d'égoïste. « Et sa femme, sa fille, est-ce que tu y as pensé ? » La femme, la fille de Pierre ! Je souffrais. Elle souffre. Elle détourne les yeux. Tant pis ! Tant mieux !

Je la regarde une dernière fois.

« Si ça peut t'intéresser, il en bave ! Sur tous les plans. Comme un fou. »

Et c'est alors qu'entre les cils, bien qu'elle serre le plus fort possible les paupières, deux larmes passent et tracent le long des joues le chemin de l'espoir.

CHAPITRE XXXIV

LA CABANE

Chère Cécile... ce matin, quand je suis descendue, j'ai trouvé Stéphane dans la cuisine. Il était debout près de la fenêtre et regardait le jardin. Regardait? Ce n'est pas sûr d'ailleurs! Son front était appuyé à la vitre, ses épaules courbées alors que c'est le genre à qui on a répété tellement de fois : « Tiens-toi droit » et « ne mets pas tes coudes sur la table », que c'est fichu pour toute la vie! Il ne pourra jamais se laisser aller un bon coup, manger son aile de poulet avec les mains, pieds sur la table, nez dans un illustré et au diable les convenances pour une fois!

Quand il s'est retourné, son visage m'a fait tant de peine que j'ai eu envie de disparaître, tu sais, lorsqu'on s'imagine lâchant tout et partant au large, où le ciel est posé sur la mer et c'est tout.

Il voulait absolument que je prenne mon petit déjeuner mais comment? Comment boire et manger en face de cette attente? J'allais dire cette demande, presque cette prière. Il était venu parce qu'il savait que j'avais vu Bernadette hier!

Nous sommes sortis dans le jardin et nous avons marché direction Oise évidemment. L'Oise, c'est comme le feu dans la cheminée, l'hiver : un appel irrésistible.

Il faisait déjà chaud et les odeurs, les couleurs, s'amassaient. L'été n'est qu'un fameux grenier que l'automne flétrit, que l'hiver vide. « Alors? » a-t-il dit.

Je lui ai raconté ma visite, la gêne du début, l'air mauvais de Bernadette et la façon dont elle avait amené le sujet sur ses parents. Il ne savait pas pour le bouquet. Je ne cherchais pas à adoucir les choses. Il y a des gens qui méritent la vérité. J'aurais eu honte de lui mentir. Mais je ne pouvais m'empêcher de parler bas : c'était de marcher près de la souffrance !

Finalement, il y avait peu à dire et j'avais terminé quand nous sommes arrivés aux pommiers. Sous le vieux, le nôtre, à l'endroit où nous avons enterré les champignons, tu te souviens, il n'y a plus aucune différence. L'herbe a repoussé. La vie a gagné. Pour une fois !

Stéphane n'avait encore rien dit. Je ne voulais pas parler des larmes de Bernadette. Il me semblait que ce n'était pas le moment. Il a appuyé sa main sur le tronc de l'arbre.

« Si au moins j'étais sûr que c'était fini ! »

J'avais l'impression qu'il me demandait de le désespérer tout à fait ! Que ce serait moins dur pour lui.

Je l'ai emmené visiter notre cabane. Dès que tu reviens, Cécile, on la rafistole, sinon c'est fichu ! La ronce, l'ortie, la boue, mais le temps, le temps surtout ! Les planches pourrissent ; il ne reste que des lambeaux du papier mis aux murs et le poster qui représentait notre monde rêvé a été comme mangé par les rats.

Il s'est effacé pour me laisser passer la première, ce qui m'a fait rire bêtement et nous nous sommes assis à l'intérieur, sur les caisses. Tu te souviens ? Sur celle de Claire on mettait un coussin ! Je suis allée directement à la mienne.

La lumière passait entre les lattes comme avant, lorsque tu essayais de la ramasser en disant qu'« à cœur voulant » rien d'impossible, ma pauvre, tu croyais déjà aux miracles ! Et là, pour la première fois, sous le toit de tôle et de branchages, peut-être à cause de toutes nos confidences passées qui y faisaient comme un soleil, il m'a parlé de son enfance.

Ils étaient souvent seuls, son frère et lui, dans la grande maison de Neuilly où tu voudrais tellement aller. Leurs parents sortaient beaucoup. Ça continue d'ailleurs ! Les soirées comme à la maison sont rares et, de toute façon, plutôt silencieuses. Pourtant, il y a l'amour. L'amour entre ses parents et de ses parents à Eric et à lui. L'amour sans aucun doute mais pas la tendresse, pas la douceur. Rarement le rire.

Je me suis souvenu de ce qu'avait dit M. de Saint-Aimond, tu te souviens, poison ? « Une famille de filles, cela doit être formidablement vivant ! » Il te regardait et il avait tout à coup l'air presque intimidé.

Une famille de garçons, cela parle peu, paraît-il. Cela ne se livre pas, les seuls moments où Stéphane et son père se rapprochent, c'est lorsqu'ils partent sur leur bateau. En mer, ils trouvent un vrai contact, fait de gestes, de regards, d'un travail partagé. Mais cela n'a rien à voir avec ce qu'il a découvert à La Marette : chaleur, joie ou bonheur, il ne sait pas ! Quelque chose qui fait qu'il se sent mieux avec lui-même, et rassuré. En somme, a-t-il dit, c'est vous qui m'avez appris à parler !

Lorsqu'il a dit cela en me regardant bien droit dans les yeux, j'ai détourné mon regard comme si, par l'intermédiaire de cette salope de Bernadette, je le trahissais moi aussi. Je me souvenais de ses premières visites à la maison : long, blond, silencieux, poli, attentif, si différent. Et peu à peu, c'était vrai, s'ouvrant, participant.

« Et ton frère ?

— Il est gentil ! On s'entend bien. Mais voilà ! »

« Mais voilà ! » Son « mais voilà », poison, je ne cesse d'y penser !

Après, il est resté silencieux, dessinant des ronds sur le sol avec un petit bout de bois, entre ses grandes jambes qui prenaient toute la place dans la cabane. Je crois qu'en cherchant bien, on retrouverait dans cette terre des papiers de bonbons. On y retrouverait des traces de pas, des messages. Et moi, je sentais s'en aller, sans que je puisse les retenir, ces moments, si près pourtant que je les sentais battre encore en moi, où, entre ces planches, nous jouions aux adultes libres et invincibles. Et tout tournait comme si c'était mon sang que je perdais.

Avant de quitter la cabane, il m'a demandé si Bernadette y venait elle aussi. J'ai répondu « oui ». C'est même elle qui l'a construite, figure-toi ! Et du jour où elle en a pris la décision, rien n'a pu l'arrêter ! Elle passait son bac, cette année-là. Le soir, à peine rentrée du lycée, on l'entendait clouer ses planches. Pourtant, même le temps s'y était mis pour la décourager : c'était un printemps de tempête. Elle avait tenu. Nous l'avions eue, notre maison ! Et elle avait clamé partout que cela lui avait procuré plus de satisfaction que de réussir son bachot, du premier coup, avec mention !

Nous avons longé l'Oise dans une brume dorée. On voyait que c'était les vacances; des bateaux fendaient l'eau à toute vitesse sous l'œil mécontent des pêcheurs. La prochaine fois que je viendrai me promener là je veux que ce soit un jour de joie, au moins de paix. Si cela existe, je m'y donne rendez-vous.

Là où le chemin rétrécit, nous avons marché l'un derrière l'autre. Moi en tête, évidemment. Et c'est à ce moment, peut-être parce que je ne pouvais voir son visage, que Stéphane m'a dit très calmement qu'aucune fille ne prendrait jamais la place de Bernadette dans sa vie, qu'elle le veuille ou non. Et j'y ai entendu tant d'amour douloureux que je lui ai raconté pour les larmes. Comment Bernadette serrait fort ses paupières pour les empêcher de passer et comme elles descendaient sur ses joues, malgré elle, pareilles à une promesse. Je lui ai redonné espoir. Je ne suis pas sûre que j'ai bien fait mais parfois, j'en ai assez de voir souffrir près de moi. Un jour, je te raconterai Sally !

Nous sommes rentrés par le village. Tout le monde connaît Stéphane à Mareuil. Après la visite des Saint-Aimond, Grosso-modo s'est empressé de répandre que la demande officielle avait été faite ! Quel flair ! On le saluait comme quelqu'un de la famille. Je pense que cela lui a fait plaisir parce que lorsque nous avons traversé la place de l'église où la partie de boules avait déjà commencé, il a levé son visage vers les arbres et pris une longue inspiration comme s'il décidait de vivre à nouveau. Une preuve de plus : il a partagé mon petit déjeuner !

Chère Cécile, je ne sais plus quoi faire ! Tout à l'heure, en rentrant de Paris, papa nous a dit que Bernadette préférait ne plus avoir de visite. C'est pour moi ! Elle ne veut pas que je revienne. Elle a ravalé ses larmes. Elle refuse d'entendre raison. Et l'as-tu déjà vue une seule fois revenir sur une décision ? Papa a annoncé aussi qu'il allait la faire rentrer plus tôt à la maison. Il n'aime pas cette morosité dans laquelle, paraît-il, elle s'enferme. Tu te rends compte... Morosité... pour Bernadette! Quand tu recevras cette lettre, il est probable qu'elle sera là!

Je n'ai pas raconté Stéphane aux parents. Ils ne sont jamais entrés dans la cabane et toi seule pourras imaginer son visage tandis qu'assis en face de moi, là où tu t'asseyais, il me racontait son enfance. C'était comme si soudain cette maison nous avait joué un tour, devenait réellement celle que nous avions rêvée : une maison d'adulte; la vie nous y avait rattrapés : mais pour la souffrance! Et quand il s'est levé, il n'aurait eu qu'à se redresser un bon coup pour transpercer le toit et faire de nos rêves un tas de planches pourries, de journal périmé et d'oubli.

Dis-moi, poison, on va reconstruire la maison. Nous resterons amies plus tard, n'est-ce pas ? Ce ne sera jamais, entre nous, « mais voilà »! Nous ne laisserons pas se distendre les liens. Tu ne t'en iras jamais là où ma voix ne pourrait plus t'atteindre. Nous profiterons des mêmes feux. Tu continueras à me casser les pieds, à me dire qu'écrire comme ça, ne pas cesser d'écrire, gribouiller à longueur de jour et partout, sur les arbres, sur un nuage, les allées du jardin, le visage des autres, dans les rêves, ça ne doit pas remplacer la vie et que j'ai intérêt à me secouer, à chercher les serpents, à rire des champignons mortels, à tutoyer Dieu. Et à ce propos, même si c'est idiot, promets-moi de me laisser mourir en premier!

CHAPITRE XXXV

MON COMMANDANT CREVE-CŒUR-EMILE

« Qu'est-ce qui a changé ici ? râle Bernadette.

— Mais rien, répond maman. Je ne vois vraiment pas ?

— Je suis sûre que quelque chose n'est pas pareil ! »

Elle est debout au milieu du salon, soutenue par papa; elle regarde partout, l'air méfiant.

« Toi ! » dit Claire.

Elle l'a dit nettement, sans agressivité. Parce que c'est vrai ! Elle regarde Bernadette en face. « Authentique, pure, loyale... »

Bernadette hausse les épaules, se laisse guider jusqu'au canapé.

« J'aimerais que tu te reposes un peu, dit le docteur Moreau. C'est fatigant, une première sortie.

— Ici ! décide Bernadette. Dans la journée, c'est ici que je me reposerai ! »

Elle dénoue son foulard et le tend à maman. Je suppose que dans quelques jours elle sera acceptable. Pour l'instant, sans doute parce qu'habillée, on voit davantage qu'elle a beaucoup maigri, elle a l'air encore plus mal en point qu'à l'hôpital. Le turban a été remplacé par un simple pansement derrière le crâne. Tout le reste est en brosse courte. Elle ressemble à une femme que j'ai vue dans un film. C'était à la Libération. On l'avait rasée pour la punir d'avoir aimé un Allemand. Mon Dieu, faites que je ne vive pas la haine !

« Claire est prête à te laisser sa chambre, propose maman. Tu y auras plus de confort et de lumière.

— Pas question ! Je dors chez moi ! »

La famille se tait. On ne sait plus que faire de nous-mêmes. Un peu de temps va être nécessaire, je suppose, pour s'habituer à avoir avec nous une Bernadette pas comme avant. Depuis son arrivée, elle ne m'a pas regardée une seule fois en face. En un sens, cela me rassure.

« Et le remplaçant ? demanda-t-elle. Où va-t-il coucher si je reprends ma chambre ? »

Le remplaçant... Rire général. Cela fait du bien. Le « remplaçant », Antoine, a emporté ce matin sa valise à Pontoise où malgré nos protestations — même Claire a dit « restez » ! — il a décidé de coucher les derniers jours. Nous devons dire à Bernadette de sa part qu'il a beaucoup apprécié la planche sous le matelas et que la plante qu'elle trouvera sur sa table vient du Brésil. Lorsque les pousses vertes qu'elle verra sur la racine auront atteint dix centimètres, il paraît que ses cheveux seront d'une longueur normale.

« Et si je coupe les pousses ? » dit Bernadette.

On ne sait si c'est drôle ou non ! Peut-être a-t-elle fait exprès d'être laide ? Il paraît que c'est elle qui a choisi d'avoir le crâne tout à fait rasé. On aurait pu en laisser un peu.

« Et Cécile ? Quand est-ce qu'elle rentre ?

— Te sachant là, cela m'étonnerait qu'elle tarde », dit maman en essayant de mettre dans sa voix un accent de gaieté.

Bernadette se tourne vers la fenêtre.

« Avec cette grille, ça empeste la peinture ! »

Merci ! On lui a fermé sa fenêtre ; on lui a mis un disque ; on a apporté le téléphone près du canapé. C'est Crève-cœur qu'elle voulait appeler. Pouvait-il venir la voir le plus vite possible ? Il a répondu « ce soir » et, quand elle a raccroché, elle nous a regardés d'un air à la fois de défi et de triomphe.

Il paraît qu'il s'appelle Émile Gastine. Il faut l'appeler « Monsieur », « Mon commandant » à la rigueur. Il l'était, dans la cavalerie. Il adore les chevaux et s'il mal-traite ceux qui viennent les monter c'est qu'il a l'impression qu'ils viennent les lui voler. Elle a débité tout cela, d'une seule traite, avec fierté, comme si elle était d'accord.

Ensuite, elle a dormi et nous, nous sommes allés lire dans le jardin, près du bassin, avec, malgré tout, le soulagement de la savoir là. Mais la joie, non !

Mon commandant Crève-cœur-Emile est arrivé vers sept heures. Il sentait le gros savon et il avait les oreilles rouges comme celles des enfants dont on vient de frotter le visage à l'eau froide. Il a serré d'abord toutes nos mains puis seulement il s'est approché du canapé où se trouvait Bernadette. Il l'a regardée longuement, sans parler, de la tête aux pieds, des pieds à la tête; des pieds au pansement, au duvet, aux yeux battus, au teint blafard, au sourire crâneur.

« Je viens de passer voir ton Germain, a-t-il dit d'une voix enrouée. Il paraît que ça va, mais si tu ne le fais pas trotter un peu, il sera si gros qu'il ne pourra plus sortir de l'écurie !

« Il va en baver », a répondu Bernadette !

C'est comme ça qu'ils se sont dit « bonjour » ! Puis, après que Crève-cœur eut accepté une bière, il a tiré une chaise près du canapé et ça a commencé entre eux deux ! Comment allait la pelade de Milady ? Le pied de Vengeur ? Est-ce que le Parisien s'était encore fait vider par Tempête ? Et Corsaire ? Et Luron ?

Au bout d'un moment, Claire s'est levée sans bruit et elle a quitté le salon. Leurs verres à la main, les parents essayaient de suivre mais je savais que, comme moi, ils se sentaient exclus. Cet amour de Bernadette pour les chevaux, nous l'avions accepté mais aucun de nous ne le vivait avec elle ! Crève-cœur, si ! Ils étaient liés par une même passion, si la passion est ce qui vous tire du lit le matin, l'air que vous respirez, ce à côté de quoi vous vous endormez le soir !

Les joues de Bernadette avaient retrouvé leur couleur. Il y avait dans son attitude avec Crève-cœur quelque chose de nouveau pour nous : de soumis, de respectueux. Et elle pourra toujours crier que c'est une brute, un salaud ou un "fasciste", dorénavant, nous saurons qu'elle l'aime.

Quand ils ont eu fini de passer en revue tout le

manège, de compter les tours de piste et les brins de paille, il s'est tourné vers papa.

« Alors, docteur Moreau, quand est-ce que vous me la rendez, votre fille ? Au début, on ira doucement, j'y veillerai.

— Nous verrons ça, a dit papa. Tout dépendra de sa sagesse et du cœur qu'elle mettra à guérir. »

Sa voix était contractée. J'ai regardé maman. Elle, c'était l'humilité. Elle devait penser la même chose que moi. Pas une seconde, Crève-cœur n'avait imaginé que Bernadette puisse renoncer à l'équitation. De nous tous, en un sens, c'était peut-être lui qui l'aimait le mieux. Qui l'aimait vraiment pour elle !

Il a terminé sa bière. Il avait des chaussures tellement bien cirées que cela donnait envie de sourire et pour, malgré son métier, avoir des ongles comme ça, il avait dû y passer un moment.

Avant de se lever, il a dit à Bernadette.

« Et ton Stéphane ? On ne l'a pas revu !

— Ce n'est pas "mon" Stéphane, a-t-elle répondu. Et je ne pense pas que vous le revoyiez ! »

Et seulement elle m'a regardée, les yeux grands ouverts pour me montrer qu'il n'y avait pas de larmes.

Pour lui dire au-revoir, Crève-cœur a mis la main sur son épaule et l'a serrée ; c'est tout. Je suppose qu'entre hommes cela se passe comme ça !

J'ai mis longtemps à m'endormir. J'avais l'impression que rien ne serait plus jamais tout à fait pareil à *La Marette*. Quand les pousses de la plante brésilienne atteindraient dix centimètres, les cheveux de Bernadette auraient repoussé ; elle serait guérie ; mais sous ses cheveux, toute la vie, une cicatrice resterait. Il en resterait une aussi à *La Marette*. Avec elle, toute la maison avait été blessée.

Je me souvenais de ce premier soir en Californie où tout était douceur et senteurs, où le monde semblait s'arrêter tandis que je pénétrais à demi endormie dans l'eau tiède de la piscine comme on se prépare à naître à nouveau.

Mais il y avait eu Sally. Mais il y avait Bernadette ! Et demain ?

Un peu de vent courait sur le drap, venant de la fenêtre ouverte. Généralement, la nature me rassure; cette nuit, le jardin s'enfonçait dans un silence si profond qu'il était une indifférence. Mon jardin ne me disait plus : « Cela n'a pas d'importance, je serai là demain! » Il me disait : « Je serai là demain mais toi, ma pauvre, tu as si peu d'importance! »

J'ai fermé les yeux. J'ai appelé quelqu'un à mon secours. C'est Antoine qui est venu. Je me suis retrouvée longeant à son côté une allée bordée d'arbres immortels qui menait à la cour d'un château. Dans cette cour, des gens nous attendaient. Ce qui était bien c'était de n'avoir pas besoin de paroles pour se sentir accueillis. Il y avait un siège pour Antoine. Je me suis assise à ses pieds et j'ai fermé les yeux. Sa main sur mon épaule me disait : « Ce n'est rien. Cela passera! »

Et il avait rudement raison puisqu'à huit heures quarante-cinq du matin, un coup de téléphone a renversé la situation et fait de ce 20 août, sûrement le plus beau jour de l'été!

CHAPITRE XXXVI

L'EVASION

QUAND la sonnerie retentit, nous sommes tous dans la cuisine. Moins Bernadette à qui l'on vient de porter un plateau dans son lit.

On distingue le maillot de Claire sous son déshabillé. Charles s'est offert deux œufs au jambon. Il y a pris goût en Californie et, comme Phil, aime les cuire lui-même dans un poêlon spécial; en prenant son temps; en veillant à ce que le jaune soit chaud et le blanc non glaireux. A propos, il ne mange jamais le germe! Maman vient seulement de commencer son café. J'y vais!

C'est Montbard! Nicole. Elle m'embrasse très fort et demande à parler à sa sœur. Sa voix n'est pas tout à fait naturelle. J'interroge : « Tout va bien? » Elle m'assure que oui.

Maman n'a pas fermé la porte du salon et nous pouvons la voir : d'abord debout, ensuite assise sur le canapé près duquel l'appareil est resté. Papa ne s'occupe que de ses œufs qu'il pourfend à coups de mouillettes beurrées. Je regarde Claire. Elle me fait signe de faire moins de bruit en mâchant ma tartine. Il ne nous reste à tous les trois que quelques secondes avant ce qui va être — tant pis si je me répète — l'une des journées les plus belles, les plus inattendues, les plus riches de l'été.

Et maman revient. Je ne finirai jamais cette tartine.

Ce matin, enfin, tout à l'heure, il y a une petite demi-heure, en montant à grand-mère son thé au citron, on ne l'a pas trouvée dans son lit. Ses vêtements n'étaient plus dans la salle de bains; son sac avait disparu et lorsqu'on a constaté que le tiroir secret où elle garde toujours une petite somme d'argent, au cas où, était vide, on a commencé à s'inquiéter sérieusement.

Cécile avait obtenu de coucher dans la chambre voisine. Lorsque Nicole, suivie d'une poignée d'oncles, tantes et cousins, y est entrée, la chambre était vide. La poison avait défait son lit comme maman le lui a appris : couvertures et draps bien pliés. La valise avait disparu.

L'oncle Henri a eu l'idée de téléphoner à la gare. L'employé du guichet a confirmé qu'il avait vu une vieille dame et une petite fille portant un panier prendre le train de sept heures trente et une pour Paris. Il avait même demandé à la petite fille si c'était un chat ou un hamster dans son panier, les chats payant, les hamsters non. Elle avait répondu : « un serpent », et il n'avait pas apprécié la plaisanterie !

Ce n'est que plus tard qu'ils ont trouvé, sur la table de la salle à manger, un mot demandant qu'on nous avertisse que le train arriverait à onze heures vingt-trois Gare de Lyon.

Il semble que grand-mère ait minutieusement préparé son évasion. Elle s'est couchée hier plus tôt que d'habitude prétendant être fatiguée et a reculé l'heure du petit déjeuner. Elle n'a pas pris son somnifère. On n'a pas retrouvé, au gros trousseau, la clef de la porte, derrière la maison, qu'on n'utilise presque jamais. Celle par laquelle l'oncle Jean avait réussi à s'échapper, pendant la guerre, quand les Allemands étaient venus le chercher. La chambre de grand-mère n'est pas loin de l'escalier qui mène à cette porte. Voilà pourquoi personne n'a rien entendu. Apparemment, elle n'a pas emporté de valise. On suppose qu'un taxi les attendait à la grille. Oncle Henri se renseigne.

Nicole a ajouté que grand-mère avait oublié d'emporter ses médicaments : celui pour la tension et les cachets bruns pour le pancréas. Il faudra les lui faire prendre dès son arrivée! Elle a quand même quatre-vingts ans, un cœur fragile, des jambes qui, depuis sept ans, ne l'ont pas portée plus loin que le parc Buffon, orgueil de Montbard, où elle aime se promener chaque dimanche, après la messe, au bras d'un de ses fils, en lui rappelant que le célèbre naturaliste dont le parc porte le nom était apparenté à la famille.

A la gare, nous nous plaçons au bout du quai pour ne pas les manquer. Le train vient d'arriver. Nous voyons, là-bas, Cécile sauter sur le quai et tendre les mains pour recevoir la cage, puis sa valise, puis je ne sais combien de sacs en plastique. Nous courons, papa et moi. Devant, maman vole !

Après Cécile, c'est un vieillard qui descend. Il s'arc-boute solidement sur ses jambes, ouvre les bras et reçoit grand-mère.

Je ne me rappelais pas qu'elle était si menue. Ni que son visage gardait cette douceur derrière le réseau de rides. Elle remercie son galant, défroisse son manteau, rectifie l'orientation de son chapeau. Nous arrivons. Elle nous arrête d'un geste.

« Qu'on ne gronde surtout pas la petite. Je suis responsable de tout ! »

Et seulement on peut l'embrasser. Maman ne se lasse pas de la prendre et reprendre sur son cœur. La « petite » semble partagée entre la joie, la malice, l'inquiétude. La cage posée entre ses pieds, elle pousse, en nous désignant grand-mère, des soupirs destinés à prouver qu'elle a lutté en vain contre son projet ! Après, je suppose, l'y avoir encouragée à fond.

Quand grand-mère m'embrasse, je retrouve l'odeur de sa poudre de riz.

Elle m'écarte. Derrière ses lunettes à monture fine, ses yeux dont on dit que je les lui ai pris : vert-or, mais pâlis, semblent vouloir pénétrer plus profond.

« Toi ! Tu ne dors pas assez », dit-elle en traçant sur ma joue, de son doigt ganté, le chemin d'une larme.

Et aussitôt j'en envie de tout lui dire, là, sur ce quai. De Pierre à aujourd'hui. De ma naissance à Pierre.

Le train a un long frémissement. Elle m'abandonne et le regarde avec regret.

« C'était super ! Bien plus confortable que la voiture.

— Vous auriez pu prendre des premières classes ! dit maman.

— En première, on ne fait pas connaissance, tranche grand-mère. Et je te ferai remarquer qu'on nous a déjà supprimé les troisièmes ! »

Charles se tord. Il a toujours eu un faible pour sa belle-mère et répète volontiers à maman que c'est pour elle qu'il l'a épousée.

« Un jour, vous vous ferez enlever ! »

Grand-mère a un sourire gourmand.

« Je souhaite bien du plaisir à mon ravisseur. »

Papa prend la valise et quelques sacs. Grand-mère tient à garder celui contenant les reines-claudes. Nous nous partageons les autres. Cécile se contente du panier où le Capitaine se cache sous un lit d'herbe bourguignonne. Maman s'empare du bras de sa mère. L'inquiétude passée, elle a l'air folle de joie, fière, gamine, tout ! Au moment où nous allons nous ébranler, derrière nous, une toux discrète ! Le petit monsieur très vieux qui a reçu grand-mère dans ses bras à la descente du train rappelle sa présence. Grand-mère lâche tout, emprunte un crayon à papa et inscrit sur un bout de papier qu'elle sort de sa poche le numéro de téléphone de Montbard. Elle le remet à son chevalier servant : il est invité là-bas quand il veut ! Mais qu'il prévoie au moins trois jours : on ne « passe » pas à Montbard.

Cette fois, nous y allons.

« Te rends-tu compte du souci que tout le monde s'est fait, gronde affectueusement maman.

— Chaque fois que je demandais à venir, on me répondait "demain", proteste grand-mère. Quand on dit "demain" à quelqu'un de mon âge, cela veut dire "quand tu seras morte". Tu permettras que je n'aie pas attendu ! »

Elle regarde avec tendresse maman, sa « petite dernière », son « post-scriptum », dirait Cécile.

« Quand je pense que je ne connais même pas ta maison ! Ça m'empêchait de dormir. »

Arrivée aux guichets, elle ne retrouve pas son billet. Il semble que ce soit lui qu'elle ait offert au vieux monsieur avec son numéro de téléphone. Elle explique longuement l'affaire à l'employée qui finit par la laisser passer. Mais grand-mère s'arrête à nouveau et demande à récupérer le billet de Cécile, pour le garder en souvenir. Derrière, les gens s'impatientent. Elle les regarde avec étonnement : un voyage, n'est-ce pas de la distraction ? Nous sommes enfin tous de l'autre côté. Papa fait le compte des paquets. Grand-mère s'échappe à nouveau et file vers un kiosque à journaux.

Nous l'y retrouvons en train de réclamer *La Croix* et la monnaie de son billet de « cinquante mille francs », dit-elle, « en billets de mille francs de préférence ». Grand-mère n'a jamais su parler en nouveaux francs.

Tandis que la préposée aux journaux sort sa caisse, le regard de grand-mère parcourt l'étalage et, soudain, elle se fige. Catastrophe ! Elle vient de repérer, bien en évidence, la rangée de revues porno.

Il y en a pour tous les goûts et dans toutes les positions : sur un vélo, une rampe d'escalier, à plat ventre, en trapèze, en grand écart ou faisant le poirier. Certaines portent des vêtements mais c'est pour mieux faire valoir qu'il leur manque celui qu'on enfile en premier.

Grand-mère est pétrifiée. Nous aussi !

Elle se tourne vers Cécile, chargée de son sac.

« Mes lunettes de lecture ! » ordonne-t-elle.

Cécile fait semblant de ne pas les trouver et nous jette des regards aux abois. Grand-mère récupère son sac pour se servir elle-même. La vendeuse tend enfin la monnaie.

D'un geste large, grand-mère désigne la rangée de revues porno.

« Pour le tout. Combien ? »

Le ton est glacé. La vendeuse n'y comprend rien. Elle regarde les revues, puis cette vieille dame sous son chapeau qui veut toutes les lui acheter, puis nous ! Elle a toujours les billets à la main.

« Je vous ai posé une question, mademoiselle, reprend grand-mère sèchement. Combien pour toutes ces ordures que vous exposez au nez des enfants. Combien pour cette infamie à laquelle, s'il était encore là, Jules aurait déjà mis le feu. »

Jules : mon grand-père !

Les gens commencent à s'attrouper. En général, ils semblent d'accord avec grand-mère mais je demande à voir dans l'intimité parce que même moi qui suis complètement écœurée, un jour, j'ai eu envie de regarder et, si j'avais osé, j'en aurais acheté une.

Grand-mère n'a toujours pas récupéré ses billets. Elle prend son public à témoin.

« Et après ça ? Qu'est-ce qui reste à montrer ? Son foie ? Ses intestins ? »

Rire général ! La vendeuse semble au bord de la crise. Papa prend la monnaie, *La Croix*, le bras de sa belle-mère qu'il semble beaucoup moins apprécier que tout à l'heure, et l'entraîne de force. Elle se promet à voix bien haute d'écrire une lettre au président de la République. Elle lui a déjà écrit au sujet des impôts, des vieillards et de tous ces fruits qu'on jette quand il y en a trop. Pour les impôts, elle a reçu une réponse : son plan venait d'être adopté. Ils avaient eu la même idée !

Par bonheur, la voiture est tout près et nous parvenons à y faire entrer grand-mère avant qu'elle ait repéré la gigantesque affiche d'un film de même catégorie que les revues.

Elle s'installe.

« Cette voiture, c'est une quoi ? interroge-t-elle.

— Une Peugeot, dit papa étonné.

— Je ne veux pas avoir l'air d'une ignorante ! »

Et tandis qu'il démarre, elle ordonne.

« Nous passerons par le garage de Stéphane ! »

CHAPITRE XXXVII

UNE MEMORABLE PARTIE DE BILLARD

En hautes bottes et combinaison de caoutchouc, Stéphane est en train de laver une voiture.

Bien qu'il commence à avoir l'habitude des visites
familiales, il n'en revient pas de nous voir débarquer et
abandonner dans la Peugeot une petite dame aux cheveux neigeux qui lui fait signe d'entrer comme elle le
convierait dans son salon.

Grand-mère a exprimé le désir d'être laissée un instant seule avec lui. Comme il y a beaucoup de vent, on a
préféré leur abandonner la place. Il ne manquerait plus
qu'elle prenne froid.

Tandis que Stéphane, ému et ruisselant, retire ses
gants de caoutchouc, maman le met au courant de la
situation. On ne sait de quoi exactement veut lui parler
grand-mère. On n'a pu lui tirer durant le trajet que
le récit détaillé des disputes de Nicole avec la cuisinière qui n'a pas les mêmes idées qu'elle quant à la
cuisson du ragoût de mouton. Cela dure depuis vingt
ans !

Dans la voiture, grand-mère fait mille gestes d'encouragement. Stéphane prend une grande feuille de plastique qu'il étendra sur le siège pour ne pas le salir avec sa
combinaison humide. Quand il a refermé la portière,
nous pouvons le voir se précipiter sur la main qui lui
est tendue d'un geste de reine. Cette même main
remonte tout à fait la vitre. Nous voici congédiés !

Il commence à pleuvoir en plus ! Nous nous réfugions
dans la petite maison en verre. Cécile ne semble pas

pressée de nous y rejoindre et traîne du côté des bonbons. Papa va la chercher. C'est l'heure de vérité.

« Au point où nous en sommes, raconte-nous comment ça s'est passé ?

— Elle voulait venir avec Nicole, explique Cécile. Ils
avaient refusé. Alors elle a profité de moi.

— Et tu t'es laissé faire ? »

Cécile regarde vers la voiture. Grand-mère est tournée vers Stéphane qui semble être soumis à un interro-
gatoire en règle.

« C'est dégueulasse de vous faire vivre si vieux si
c'est pour vous enfermer dans un coffre-fort. Moi, ça ne
m'intéresse pas ! »

Elle regarde papa. « Et toi non plus, tu ne l'aurais pas
trahie. »

Charles ne répond pas. Je commence à me demander
si ce n'est pas pour chercher grand-mère que Cécile a
accepté de partir à Montbard. Je me souviens de son
indignation en lisant la lettre où celle-ci se plaignait
qu'on l'ait empêchée d'accompagner Nicole. Il faudra
que j'éclaircisse ça !

Maman est en train d'embrasser la poison qui se
débat tant qu'elle peut. Maman rit.

« Moi, je ne l'aurais pas sûrement pas trahie, dit-elle avec
enthousiasme. Et tu vois, maintenant qu'elle est là, je
trouve ça formidable. Il faudra seulement faire attention à la rendre en bon état à Montbard. Est-ce qu'elle a
dormi dans le train ?

— Elle n'a pas arrêté de jouer au rami avec le vieux
monsieur, dit Cécile. Elle lui a piqué trois francs soixante-quinze, ce qui l'arrangeait bien parce qu'elle n'avait
pas de monnaie. Mais lui, j'aime mieux vous dire qu'il
n'était pas content du tout. Entre parenthèses, il est
banquier. »

Maman réembrasse ! On ne voit plus rien dans la voiture à cause de la buée.

« Enfin, c'est pour voir Stéphane ou pour nous voir
qu'elle est venue ? demande papa.

— C'est surtout pour les Saint-Aimond », répond
Cécile.

Les parents se regardent.

« Grand-mère dit qu'elle a connu autrefois un Hippolyte de Saint-Aimond. Elle se demande si ce ne serait pas de la même famille.

— Ce n'est quand même pas pour parler d'Hippolyte de Saint-Aimond qu'elle a fait le voyage !

— Entre autres, dit la poison. Parce que pour Stéphane et Bernadette, elle sait tout, bien entendu.

— Tout ? »

Il y avait un accent d'inquiétude dans la voix de maman.

« L'amour, la brouille, l'accident et la rebrouille, aligne Cécile.

— Quel programme ! dit Charles.

— Elle a même dit qu'une situation si embrouillée, c'est le cas de le dire, ne se jugeait pas à deux cent quarante kilomètres et que Bernadette avait besoin d'une bonne leçon.

— Bernadette a besoin avant tout de se rétablir dans le calme.

— Justement, dit Cécile, grand-mère pense qu'avec cette histoire de Stéphane derrière la tête, c'est encore le cas de le dire, elle n'est pas bien partie pour ça !

— Mais de quoi se mêle-t-elle ? proteste papa.

— Quand on était en Amérique, Bernadette a profité de la cabine miraculeuse pour lui annoncer ses fiançailles, dit Cécile. Avant la brouille, ça va de soi !

— Et si je comprends bien, elle est venue dans l'intention de les raccommoder ! »

Cécile a un regard vers le ciel.

« D'accord avec Dieu », répond-elle gravement.

Le regard éberlué de papa monte à son tour vers les nuages ; puis revient se poser sur le visage de sa fille.

« Ils sont sortis ! » s'exclame maman.

Le capot de la voiture est ouvert et grand-mère a le nez dedans. C'est Stéphane qui parle maintenant. Il a l'air d'expliquer.

« Le moteur, c'est passionnant, frémit grand-mère quand nous arrivons. Mais je vais vous dire quelque chose d'affreux, moi, l'antigel, je l'aurais mis dans le réservoir d'essence ! »

Elle a l'air toute guillerette. Stéphane aussi.

« Et maintenant, à la maison ! » ordonne-t-elle.

Elle n'a rien regardé. Elle a voulu commencer par Bernadette et, cette fois, elle a tenu à ce que nous restions parce que ce qu'elle avait à dire, nous devions l'entendre aussi ! Les explications de famille, cela doit se faire en famille à cause des souvenirs, des leçons futures qu'on en tirera et c'est à force de ne plus s'expliquer que l'on met les grand-mères au panier alors qu'elles sont encore bonnes à servir !

Bernadette était installée au salon avec Claire et je peux dire qu'elle n'en menait pas large ! Quand nous lui avions appris ce matin l'arrivée de grand-mère, cela n'avait pas eu l'air de lui faire plaisir du tout alors qu'elle l'adore. Elle se doutait bien de ce qui allait arriver !

Grand-mère est allée droit au canapé et, sans retirer son chapeau, elle a passé l'inspection totale de la blessée comme l'avait fait Crève-cœur. Après, elle s'est assise près d'elle et lui a déclaré qu'elle avait une tête impossible, mais que ni sa nouvelle coiffure, ni la mine, ni les joues creuses n'y étaient pour rien. C'était les yeux ! Elle les reconnaissait, ces yeux ! Les mêmes que les siens, il y avait soixante ans !

Il y avait soixante ans, grand-mère avait rencontré son futur époux. Il paraît qu'elle était belle. Potelée et le teint clair comme ça se faisait à l'époque. Elle vivait chez ses parents à la campagne, dans un petit château et pour les armoiries, nous n'avions rien à envier aux Saint-Aimond.

Une des plus belles pièces du château était la salle de billard ! Et s'il y avait quelque chose que grand-mère, petite fille, détestait, c'était le moment, après dîner, où les hommes allaient s'y enfermer pour boire de l'eau-de-vie de prune, qui sentait si bon, fumer le cigare qui sentait encore meilleur, et faire d'interminables parties tandis qu'au salon les femmes parlaient de sujets assommants.

Toute petite, grand-mère suivait ces parties en se cachant derrière les rideaux et le jour où son père l'y avait découverte, elle en savait déjà un bout sur la tactique du billard et aussi sur la vie, grâce aux conversations masculines.

Son père, qui avait un faible pour elle, avait proposé de lui apprendre à jouer. Au début, pour certains coups, elle devait s'asseoir sur la table parce qu'elle avait les bras trop courts mais il avait été si bon professeur qu'à quinze ans, elle lui prenait déjà une partie sur deux.

Après le dîner maintenant, et à la mortification des femmes paraît-il, elle était admise parmi les hommes dans la salle de billard où son père exhibait fièrement ses talents et lui prêtait son cigare en douce.

Jules, notre futur grand-père, ne jouait pas au billard et personne n'avait cru utile de lui parler des capacités de Charlotte-Marie qui préférait à présent, plutôt que de participer aux parties, s'amuser avec son fiancé à semer leur chaperon dans les allées du parc.

Mais quand au dîner des fiançailles, après le repas, les hommes s'étaient dirigés vers la salle de billard, grand-mère avait eu soudain envie d'affronter son futur beau-père qui s'était vanté durant le repas de n'avoir jamais été vaincu par personne. Par ailleurs, cet aimable homme, affichait quant aux femmes l'opinion que ces êtres charmants étaient dépourvus de cervelle; propos qui déclenchait chez les êtres charmants, moins grand-mère évidemment, des rires stupides qui lui donnaient raison.

Elle avait donc suivi résolument les hommes et annoncé son intention de jouer ce qui avait provoqué un scandale. La famille de son fiancé était abominablement vieux jeu. On l'avait priée de rejoindre ces dames qui parlaient du passionnant sujet de la confection du trousseau.

Grand-mère avait refusé net, se mettant du même coup à dos l'un et l'autre sexes et elle s'était enfermée dans sa chambre.

Elle y était restée huit jours, refusant de recevoir le malheureux Jules qui venait pleurer à la porte, lui reprochant de ne pas l'avoir défendue lorsque son père avait dit qu'une jeune fille qui se respectait ne participait pas à des jeux d'hommes.

Toute la famille était aux abois, paraît-il, et si grand-mère n'avait pas fini par céder, ni maman, ni tante Nicole, ni l'oncle Jean, ni l'oncle Henri, n'auraient jamais vu le jour et, à plus forte raison, aucune de nous !

Grand-mère avait donc accepté de sortir de sa chambre mais à une condition. Elle désirait que son futur beau-père lui accordât une partie de billard ! Celui-ci avait cédé aux supplications de son fils mais il exigeait que la partie se déroulât dans la journée, toutes portes ouvertes et autres « êtres charmants » présents. Il n'était pas mécontent, au fond, de donner une leçon publique à cette péronnelle !

La partie avait été mémorable ! Le beau-père jouait fort bien et, jusqu'à la fin, on n'avait su qui l'emporterait. Il paraît que le père de grand-mère était en ébullition et avait failli mourir du cœur ce jour-là. On avait dû le saigner après la partie. C'est sur un « massé » particulièrement admirable qu'elle avait fini par s'assurer la victoire.

Là, grand-mère s'est levée et elle a pris le tisonnier pour nous montrer de quoi il s'agissait. Vous tenez, pour frapper la boule, votre canne perpendiculaire à la surface du tapis. C'est comme ça, d'ailleurs, qu'elle en avait, avant de réussir, coûté deux ou trois à son père !

Alors qu'humilié à mort, le vaincu réclamait à grands cris sa revanche, déclarant qu'il n'était pas dans son assiette, grand-mère avait répondu qu'à propos d'assiettes, elle ne jouait à ce jeu que le soir, après le dîner, en fumant le cigare et buvant de l'alcool de prune ! Et pour la seconde fois, nous avions bien tous failli ne jamais voir le jour !

Grand-mère a dit à Bernadette qu'elle avait le devoir de montrer à ses beaux-parents qu'on pouvait être à la fois bonne épouse, bonne mère et s'occuper de chevaux. Et que si elle avait, elle, Charlotte-Marie, en s'exerçant toutes les nuits avec son père durant les huit jours précédant le match, remporté l'autorisation de jouer au billard après le dîner, ce n'était pas pour que sa petite-fille renonce à sa vocation. Mais renoncer à l'amour à cause d'une vocation était tout aussi stupide puisque c'est du mélange des deux que naît le bonheur.

Grand-mère s'est ensuite tournée vers maman qui n'a pas tardé à baisser la tête, et déclaré qu'on ne laissait pas vivre sa fille quinze jours sous le même toit qu'un jeune homme, au vu de tout un village, sans qu'il l'ait auparavant épousée. Surtout lorsqu'on avait la chance que ce jeune homme croie en Dieu, aime son travail, accepte de voir sa femme fumer la pipe et proclame que Bernadette était et resterait toujours la seule femme de sa vie, toutes garanties que grand-mère avait dû récolter dans la voiture.

C'est ainsi que nous avons découvert que grand-mère était féministe et, nous référant au cigare, mieux compris d'où Bernadette tenait sa prédilection pour la pipe.

Cécile réclamait à grands cris un billard pour Noël. Papa semblait inquiet parce que grand-mère avait les joues violettes, quant à l'accusée, elle n'avait pas encore prononcé un mot, son interlocutrice l'arrêtant d'un geste autoritaire à chaque fois qu'elle en manifestait le désir.

Bernadette avait l'air plus entêté que jamais mais son visage avait été magnifique au moment où grand-mère avait raconté sa victoire au billard.

Quand grand-mère a eu cessé de parler, elle s'est tournée vers elle pour avoir sa réponse. Alors Bernadette a fait sa plus sale tête et elle a dit de sa plus sale voix :

« Qu'est-ce qu'on parie que quand tu reviens pour la noce, tous les Saint-Aimond seront sur des canassons ? »

Alors la joie ! Des sacs en plastique sont sorties des reines-claudes à point, des louises-bonnes et la première grappe de raisin. Il y avait aussi le délice de maman : un gros bouquet d'oseille !

Papa a pris la tension de grand-mère et la température de Bernadette. Il nous a couché tout ça pour une sieste. Nous avons rassuré Montbard. Nicole avait déjà pris la route de *La Marette.* Cécile avait oublié son pot de confiture, elle le lui apportait. On pourrait rajouter son couvert pour dîner, en plus de celui de Stéphane. Elle se chargeait du vin !

Stéphane est arrivé vers sept heures du soir. Nous

avions décidé de prendre l'apéritif au jardin, nos deux fragiles sur des transats.

Il a d'abord été baiser la main de grand-mère qui lui a adressé l'un de ses plus savants clins d'œil. Puis celle de maman. Puis il est venu serrer la main de papa, celle de Claire, la mienne. On n'avait toujours pas entendu le son de sa voix; c'est Cécile qui me l'a fait remarquer après qu'il lui eut ébouriffé les cheveux comme pour la remercier elle aussi. Il avait dû passer des heures sous la douche mais il sentait quand même un peu l'essence. Lui aussi a maigri.

Enfin, en dernier, il est venu vers Hadock. Hadock boule à zéro, sans barbe et sans pipe. Il s'est quasiment agenouillé devant elle. Il a pris ses mains et l'a regardée pendant des heures comme si elle était l'une des merveilles du monde.

Sur la photo que je conserve en moi de cet instant, il y a le sourire de Bernadette. Il y a papa qui tient sous son bras les épaules de maman et regarde grand-mère comme pour lui dire : « Elle est à moi et je ne regrette rien. » On ne peut pas dire que grand-mère ait l'air mécontent d'elle! Cécile est assise à ses pieds. Elles échangent un regard.

Et alors quelque chose d'extraordinaire me frappe. Elles se ressemblent! Elles ont un même sourire plein de joie et de défi. Mais aussi comme une même certitude. De chaque côté de la vie, l'une au début, l'autre à sa fin, on dirait qu'elles se sont trouvées. Et grand-mère semble, de ses doigts serrés sur ceux de sa petite-fille, lui transmettre un message, lui confier que ce qui se prépare pour elle, tous les événements futurs, les succès et les déceptions, ce qu'on appelle les aventures, ce n'est pas là le fond du problème. Mais autre chose.

Mais quoi ?

CHAPITRE XXXVIII

TIENS BON !

Aujourd'hui, j'ai décidé de faire un grand rangement dans ma chambre. C'est rare! Je n'aime pas jeter. Et même, fourmi, je conserve, j'entasse. Au fond de l'armoire, il y a des livres, des papiers, des jouets d'il y a au moins dix ans. J'ai gardé tous mes cahiers. Il n'y a qu'en vêtements que je suis pauvre : ils passent presque tous à Cécile! Je me dis toujours que cela pourra servir. Un jour, je pourrai éprouver le besoin impérieux de retrouver cette poupée, ce livre, cette joie ou cette tendresse. Un jour, on ne sait jamais, je pourrai être sauvée par la bouffée d'enfance qui y vit encore! De toute façon, jeter quelque chose que l'on a aimé, c'est tourner une page et tourner des pages je déteste!

J'ai tourné beaucoup de pages! J'ai jeté des cahiers d'écriture, deux ou trois ouvrages commencés, abandonnés, jaunis, de vieux jeux de cartes incomplets, des boîtes de tubes de peinture, des bijoux gagnés à la fête, des stylos, beaucoup de stylos aux plumes tordues.

Tout au fond de l'armoire, dans la poussière, j'ai trouvé un très ancien livre, le premier que maman m'avait donné ; un livre de chansons avec des images. Je devais avoir quatre ans. Il s'est ouvert à celle que je préférais.

Sur l'illustration il y a une maison à deux étages et quatre visages aux fenêtres. Tout le monde connaît la chanson.

Maman est en haut, qui fait du gâteau.
Papa est en bas, qui fait du chocolat.
Fais dodo, Colas mon petit frère...

Je l'ai fredonnée comme maman le faisait pour moi.
Elle tenait ma main, je fermais les yeux, j'étais souvent
endormie avant qu'elle ait fini.

Fais dodo, Colas mon petit frère...

Maman était en haut et papa en bas. Bernadette,
Claire, Cécile étaient là, chacune dans sa chambre, chacune à sa place, autour de moi. Tout était en ordre dans
la maison de couleur, de bonheur, mais on pouvait toujours me chanter la chanson, je savais qu'elle ne m'en-
dormirait plus.

J'ai refermé le livre et je l'ai mis sur l'étagère du haut
avec la robe mauve brodée de fleurs. Il y avait maintenant beaucoup de place dans l'armoire. Pour plus tard.
Pour l'avenir !

Dans le tiroir de ma table de nuit, j'ai trouvé une
feuille où, un après-midi d'hiver, Pierre avait dessiné
mon nom. Chaque lettre y vit à sa façon, avec des
fleurs, des cœurs, des rubans. Le « e » final a une
racine. Sur cette feuille, c'est un joli nom : Je l'ai mis
avec la robe et la chanson. Un jour, peut-être, je pourrai
les regarder tous les trois sans serrer les dents, sans les
larmes aux yeux.

Quand j'ai eu terminé, je me suis mise à la fenêtre.
La chambre était grise de poussière mais tout était en
ordre. Je ressentais ce vide derrière mon dos.

J'ai pensé à ce que m'avait expliqué Antoine lorsque j'avais tellement dormi, tellement dormi, réfugiée
dans cette chambre comme le cœur au fond de son
rocher.

J'étais triste de vivre dans un monde où, au lieu de
protéger les cœurs on les attrapait au harpon. Le plus
beau, à mon avis, de la part des cœurs, c'était de ne pas
chercher à s'enfuir en voyant s'approcher l'ombre du
bateau où guettaient les pêcheurs; c'était de ne même

pas y songer. Il y avait peut-être une solution. J'ai décidé de la chercher.

Depuis quelque temps, il m'arrive souvent de sentir comme une main qui se tend vers la mienne. C'est celle de Sally, ma sœur en Californie. Alors je la prends. Je ferme les yeux et je lui dis, je nous dis : « *Hold on!* » « Tiens bon ! »

Tiens bon !

TABLE DES MATIERES

DU MÊME AUTEUR

Aux Éditions Fayard :

L'ESPRIT DE FAMILLE (tome I).
L'AVENIR DE BERNADETTE (L'Esprit de famille, tome II).
CLAIRE ET LE BONHEUR (L'Esprit de famille, tome III).
MOI, PAULINE (L'Esprit de famille, tome IV).
L'ESPRIT DE FAMILLE (les quatre premiers tomes en un
    volume).
CÉCILE, LA POISON (L'Esprit de famille, tome V).
CÉCILE ET SON AMOUR (L'Esprit de famille, tome VI).
UNE FEMME NEUVE.
RENDEZ-VOUS AVEC MON FILS.
UNE FEMME RÉCONCILIÉE.
CROISIÈRE 1.
CROISIÈRE 2.
LA RECONQUÊTE.
L'AMOUR, BÉATRICE.
UNE GRANDE PETITE FILLE.

Chez un autre éditeur :

VOUS VERREZ... VOUS M'AIMEREZ, Plon.
TROIS FEMMES ET UN EMPEREUR, Fixot.
CRIS DU CŒUR, Albin Michel.

« Composition réalisée en ordinateur par IOTA ».

IMPRIMÉ EN FRANCE PAR BRODARD ET TAUPIN
Usine de La Flèche (Sarthe).
LIBRAIRIE GÉNÉRALE FRANÇAISE - 6, rue Pierre-Sarrazin - 75006 Paris.
ISBN : 2 - 253 - 02624 - 7